P.J. TRACY

Sneeuwblind

H&W

VAN HOLKEMA & WARENDORF
Unieboek BV, Houten/Antwerpen

THRILLER *die leg je niet meer weg*

Oorspronkelijke titel: *Snow Blind*
Oorspronkelijke uitgave: Michael Joseph/Penguin
Copyright © 2006 by Patricia Lambrecht en Traci Lambrecht

Copyright © 2007 Nederlandstalige uitgave:
Uitgeverij Unieboek BV,
Postbus 97, 3990 DB Houten

www.unieboek.nl

Vertaling: Willeke Lempens
Omslagontwerp: Wil Immink
Opmaak: ZetSpiegel, Best

ISBN 978 90 269 8589 8 / NUR 332

Proloog

Ze moesten even rusten nadat ze het lichaam dat hele eind door de hitte hadden versleept. Halverwege de heuvel gingen de twee jonge vrouwen in hun mouwloze zomerjurken zitten; ze sloegen hun armen rond hun knieën. De warme wind speelde met hun haren en kroop onder hun rokken. Achter hen lag een dode man. Maar de twee vrouwen keken strak voor zich uit, naar de wuivende velden vol prairiegras – nergens anders naar.

'We hadden hem op een plank moeten binden of zo,' sprak Ruth na een paar minuten, 'dan raakt hij niet steeds verstrikt in het gras.'

Laura deed haar mond al open om iets te zeggen, maar sloot hem abrupt weer. Bijna had ze gezegd dat ze dat 'dan mooi voor de volgende keer wisten'. Ze sloot haar ogen en zag die grote, ruwe handen door het gras glijden – de vingers gekromd, alsof hij zich probeerde vast te grijpen. Het was hoogzomer, het gras was lang. Het zwiepte heen en weer in de wind en haakte zich vast aan de grove stof van zijn mouwen.

'Zullen we dan maar?'

Laura's hart sloeg een slag over. 'Heel even nog.'

Ruth kon niet lang stil blijven. Ze was net zo'n vogeltje dat zijn vleugeltjes zo snel kon bewegen dat je ze niet meer zag; heen en weer flitsend alsof het altijd op het randje van paniek verkeerde. Ze probeerde zich echt rustig te houden, voor Laura, maar haar handen bleven bezig: paniekerig rukten ze het ene na het andere grasplukje uit. 'Ik heb hoofdpijn.'

'Dat komt door die kammetjes: daar krijg jij altijd hoofdpijn van.'

Ruth trok ze er meteen uit en schudde haar haar los. Haar blonde lokken rolden als vloeibare zonnestralen over haar rug. Gekke Ruth: even ouderwets van uiterlijk als de naam waar ze mee was opgezadeld; haar haar te lang, haar rokken te kort... Misschien was dáárom alles zo vreselijk uit de hand gelopen. Ze wist bijna een minuut stil te blijven zitten. Toen begon ze weer te frunniken.

'Hou toch eens op met dat gefriemel, Ruth.'

'Je hoeft niet tegen me te schreeuwen!'

Laura hoorde aan haar stem dat ze gekwetst was. Zonder te hoeven kijken wist ze dat Ruths onderlip nu trilde. Al gauw zouden er tranen komen. En ze had niet eens geschreeuwd; ze had alleen misschien wat te scherp geklonken. Maar ja, dat was al verkeerd. Ruth was altijd de zwakste van hen tweeën geweest, al voordat haar buik was gaan groeien. Je moest altijd voorzichtig zijn.

'Sorry dat het zo klonk. Zeg, heb je eigenlijk al een naam voor de baby bedacht?'

'Probeer me maar niet af te leiden. Wij moeten een gat graven!'

'Ik wil nog heel even blijven zitten, uitrusten.'

'Uitrusten?' Ruth keek haar aan alsof ze iets vies had gezegd. 'Maar we moeten nog zoveel doen!'

'Alleen dit ene nog.'

Laura glimlachte en voelde hoe ze zich voor het eerst in jaren ontspande. Ja, dat was het: vermoord een man en begraaf hem – dat was het enige dat er voor vandaag op hun lijstje stond.

Even later zei Ruth: 'Emily.'

'Pardon?'

'Emily: ik ga haar Emily noemen.'

'En als het een jongen is?'

Ruth glimlachte. 'Het is geen jongen.'

Dat was het verhaal waar Emily op haar laatste dag aan dacht. Het verbaasde haar dat ze het zich nog zo goed herinnerde. Ze had het immers slechts tweemaal in haar leven gehoord. Eén keer van haar tante Laura, die het haar had verklapt toen ze dertien werd – als een merkwaardig en mysterieus verjaarscadeau. En één keer van haar moeder, op de dag dat ze het ouderlijk huis had verlaten, om met Lars te trouwen en haar eigen leven te beginnen. Haar moeder had er – heel anders dan haar tante – een beetje giechelig over gedaan en ze wist nog heel goed dat ze dat een beetje eng had gevonden. Maar aan het eind had haar moeder gezegd dat ze dit verhaal (dat eigenlijk helemaal niet grappig was!) nooit mocht vergeten: het zou haar op een dag nog eens van pas kunnen komen.

En vandaag was het dan zover, dacht Emily. Ze vroeg zich af of ze het zou kunnen, na al die tijd. En áls ze het deed, betekende dat dan dat al die jaren verspild waren geweest?

Het was de laatste dag, de laatste dag van de geheimen. Ze lag op haar rug in bed, haar rechterhand op haar platte buik. Ze drukte erop, in een poging de pijn terug te duwen en die kwaadaardige massa die daarbinnen woekerde en met zijn hongerige tentakels haar gevoeligste zenuwen zocht, tegen te houden. *Mijn god, wat een pijn.*

Een dunne, kaarsrechte lichtstreep duwde buiten haar slaapkamerraam het zwarte gordijn aan de horizon omhoog, waarna ook het duister binnen langzaam begon te veranderen. Deze kamer was zowel hemel als hel geweest – in één en hetzelfde leven.

Emily stond al naast haar bed vóór het eerste getjirp van de vroegste vogel had geklonken. Meteen daarop deed een heftige pijnaanval haar dubbelklappen. Ze kneep haar ogen stijf dicht en zag overal warrelende en vonkende lichtstipjes.

Hoopje ellende, oude kleine vrouw – opgevouwen tot een pakketje grijs haar en knokige knieën, helemaal alleen in haar gruwelkamer, terwijl buiten de vogels onverklaarbaar vrolijk door elkaar kwetterend de ochtend begroetten.

Ze deed allerlei dingen die eigenaardig leken, voor eenieder die wist wat haar die ochtend te doen stond. Ze maakte een kom havermoutpap voor zichzelf, dronk zoals altijd slechts één kopje koffie en waste daarna de kom en de kop en schotel met het verbleekte, roze patroontje voorzichtig af. Ze besefte ineens dat dat patroontje er al die tijd was geweest en verbaasde zich over haar jaren vol onverschilligheid. Alles leek vandaag helderder, scherper: alsof ze de wereld jarenlang door een wazige lens had bekeken.

Toen liep ze naar de oude wapenkast in de eetkamer.

Ze hield het pistool in haar rechterhandpalm en vouwde haar stramme vingers eromheen. Het voelde goed, het voelde juist. Ze had het in geen jaren gebruikt. Het was zeker al vijf, zes jaar geleden, toen ze het had gericht op dat eekhoorntje dat door die olietruck op de oprit was achtergelaten – hijgend, verminkt en met glazige oogjes.

Emily was een uitstekend schutter. Daar had Lars voor gezorgd, in een tijd dat vossen en beren nog regelmatig de kippenhokken en afgelegen boerenerven van Minnesota opzochten. 'Je zúlt leren schieten, Emily, en je zult schieten wanneer dat nodig is,' had hij geantwoord op haar huivering, toen hij het nieuwe pistool voor het eerst op haar hand had gelegd. En ze hád leren schieten. Maar hoe ongelooflijk ver van haar gedachten was destijds het doel geweest, waarvoor ze dit wapen nu wilde gaan gebruiken. Hoe onvoorstelbaar zou dat toen voor haar zijn geweest: te doden, zorgvuldig overdacht en gepland en met een kille, triestige tegenzin – als voor ieder onaangenaam karwei.

Jij afschuwelijk, slecht mens, dacht ze toen ze de achterveranda op stapte. Dat je geen enkele spijt voelt, geen enkele schuld. Wat afgrijselijk, wat in en in verdorven.

De zon was nog niet boven de populieren uit, toen ze vanuit het huis in de richting van de vaag opdoemende schuur begon te lopen. Het pad door het hoge gras was nog gehuld in de vroege ochtendschemering.

Toen ze bedacht hoe ze er op dat moment uitzag, moest ze hardop lachen: een rare oude vrouw die zich in een verschoten jurk en op steunzolen voorthaastte, met een pistool in de hand – op weg naar een moord; op weg om het karwei af te maken, voor het te laat was.

Ze stopte even toen voorbij de ruige hortensia de grote oude schuur vol in zicht kwam. De tractorpoort stond open, als een bodemloze zwarte bek.

En toen ineens, verschoof de pijn in haar buik. Hij veranderde in een felle, doordringende steek in haar hoofd – waarna zonder enige waarschuwing een dood gevoel zich vanaf haar armen door haar hele lichaam begon te verspreiden.

Maar de pijn is niet tot het wapen gekomen, dacht ze dwaas. Hij heeft het wapen niet bereikt. Want dat voel ik nog steeds, het trekt zwaar aan mijn hand.

Maar in werkelijkheid lag het pistool allang op de grond. Het zonlicht knipoogde op de lange, glimmende loop, alsof hij Emily uitlachte terwijl ze ernaast neerviel. Ze kon haar lippen al niet meer bewegen, dus bleef de kreet steken in haar hoofd.

Nee God, alstublieft, nog niet! Ik moet hém eerst doden.

1

Minneapolis had nog niet veel van de winter gezien. Elke beloofde bui was steeds te ver naar het zuiden afgebogen en had alle sneeuw waar Minnesota recht op had, laten vallen op staten die hem wilden noch verdienden.

Ondertussen keken de inwoners van Minnesota verbitterd toe hoe hun gazonnetjes alweer groen werden door de regen en hoe hun sneeuwmobielen in de garage stonden te verstoffen. Sommige verstokte rijders trokken naar het nabijgelegen Iowa om nieuwe modellen uit te proberen, maar zwegen daar maandagochtend bij de waterkoeler over: het was gewoon té vernederend.

Maar vandaag zou dat alles veranderen en iedereen in de hele staat was opgetogen over dit vooruitzicht.

De sneeuw begon die ochtend rond tien uur te vallen – en niet zo'n beetje ook, alsof hij zich wilde verontschuldigen voor zijn late komst. Binnen het uur was er in de hele stad geen sprietje gras meer te zien. Alle wegen waren spiegelglad van de verse sneeuw (met een donkere ijslaag eronder) en op de rondwegen was de gemiddelde snelheid gezakt tot zo'n tien kilometer per uur. Verslaggevers toonden beelden van mensen die rond lunchtijd nog achter het stuur zaten en slechts met een slakkengangetje vooruitkwamen. Maar terwijl dit langzaam-rijden-en-stilstaan normaal gesproken leidde tot verhoogde agressie in het verkeer, glimlachte vandaag iedereen.

Op het hoofdbureau van politie wisten de rechercheurs Leo Magozzi en Gino Rolseth nog helemaal niets van het verrassinkje dat Moeder Natuur aan het voorbereiden was. Zij zaten aan hun bureaus in de verste hoeken van de grote ruimte naar elkaar te grijnzen – niet een beeld dat je op de afdeling Moordzaken vaak zag, maar vandaag was nu eenmaal een topdag.

Gino legde zijn voeten op zijn bureau en vouwde zijn handen

achter zijn hoofd. 'Zo'n puike dag krijgen we nooit meer. Althans, niet op het werk.'

Magozzi dacht even na. 'Misschien moeten we nu meteen maar met pensioen gaan. Op het toppunt van onze roem ertussenuit piepen... en dan beroepsgolfer worden, op Hawaï of zo.'

'Beroepsgolfers voelen zich nooit zo top als wij nu.'

'Vast niet.'

'En we kunnen geen van beiden golfen.'

'Zo moeilijk kan dat toch niet zijn? Je mept gewoon een balletje in een gaatje. Flipperen op gras: meer is het niet.'

Gino's grijns werd nog wat breder. 'Wij zijn vast de enige rechercheurs bij Moordzaken van wie ooit een slachtoffer is blijven leven.'

'Nee joh, dat is vast al honderd keer eerder voorgekomen.'

Gino trok een gezicht. 'Vast... Maar niet hier! En ze had net zo goed wél kunnen sneuvelen... ware het niet dat de twee beste rechercheurs ter wereld toevallig net langskwamen.' Hij schudde vrolijk zijn hoofd. 'Man, dit is haast nog lekkerder dan seks.'

Dát vond Magozzi wat te ver gaan, maar hij ging er nu niet over in discussie.

Vier dagen geleden waren ze opgetrommeld in verband met een vermoedelijke moord. Slaapkamer vol bloed, dronken ex met een verleden vol misbruik en geweld plus een vermiste vrouw die die smeerlap meteen na de scheiding een straatverbod had laten opleggen. Magozzi en Gino hadden haar die ochtend gevonden: in de kofferbak van een auto op de lang-parkeren-plaats van het vliegveld. Haar ademhaling was zwak, maar de artsen van het Hennepin General-ziekenhuis hadden hun verzekerd dat ze het zou redden. En sinds die tijd liepen Gino en Magozzi met hun hoofd in de wolken.

Gino draaide zijn stoel naar het raam. Zijn blije grijns verdween op slag. 'Nee, hè: die rotzooi komt nog steeds naar beneden.'

'Mooi! Er wordt altijd weinig gemoord als het sneeuwt.'

'Is dat zo? Maar het percentage moorden was het afgelopen kwartaal met zes procent gestegen.'

'Precies, omdat er geen sneeuw viel! Vanaf nu wordt alles beter.

10

Man, moet je zien hoe het valt.' Magozzi liep naar het raam en keek naar wat de sneeuw op straat aanrichtte.

Gino kwam hoofdschuddend naast hem staan. 'Ik heb die moord-statistieken nooit zo begrepen. Het zou toch precies andersom moeten zijn? De winter hier is erg zat om van iedereéén een moor-denaar te maken. Man, ik hoop dat het snel weer ophoudt.'

Magozzi stak zijn handen in zijn zakken en glimlachte. 'Er schijnt op zijn minst dertig centimeter te gaan vallen.'

'Zeg dat nou niet!'

'Sorry maat, maar het ziet ernaar uit dat we toch nog een Winter-Fest krijgen. Sneeuwpret alom!'

'Bah!' Gino's goede humeur was nu definitief verleden tijd. 'En dus zal ik één van mijn twee vrije dagen moeten opofferen, om in de ijzige kou zo'n stomme sneeuwpop te bouwen voor dat stomme kinderfeest. Hebben die zogenaamde computertovenaars van Monkeewrench nou nog steeds niks gevonden over wie mij dit alles aandoet?'

Tot zijn grote ongenoegen was Gino altijd de sigaar. Bij ieder door de politie van Minneapolis gesponsord evenement voor het goede doel verdubbelde een anonieme gever telkens de gehele op-brengst, op voorwaarde dat Gino zich als vrijwilliger opgaf.

'Ik geloof van niet.'

Gino kneep zijn ogen tot spleetjes. 'Da's dus best interessant, als je het mij vraagt. We hebben het hier namelijk over vier genieën; de bedenkers van de meest geavanceerde misdaadbestrijdingssoftware ter wereld, die nog met hun hersenen in hun zak in de database van de National Security Agency kunnen inbreken... maar geen naam weten te plakken aan een simpele *bankrouting*-code? Dat klopt niet; dat weet jij net zo goed als ik. Ik zeg je, Leo: Monkeewrench zit er gewoon achter. Mejuffrouw Grace MacBride zelve, om pre-cies te zijn.'

Magozzi glimlachte flauwtjes bij het horen van Grace' naam. 'Waarom zou ze dat doen dan? Ze mag jou wel, hoor!'

'Mm, laat me eens denken. Misschien omdat ik me in het verle-den wat negatief heb uitgelaten over jullie relatie? Daar is ze vast nog steeds kwaad over.'

'Grace wordt nooit kwaad.'

'Vertel mij wat: zij pakt je gewoon terug!'

Rond het middaguur lag er al ruim tien centimeter sneeuw. De meeste scholen hadden een begin gemaakt met de kinderen per bus naar huis te brengen. Overal waar de sneeuwploegen nog niet waren geweest werd gelanglauft. Halverwege de middag waren er net zoveel centimeters bij gevallen als het kwik was gedaald en stond het verkeer op de rondwegen muurvast: allemaal balende forensen die dom genoeg hadden besloten vandaag níét eerder van hun werk te vertrekken.

Tegen het vallen van de avond dumpte de grijze lucht zijn witte lading nog steeds met een tempo van zeker tweeënhalve centimeter per uur. Op straat was het een chaos en de meeste zaken in de stad hadden hun deuren voor de rest van de dag gesloten. Tommy dacht aan al die idioten die nu voor de open haard aan hun warme grog zaten te slurpen (of wat zulke lui ook maar dronken), waardoor ze de eerste echte sneeuwbui van deze winter misten, plus de aanblik en geluidloosheid van een tot stilstand gekomen wereldstad.

Ergens was het ook best spookachtig in zo'n leeg park. Voor zover hij zag, waren de enige andere mensen dat groepje daarachter, dat op een verlichte heuvel aan de overkant van de grote middenvlakte aan het sleeën was. Ze leken van hieraf net gekleurde mieren en hun geluiden bereikten hem amper. Hoewel de langlauftrajecten van de stad vandaag voor het allereerst in deze lange, sneeuwloze winter waren opengesteld, wachtte iedereen behalve de ware fanaten op het daglicht en keurig verzorgde loipes voor ze hun skischoenen aanklikten. Morgen zou het hier overvol zijn, maar vanavond had hij het rijk alleen.

Ook in perfecte omstandigheden maakten niet veel skiërs gebruik van de hoger gelegen, bosrijke paden van het park, en zeker niet in het donker. Maar dat was juist waarom Tommy er zo dol op was: geen voortschuifelende kinderen, geen slome oudjes die de smalle doorgangen tussen de hoge bomen versperden, hem uit zijn ritme haalden en zijn pas vertraagden.

De vegers waren vandaag nog maar één keer over de loipes heen gegaan, na de eerste vijftien centimeter sneeuw; sinds die tijd was er nog veel meer gevallen. Tommy hield van de uitdaging hier met veel kracht op zijn lange ski's doorheen te ploegen en als allereerste zijn sporen in de verse sneeuw achter te laten.

Maar de grote heuvel richting het bos was hem wat tegengevallen. Hij voelde de spanning in zijn bovenbenen en schouders nu al, terwijl ze pas een uurtje bezig waren. Zijn dagelijkse training op de sportschool hield hem strak en sterk, maar die stilstaande ski-apparaten konden je op geen enkele manier voorbereiden op het echte werk, op welke stand je ze ook zette. Zij konden het nerveuze schokken van een ruw spoor nooit nabootsen en boden een ervaring die ver afstond van een glijpartij op een glad stuk, waardoor je benen opzij werden getrokken in plaats van naar voren en je heel andere spiergroepen moest inzetten. Misschien moest hij maar eens een beter apparaat uitvinden en daar stinkend rijk mee worden.

Hij stopte even om op adem te komen, schudde zijn armen en benen uit en bleef toen heel stil staan luisteren of hij het geschuifel van Toby's ski's al achter hem hoorde. Hij moest daar toch ergens zijn. Waarschijnlijk zwoegde hij nu pas de helling richting het bos op – het verhaal van Toby's leven: hij was altijd al trager en zwakker geweest, en het mikpunt van zo'n beetje elke tegenslag die een mens kon krijgen. Het beste dat hem ooit was overkomen was dat hij lang geleden, in groep zes, bevriend met Tommy was geraakt. De andere kinderen hadden hem, puur voor de lol, in elkaar willen slaan, maar Tommy had de pestkoppen voor hem weggejaagd. Vanaf dat moment had Toby hem verafgood – en zo was het jaren later nog steeds. Al waren de pestkoppen nu stukken groter en gemener, Tommy vocht nog steeds voor Toby, of het nu ging om iemand op straat of om een meerdere op het werk – en daar voelde hij zich prima bij. Hij speelde graag de held, genoot vooral van de bijbehorende verering. Hij zei altijd dat het niet uitmaakte of je op het schoolplein, in een oorlog of op straat vocht: knokken smeedde een onverbrekelijke band tussen mannen. En daar begrepen vrouwen niks van.

Hij merkte dat hij te lang stilstond: de kou begon door zijn Goretex-pak heen te kruipen. Hij opende net zijn mond om Toby te roepen, toen hij eindelijk ski's op hem af hoorde komen. Hij luisterde even en fronste toen zijn voorhoofd: het geluid kwam niet van de loipe achter hem, maar klonk ergens van opzij, tussen de bomen. Toen pas zag hij de smalle stralen van hoofdlampen tussen de boomstammen flitsen.

Hij blies een ijskoud wolkje uit, geïrriteerd dat hij over enkele seconden gezelschap zou krijgen. Daarnaast voelde hij een onredelijke boosheid: blijkbaar was hij niet langer de beste, sterkste en snelste langlaufer in het park. Een eind naast de loipe langlaufen, over een ongemarkeerd pad tussen de bomen, door bijna dertig centimeter verse sneeuw, dat vereiste veel kracht en uithoudingsvermogen – meer dan híj had – en niets ergerde Tommy meer dan op-één-na-beste zijn.

Hij dacht er even over om, nu hij nog een kleine voorsprong had, razendsnel verder te stuiven, maar dacht toen aan de vernedering als hij vervolgens toch nog zou worden ingehaald door deze superlanglaufers. Dat zou hij in geen geval laten gebeuren! Ik sta te wachten tot mijn vriend me heeft ingehaald, zou hij zeggen. En dan zou hij nonchalant blijven staan, terwijl zij verder skieden – alsof hij ze makkelijk had kunnen inhalen, áls hij had gewild.

Hij deed een stap opzij om ze de ruimte te geven en keek hoe ze hem naderden. In het licht van zijn eigen hoofdlamp zag hij in een glimp donkere pakken en skibrillen gestaag op hem af komen. Ze mogen dan sterk zijn, dacht hij, ze zijn ook stom: je skibril ophouden terwijl je je zo in het zweet loopt te werken!

Slechts enkele meters verderop op de loipe trok Toby zich aan zijn stokken vooruit, trachtend zoveel mogelijk in Tommy's sporen te blijven, om het zichzelf niet nóg moeilijker te maken. Hij had deze winter nog niet de kans gekregen skibenen te kweken en de klim tegen de hoge heuvel op had alle kracht uit zijn bovenbenen getrokken. Hij voelde zich trillerig en slap.

Tot zijn verbazing ontwaarde hij recht voor zich meer dan één voorhoofdlamp. Hij had toch steeds maar één spoor gevolgd? Toen hij nog wat dichterbij kwam, zag hij Tommy naast de loipe staan kijken hoe twee skiërs hem vanuit het bos naderden. Toby schudde zijn hoofd: roekeloos, om je in het donker buiten de geprepareerde loipes te wagen! Hij stak zijn stokken diep in de sneeuw, zette zich nog één keer stevig af en gleed op het gezelschap af. Midden in de beweging zag hij hoe de voorste skiër een wapen tegen Tommy's hoofd zette en de trekker overhaalde.

Toby Myerson bleef maar in en uit een zalige slaap glijden. En telkens wanneer zijn ogen even opengingen, was alles om hem heen anders – alsof iemand een film snel vooruitspoelde.

Daarnet was de grote heuvel aan de overkant van het veld nog een soort snelweg-in-de-spits van kinderen geweest: een mengelmoes van primaire kleuren van wel honderd miniatuur sneeuwoutfits, de lucht verzadigd van verrukte kinderkreten, een vrolijke symfonie die hem vanbinnen helemaal warm had gemaakt.

Toby zag graag hoe die kleine lijfjes over de besneeuwde helling naar beneden zeilden en onderaan van hun matje, slee of soms zelfs bobslee tuimelden. Dan tolden ze als een stuiterbal nog even door en klauterden vervolgens razendsnel als kleurige mieren weer tegen de heuvel op – zo uitbundig, zo onvermoeibaar, zo ontzettend levendig. Zo nu en dan concentreerde hij zich op één kind in het bijzonder, dat iets groter en behendiger leek dan de anderen, en wenste met heel zijn hart dat dit het open veld zou oversteken om iets tegen hem te komen zeggen. Maar eigenlijk voelde hij zich ook een beetje merkwaardig. Hij vreesde dat hij er wel eens wat eng uit kon zien; kinderen schrokken tegenwoordig zo gauw. Als hij ze bang maakte, renden ze natuurlijk meteen weer weg. En dat mocht niet gebeuren, want hij móést iemand vertellen van... dat ene... dat erge. Alleen kon hij zich nu even niet herinneren wat het ook alweer was...

Toen hij zijn ogen opnieuw opende, leek de wereld donkerder. Eerst dacht hij dat dat kwam doordat de lichten in het park uit waren gedaan. Maar nee, dat kon het niet zijn: als hij zijn ogen op een lamp richtte, zag hij nog steeds allemaal felle stipjes – alsof er lichtgevende beestjes in de lamp gevangen zaten. Vreemd.

Er waren nog maar een paar schimmige achterblijvers op de heuvel. Het enige geluid dat hij hoorde was het geroep van de laatste ouders, die hun kinderen lieten weten dat ze thuis moesten komen, naar bed, dat het park ging sluiten.

Ga niet weg. Ga alsjeblieft niet weg!

Het drong ineens tot hem door dat hij het heel, heel erg koud had. Hij stond ook al zo lang stil naar die kinderen te kijken; uren misschien al wel. Tjongejonge, wat stond hij nu toch te doen? Hij moest gauw in beweging komen, zijn bloed laten stromen: naar huis, zorgen dat hij weer warm werd!

Maar het gekke was, dat zijn blikveld exact hetzelfde bleef – hoe lang hij ook liep. En nog gekker was, dat zijn hoofd elke beweging van zijn armen en benen registreerde, maar dat hij niet de gladheid van de sneeuw onder zijn voeten voelde of ervoer dat zijn spieren zich spanden.

Dat komt doordat je helemaal niet beweegt, Toby.

O nee!

Kort flakkerde er nog wat warmte door zijn lichaam, toen dit trachtte adrenaline op te wekken om naar zijn hart te sturen. Toby concentreerde zich extra hard en probeerde om zonder met zijn ogen te knipperen zo hard hij kon te schreeuwen, naar het laatste kind dat de heuvel op klauterde. *O nee, hij was al bijna boven...* Hij schreeuwde en schreeuwde; verscheurde de stilte met al zijn doodsangst en razernij. Hij wist ineens dat hij aan het sterven was, dat hij zich met geen mogelijkheid meer kon verroeren, dat... *Waarom draaide dat joch zich nou niet om?*

Boven aan de heuvel gekomen keek het allerlaatste kind glimlachend op naar zijn vader. En toen keken ze samen uit over het verlaten, doodstille park.

2

Het verkeer op de Theodore Wirth Parkway was een volslagen ramp. De dertig centimeter sneeuw die gisteren was gevallen, was omgewoeld tot een verraderlijke smurrie voor het overwerkte bataljon sneeuwruimers de kans had gekregen hem weg te werken. En toen 's nachts de temperatuur pijlsnel was gekelderd, was deze smurrie opgevroren in keiharde voren: een soort instant bobsleebaan. Magozzi was al gestopt met het tellen van kop-staartbotsingen.

Nog maar twee blokken verwijderd van de hoofdingang van het park stond hij met zijn auto nu al bijna vijf minuten muurvast. Jaloers keek hij naar de hordes voetgangers die ongehinderd in hun warmste winterkleren langs de opstopping waggelden, op weg naar de WinterFest Sneeuwmannenwedstrijd. Het waren er te veel om te tellen. Allemaal trotseerden ze wind, kou en verkeer, enkel om lui in de sneeuw te zien spelen. En allemaal keken ze er zeer opgewekt bij.

De inwoners van deze stad waren gek op de winter (of misschien gewoon gek, daar was Magozzi nog niet uit). Zo gauw er genoeg sneeuw lag, werden er straten voor het een of het ander afgesloten: sledehondenraces, langlaufmarathons, ijshockeydemonstraties of een hoop ophef rond in badkledij gestoken lieden die zo idioot waren om een bevroren meer of rivier in te duiken. Elke wintersport die ooit was bedacht had hier zijn thuisbasis – en als de sporten op waren, gingen ze met kunst de buitenlucht in...

Geef Minnesotans een blok ijs en ze hakken er nog twintigduizend uit een nabijgelegen meer en bouwen er een paleis van. Geef ze een beetje sneeuw en je stuit weldra in een voortuin op een schaalmodel van Mount Rushmore of het Witte Huis. Ook beeldhouwen met sneeuw of ijs was hier tot kunst verheven. Vanuit de hele wereld kwam men hierheen om aan zoveel mogelijk winterfestivals mee te doen. Want wie bedacht er nou dat een sneeuwpoppenwedstrijd voor kinderen, gesponsord door de politie, zoveel aandacht zou trekken?

Centimeter voor centimeter schoof hij een half huizenblok op, langs een bebost deel van het park, waarna hij plots uitzicht kreeg op het open veld dat grensde aan de boulevard. Net als alle chauffeurs voor hem trapte hij verbluft op de rem en staarde door zijn raam.

Het park bestond hier uit zeker twaalf hectare heuvelachtig landschap – in de zomer net een golfterrein. Maar vandaag was het een verblindend wit slagveld, met daarop een oprukkend sneeuwmannenleger. Het leken er wel honderden, die om de paar meter op het veld en tegen de hellingen als paddestoelen uit de grond waren geschoten en met hun malle wortelneuzen en zwarte, levenloze ogen naar het verkeer stonden te staren.

Toen hij eindelijk het park in kon, parkeerde hij op de eerste clandestiene plek die hij zag – tussen een satellietbusje van Channel Ten en een bord met 'Algeheel parkeerverbod'. Hij pakte zijn handschoenen en een thermoskan van de passagiersstoel en stapte uit, precies op tijd voor een ijzige windvlaag recht in zijn gezicht.

Er dwaalden honderden nieuwsgierigen door het park, die kwamen kijken naar hoe bergen sneeuw onder bevroren handen vorm kregen. Magozzi vroeg zich af hoe hij zijn partner hier ooit moest vinden, in deze zee van anonieme tweevoeters, van top tot teen gehuld in bont, dons en Thinsulate-stof.

Maar eindelijk zag hij Gino aan de overkant van het veld staan. Met zijn bescheiden één meter vijfenzeventig torende hij uit boven de dolgedraaide, gillende lilliputters die in een regenboog van jassen, dassen en mutsen om hem heen wervelden.

Gino was helemaal in het zwart, alsof hij in de rouw was. Hij droeg een enorme donzen parka die zo bol stond dat hij zijn armen amper kon buigen, er zat een of ander beest op zijn hoofd en zijn handen staken in een paar leren wanten, groot genoeg om pizza's mee uit de oven te scheppen. En zijn humeur was duidelijker nog donkerder dan zijn kleding: hij deelde net een paar gemene trappen uit aan de onderkant van zijn beginnende sneeuwman.

'Leuke jas, Gino. Hoeveel eenden zijn daarvoor doodgegaan?'

'Zo, ben je daar eindelijk? Om je vraag te beantwoorden: niet genoeg. Ik voel mijn ledematen al niet meer: bevriezingsverschijnselen, volgens mij. En ik ben zwaar onderkoeld. Bah, ik haat de winter, ik haat sneeuw, ik haat kou. Waarom woon ik hier ook alweer?'

'Omdat je dol op muggen bent?'

'Helaas, fout geantwoord.'

'Dan moet het de afwisseling der seizoenen zijn.'

'Nee: dat komt doordat elke rotwinter opnieuw alle hersencellen die weten hoe akelig het hier is, bevriezen en afsterven. Dan doen ze er de hele zomer over om weer aan te groeien en... tja, dan is het alweer winter en begint dat hele rotproces van voren af aan.'

'Maar je ziet er top uit, man! Op de meeste plekken kun je je met dat soort oorkleppen toch niet meer vertonen...'

Gino trok stijfjes aan het zwarte bontje op zijn hoofd. 'Lach maar! Jij vriest straks nog dood, Leo. Mét *windchillfactor* is het zo'n zesenveertig graden onder nul en in die kleren weet jij over vijf minuten niet hoe snel je bij je auto moet komen. Wat is er, shop jij tegenwoordig samen met de chef of zo? Je lijkt wel een gangster.'

Magozzi streek over de voorkant van zijn nieuwe kasjmier overjas – een kerstcadeau van Grace MacBride. 'Ik hoorde dat het weer warmer zou worden. Kijk, daar heb je de zon al.'

'Als de zon in Hawaï tevoorschijn komt, wordt het daar warmer; als in Porto Rico de zon komt, wordt het warmer. Maar als in Minnesota in januari de zon tevoorschijn komt, is het enige dat er gebeurt dat je sneeuwblind raakt.'

'En dat is dus de werkelijke reden dat jij hier woont.'

'Dat ik sneeuwblind wil raken?'

'Nee, dat je wilt kunnen klagen over het weer.'

Gino overpeinsde dit een hele tijd en knikte toen. 'Daar heb je eigenlijk wel een punt, Leo. Het enige dat ik nog erger vind dan slecht weer, is saai weer.' Hij boog zich om een wantvol droge poedersneeuw op te rapen. 'Kun jij me vertellen hoe ik hier in vredesnaam een sneeuwpop van moet maken?'

Magozzi wees naar een groepje kinderen met plantenverstuivers. 'Kijk en leer: het water werkt als lijm.'

'Oké dan, Michelangelo, trek je wapen en vorder zo'n waterfles voor de politie van Minneapolis.' Hij keek hoopvol naar de thermoskan in Magozzi's hand. 'Zeg me dat daar schnaps in zit.'

'Warme chocolademelk. Je moet in deze kou geen alcohol drinken. Dat verwijdt je bloedvaten, waardoor je eerder onderkoeld raakt.'

'Dat ben ik toch al, dus wat maakt het uit?' Gino draaide zich weer naar de zielige, misvormde halve sneeuwman, die bij elke windvlaag stukken lichaam verloor. 'Moet je toch eens zien: de slechtste sneeuwpop van de hele wedstrijd.'

Magozzi deed een paar passen achteruit om het werkstuk te bekijken. 'Ach, misschien hebben ze ook wel een categorie "Conceptual art". Of je schrijft hem in als "Sneeuwman met psoriasis".'

'Jij bent vandaag zeker de leukste thuis.'

'Ik probeer je gewoon op te vrolijken. Komen Angela en de kinderen nog?'

'Later, bij de jurering. En ik wil op zijn minst een eervolle vermelding, dus help eens een handje!'

'Oké, ik ben er klaar voor. Hoe beginnen we?'

'Ik denk dat we eerst een thema moeten verzinnen.'

Magozzi knikte. 'Strak plan. Zoals?'

'Weet ik veel! Misschien iets met politie?'

'Kan ik volgen; een sneeuwagent lijkt me een prima idee.'

'Ja, maar niet te opzichtig. Zie je die daar, bij die bomen?' Gino wees op een sneeuwpop niet ver bij hen vandaan. Uit zijn onderkant staken langlaufski's, er waren skistokken tegen zijn romp gezet en op zijn wortelneus prijkte een spiegelende Elviszonnebril. 'Iets te mager als je het mij vraagt, maar over het geheel genomen netjes gemaakt. Ik denk dat we die wel als voorbeeld kunnen gebruiken.'

'Wat jij wilt: jij bent de visionair, ik de gratis arbeidskracht. Zeg maar wat ik moet doen.'

'Maak jij maar een kop voor me die niet meteen uit elkaar valt.'

Gino en Magozzi togen aan het werk. Ze rolden, klopten, kneedden en boetseerden. De zon stond blijkbaar aan hun kant, want die scheen helder en hoog in de lucht, wat de sneeuw iets zachter maakte en makkelijker te verwerken. Een halfuur later hadden ze al een redelijk uitziende basispop.

'Verdomd goed beginnetje.' Gino stapte achteruit om hun schepping te bewonderen. 'Een paar details nog, misschien hier en daar nog wat bijwerken... en wij hebben een puike bijdrage geleverd. Wat vind jij ervan?'

'Ik vind dat hij een te dikke kont heeft.'

Gino rolde met zijn ogen. 'Een sneeuwman móét een dikke kont hebben!'

'Misschien ziet hij er beter uit als we hem armen geven.'

'Prima idee. Trek maar eens wat takken van die struiken daar.'

'Je mag in het park niet aan het groen komen.'

'Wat kan mij dat nou schelen? Dit ding is niet af voor hij ledematen heeft. En nu geen slimme opmerking over gelijke behandeling van gehandicapten of zoiets.'

Magozzi liep naar het verwilderde struikgewas onder aan een rijtje bomen. Hij bleef even staan om de skiënde sneeuwman van dichtbij te bekijken. De zon stond er nu vol op en zijn linkerkant begon er al wat glazig en papperig uit te zien. Met een beetje geluk smolt hij nog voor de jury hem had gezien: mooi, één concurrent minder!

'Is dat de jouwe?'

Magozzi keek omlaag en zag een klein, roodharig jongetje dat opeens naast hem was opgedoken.

'Nee.'

Hij kon niet ouder zijn dan acht of negen, maar liep om de sneeuwman heen met de kritische blik van een doorgewinterd jurylid. 'Niet slecht. Beter dan die waar die dikke aan staat te werken.' Hij wees naar Gino.

'Da's wel mijn partner waar je het over hebt, hoor.'

Het kind keek verbaasd naar hem op. 'O, jij ziet er helemaal niet uit als een homo.'

Dat heb je nou met een levende taal, dacht Magozzi, het lijkt wel alsof elk woord tegenwoordig meerdere betekenissen heeft. Op een gegeven moment moeten ze toch weer eens een paar nieuwe bedenken. 'Niet zó'n soort partner: wij zijn van de politie.'

Nu was de jongen onder de indruk. 'Heb je wel eens iemand neergeschoten?'

'Nee,' loog Magozzi.

'O.' Teleurgesteld draaide het kind zich weer naar de skiënde sneeuwman, Magozzi net zo snel afdankend als hij zijn aandacht had opgeëist. Een levenloos ding was voor hem duidelijk een stuk interessanter dan een agent die niet op mensen schoot.

Magozzi keek om zich heen, om zich ervan te verzekeren dat er in de bosjes niet ergens een parkwachter zat die hem probeerde te pakken, en oogstte toen gauw een paar illegale armen voor hun sneeuwman.

Enkele tellen later klonk het gegil. Magozzi draaide zich vliegensvlug om, zijn hand al op zijn holster voor hij helemaal rond was. Het roodharige joch stond voor de skiënde sneeuwman en staarde ernaar met grote blauwe ogen en een onvoorstelbaar grote open mond.

In een fractie van een seconde stond hij naast het kind en zag hoe de wortelneus in het smeltende gezicht omkantelde, waarna de zonnebril afgleed en de grote, melkwitte angstogen onthulde die er al die tijd achter hadden gezeten. De echte neus onder de wortel was wasachtig wit – regelrecht van het kleurenpalet van Magere Hein.

O, shit.

Het joch stond nog steeds te gillen. Magozzi legde zijn handen op zijn schouders en draaide hem voorzichtig weg van de sneeuw-man-die-geen-sneeuwman-was, richting een roodharige man en vrouw, die ongerust op hun dodelijk geschrokken zoon af kwamen rennen.

3

Het was nog een hele kunst geweest om de schade op het sneeuw-
mannenveld zoveel mogelijk te beperken. Het gegil van het joch
had een enorme stormloop teweeggebracht. Tegen de tijd dat Magozzi en Gino zich realiseerden waar ze mee te maken hadden,
kwam er zeker vijftig man op hen af gestormd, de knieën hoog op-
tillend in de sneeuw en schreeuwend.

'Wat doen jullie daar?'

'Weg bij dat kind!'

Ze riepen nog een stel kleurrijker zinnen, die meer dan duidelijk
maakten wat iedereen dacht dat er aan de hand was.

Er waren veel dingen die je in deze stad met honderd procent zekerheid kon voorspellen – en één daarvan was dat als er ergens een
kind gilde, elke volwassene binnen gehoorsafstand onmiddellijk
kwam aandraven. Niemand wachtte op de volgende kreet, niemand
dacht aan zijn eigen hachje, niemand aarzelde een moment. In het
afgelopen jaar had men zo vier pogingen tot ontvoering weten te
verijdelen. Bij de laatste keer had de politie bijna een hele buurt van
zo'n gluiperd af moeten trekken. Hij zou zijn eigen gezicht in de
spiegel nooit meer herkennen. Het laatste dat Magozzi van deze
zaak had gehoord, was dat die engerd vanuit zijn cel een aanklacht
had ingediend tegen iedereen die hem had verhinderd weg te rijden
met een meisje van vijf.

Het was één van de dingen die Minneapolis tot een fijne woon-
plek maakten, maar op dit moment werd door deze mentaliteit alles
alleen maar een stuk ingewikkelder. Hij wist eigenlijk niet wat hem
meer zorgen baarde: de dreigende verwoesting van een plaats delict
of het gevaar tot moes te worden geslagen door een meute goed-
willende burgers.

Hij deed een stap weg van het kind en stak zijn politiepenning
omhoog. Dit gebaar vertraagde de toeloop enigszins, maar noch

zijn eigen, noch Gino's woeste geroep stopte hen helemaal – tot ze dichtbij genoeg waren om te zien dat de jongen niets mankeerde en veilig in zijn vaders armen lag. Helaas waren ze daardoor ook dichtbij genoeg om de blootgelegde, deegkleurige huid te zien en de troebele ogen die achter de Elvisbril van de skiënde sneeuwman verstopt hadden gezeten. En dat was het beeld dat hun opmars eindelijk afremde en hun monden geschokt deed openvallen. Maar ze bleven vanuit alle richtingen toestromen, en onder hen waren ook leden van de parkbewaking. Zij wurmden zich langs Magozzi en Gino heen, een knokpartij of een hartaanval verwachtend, maar waren net zo verbluft als de rest van alle gapers, waardoor ze stante pede al hun trainingen over het beheersen van grote menigtes vergaten.

Magozzi maakte de melding met zijn mobieltje, terwijl Gino rondstampte als een ontsnapte gek: wild maaiend met zijn armen probeerde hij de mensen duidelijk te maken dat ze zich terug moesten trekken. Hij riep: 'Politie van Minneapolis! Houd afstand!' tot zijn gezicht knalrood was en zijn stem schor. Ze gingen een klein stukje achteruit, maar lang niet ver genoeg. Gino voelde zich net Hansje Brinker met zijn vinger in de dijk (al zag hij er meer uit als het monster van Frankenstein).

Gelukkig slenterden er ook een stuk of tien patrouilleagenten van de politie van Minneapolis over het WinterFest-terrein, die vrij snel ter plekke waren. Deze geüniformeerde krachten namen meteen de touwtjes in handen en hadden het gedeelte rond Gino en Magozzi binnen de minuut leeg.

'Potverdorie,' gromde Gino, toen hij zag hoe de plotseling gehoorzame burgers vol respect naar de agenten knikten en zich netjes terugtrokken. 'Da's nou precies waarom ik zo weer in dat blauwe apenpak zou willen kruipen. Ik zwaai met mijn insigne en er gebeurt helemaal niks; de jongens met de koperen knopen komen eraan en... bingo: iedereen luistert braaf.'

Magozzi keek naar de agenten die het politielint stonden vast te houden, in de hoop dat er iemand bij was die hij goed genoeg kende. 'Zie je wel,' zei hij tegen Gino. 'Je moet die muts niet meer dragen. Met die oorkleppen heb je geen enkel gezag.'

'Zo geweldig deed jij het anders ook niet, meneer Overjas.'

Zwijgend staarden ze naar de sneeuwman, dingen denkend en voelend waar ze het nooit over zouden hebben, zelfs niet met elkaar.

'Dat zal nog niet makkelijk zijn geweest,' zei Gino uiteindelijk hoofdschuddend.

'Wat bedoel je?'

'Heb jij wel eens bedacht hoe je een lijk in een sneeuwman krijgt?'

'Tot op dit moment niet, nee.'

'Ik bedoel: hoe krijg je een slappe dooie zover dat hij rechtop blijft staan, terwijl jij sneeuw om hem heen boetseert?'

Magozzi dacht even na. 'Ik weet het niet. Misschien was hij al niet slap meer.'

'Je bedoelt omdat de lijkstijfheid al was ingetreden of zo?'

'Ja, of de moordenaar heeft hulp gehad.'

Gino dacht na en schudde toen zijn hoofd. 'Dat weet ik niet, hoor. Dit is zo'n verschrikkelijk maf geval, en die echt maffe dingen zijn meestal soloklussen. Ik durf te wedden dat we helemaal niks vinden als we hiermee naar het National Crime Information Center gaan.'

'Ik wed niet met jou.'

'Verdikkeme, dacht ik even gemakkelijk aan je te verdienen!' Gino deed nog een stap naar achteren en zette zijn onderzoek voort. 'Hij kan natuurlijk ook ergens mee zijn gestut.'

'We weten nog niet eens of er wel een heel lichaam onder zit. Misschien is het alleen maar een hoofd!'

'Hè jakkes, Leo.'

'Ja, jíj bent zo geobsedeerd door de logistiek van deze zaak; ik deel gewoon wat mogelijkheden met je. Maar volgens mij kunnen we ons beter eerst afvragen waaróm iemand een dode in een sneeuwpop stopt. Da's niet meteen de makkelijkste manier om van een lijk af te komen. De moordenaar heeft flink wat risico's genomen door dit in een openbaar park te doen, op de avond voor een evenement als dit.'

Op elke plaats delict ging Gino altijd door drie stadia heen. Het eerste stadium was het moment waarop hij het slachtoffer nog als een mens zag. Daar stapte hij meestal vrij snel vanaf, voor hij er depressief van werd. Het tweede was dat van de loskoppeling, wanneer dat wat je als rechercheur op een plaats delict moest doen, boven je menszijn uit steeg. Het derde stadium bestond uit pure razernij. Als dat eenmaal was ingetreden, bleef Gino daarin hangen tot de dag dat ze het dossier sloten. Maar ditmaal kwam dit stadium wel erg snel, vond Magozzi, toen hij het gezicht van zijn partner rood zag kleuren.

'Dit maakt me dus echt pissig, weet je dat? Dit is verdorie een wedstrijd voor kinderen! Welke zieke geest verstopt nu een lijk op een plek waar kinderen het kunnen vinden?' Hij trok zijn mobieltje tevoorschijn en drukte de snelkeuzetoets in. 'Ik moet Angela tegenhouden, voor zij met die van ons hiernaartoe komt.'

Terwijl Gino met zijn vrouw stond te praten, wuifde Magozzi naar twee uniformen die dwars over het besneeuwde sneeuwpoppenveld ploegden. Ze hadden lange slierten neongeel lint rond hun polsen om de plaats delict mee af te zetten. 'Doe eerst maar eens een stuk van vijftien meter om de sneeuwman heen.'

'Geen probleem. Welke is het precies?'

Magozzi wees met zijn duim over zijn schouder, waarna de agenten erheen liepen.

De adem van de jongste stokte in zijn keel en hij deed snel een stap achteruit. De oudste keek naar de dode ogen binnen in de sneeuwpop en zette juist een stap naar voren. Zijn mond viel open. 'O nee,' fluisterde hij. 'Dat is Tommy Deaton.'

Magozzi zocht meteen in zijn jaszak naar zijn notitieblok. 'Kennen jullie deze jongen? Zeker weten?'

'En óf ik hem ken! Ik heb een paar weken met hem gepatrouilleerd, voor hij werd overgeplaatst naar het tweede district.'

'Wacht eens even. Is hij een van ons?'

De oudere agent knikte; zijn gezicht bleef als versteend. 'Aardig joch, verdomme; dol op zijn werk.'

Magozzi voelde zich alsof hij een stomp in zijn maag had gekregen. Hij draaide zijn hoofd en bestudeerde het gezicht in de sneeuwman, in een poging iets bekends te ontdekken. In een stad met zoveel agenten, die vaak ook nog van district, ploeg of zelfs baan veranderden, was het onmogelijk iedereen te kennen. Magozzi voelde zich schuldig dat hij deze collega niet kende.

Hij wierp een blik op Gino, die net zijn mobieltje weer in zijn zak stopte. 'Heb je het gehoord?'

'Ja, ik hoorde het. Man, het wordt almaar erger.'

Er was wat commotie bij de parkeerplaats. Het onderzoeksbusje van het Bureau Criminele Aanhouding probeerde zich centimeter voor centimeter door de steeds groter wordende menigte van media en gapers te persen. De patrouilleagenten snelden toe om een pad vrij te maken. Zodra Jimmy Grimm en zijn team uitstapten en hun spullen begonnen uit te laden, vuurden de verslaggevers hun vragen op hen af.

'Moet je zien,' zei Gino vol walging. 'Die lui zijn nog erger dan aasgieren. Wat denken ze dat het BCA ze nu kan vertellen; die zijn nog niet eens op de plaats delict geweest!'

'En Jimmy praat nooit met de pers. Ik geloof dat er zelfs een premie op zijn hoofd staat: de eerste journalist die een grom uit hem weet te krijgen, komt in het landelijke nieuws.'

Magozzi zei het terwijl hij in de verte bleef staren, naar Jimmy Grimm en zijn rechercheurs, die in hun witte overalls over het veld op hen af kwamen. Ze leken akelig veel op tot leven gewekte versies van de sneeuwmannen waar ze tussendoor liepen.

'Vrolijk nieuwjaar, heren rechercheurs,' zei Jimmy nors toen hij dichterbij was.

'Dat wás het, ja, tot een uurtje geleden,' bromde Gino.

'Ik begrijp waar je op doelt. Ik hoorde dat jij een vrouw uit een kofferbak had gered en weet nog dat ik dat als een goed voorteken zag.'

'Eerder een slecht dus.'

'Ja, blijkbaar.' Jimmy zuchtte. Zijn ogen vlogen over het veld en inventariseerden alles in zijn hoofd, zodat hij daar later op kon terugvallen. 'Nou, laat maar eens zien wat jullie voor me hebben.'

Magozzi en Gino deden een stap opzij en keken hoe Jimmy de sneeuwman lang en nadrukkelijk bestudeerde. Als hij al verrast was, dan liet hij daar niets van merken. 'We zullen die sneeuwman in zijn geheel in een zak moeten stoppen: overal kunnen aanwijzingen op zitten.'

Magozzi kwam wat dichterbij en zei met zachte stem: 'Zijn identiteit is mogelijk al vastgesteld, Jimmy. Tommy Deaton, werkt vanuit het Tweede.'

Grimm hield Magozzi's blik lang vast, toen zuchtte hij kort, draaide zich om naar zijn team en begon als een drilmeester bevelen uit te spugen. 'Schiet je plaatjes, pak Frosty dan in met purschuim en pel hem als een ei. Zorg dat je geen sneeuwkristal kwijtraakt, doe alsjeblieft megavoorzichtig. Ik denk namelijk dat we ergens onder al die sneeuw een soort stut zullen vinden en ik wil dolgraag een paar foto's van hem in oorspronkelijke staat, voor we hem neerleggen...'

De oude agent die met het lint bezig was geweest, kwam behoedzaam op Magozzi en Gino af, terwijl Jimmy nog aan het woord was. Zijn radio was alweer stil, maar zijn hand rustte nog bij de schouderunit. Hij keek hen een minuutlang zwijgend aan en haalde toen diep adem. 'Er is er nog een gevonden,' sprak hij kalm en maakte een hoofdbeweging naar de kring van blauw rond een sneeuwman aan de overkant van het veld. 'Ook dat is er eentje van ons: Toby Myerson. Hij werkte ook bij het Tweede.'

Op de achtergrond deelde Jimmy nog steeds zijn bevelen uit, de uniformen hielden nog steeds gluurders weg van de locatie, de mensen van de media riepen nog steeds hun vragen – alles in het park zag er nog precies hetzelfde uit, klonk exact hetzelfde als vijf seconden geleden... maar de drie mannen die wisten dat het niet zo was – Magozzi, Gino en de oude agent – keken elkaar secondenlang zwijgend aan, bang om hun blik te verplaatsen.

Uiteindelijk liet Magozzi zijn ogen over het veld dwalen. Hij richtte ze op de ene sneeuwman, toen op een andere, toen op nog eentje. 'Hoeveel denk je dat er staan?'

'Minstens honderd,' zei Gino.

De oude agent schudde zijn hoofd. 'Zeker tweemaal zoveel. Wat willen jullie dat wij doen?'

Magozzi en Gino wisselden een vlugge blik en keken toen allebei naar de parkeerplaats, waar de lange lenzen alles registreerden.

'Gooi ze allemaal maar om,' zei Magozzi.

4

Er bevonden zich meer dan honderd agenten van allerlei afdelingen in het park, toch duurde het ruim een halfuur voordat alle kinderwerkstukken waren vernield. Gino en Magozzi waren naar het midden van het open veld gelopen, zodat ze alles zo goed mogelijk konden volgen. Daar wachtten ze met onrustige ogen en een knoop in hun maag op een opgestoken blauwe arm of een kreet, als aankondiging van nog een afschuwelijke vondst.

Het waren maar poppen, maar ergens voelde Magozzi zich alsof hij naar een bloedbad stond te kijken, toen de technische recherche en politieagenten de sneeuwmannen voorzichtig één voor één ontmantelden. Bij elke pop kromp hij ineen. Hij hield zijn adem in en verwachtte het ergste – pessimisme was een beroepsdeformatie die je snel opdeed en waar je niet zo snel meer vanaf kwam. Tot nu toe bleek er op het veld echter niets meer aan de hand.

De meeste ouders waren allang met hun kinderen weggegaan, maar er waren er nog een paar die met dierlijke opwinding stonden toe te kijken, zich niet bewust van de doodsbange blik in de ogen van hun kroost.

'Verdomme,' brieste Gino. 'Kunnen we die klerelijers niet oppakken voor kindermishandeling?'

'Ik geloof niet dat je dat kunt maken.'

'Je weet wat er straks gebeurt, hè? Al die kinderen worden zeker een maandlang elke nacht gillend wakker en dan gaan die lui óns aanklagen omdat de politie niet voor begeleiding heeft gezorgd. En waarom? Omdat zij zo nodig bij de griezelshow wilden blijven, in de hoop een arme dooie donder te zien en blij te kunnen verzuchten dat zij het niet waren die op de tafel van de lijkschouwer belandden!'

Het ergste was nog wel dat Gino het maar half als grap zei, en dat hij waarschijnlijk nog gelijk had ook.

Een van de jongere geüniformeerde agenten maakte zich los uit de anonieme zee van blauw aan de overkant van het veld en kwam knerpend op hun af, zijn oren en neus knalrood van de kou, zijn gezicht een mengeling van opluchting en ellende. 'Dat waren ze allemaal, rechercheurs. Niets meer gevonden.'

'De hemel zij gedankt,' zei Gino met een zucht van verlichting.

De agent knikte, terwijl hij bleef kijken naar het platgewalste veld. De sneeuwlaag was door de combinatie van zware voeten en de middagzon een vieze brij geworden. 'Kende u ze?' vroeg hij ten slotte.

Magozzi en Gino schudden hun hoofd.

'Ik ook niet. Maar het voelt wel zo.' Hij liep weg zonder nog iets te zeggen – zonder twijfel piekerend over zijn eigen sterfelijkheid.

Magozzi en Gino liepen achter hem aan. Halverwege het veld stuitten ze op Jimmy Grimm.

'Ah, ik zocht jullie al. We hebben de eerste ontbloot. Kom maar eens kijken.'

Het eerste dat hun opviel, was dat Tommy Deaton met een doodgewoon stuk synthetisch touw aan een houten wegwijzer was gesnoerd – van het soort dat je zo'n beetje overal kon krijgen, van pompstation tot kruidenier. En nu hij niet langer door het pak sneeuw omhoog werd gehouden, was zijn kin op zijn borst gezakt. Gino vond dit zo'n beetje het droevigste gezicht dat hij ooit had gezien.

'O man... kun je hem niet lossnijden?'

'Niet voordat dokter Rambachan hem heeft gezien. Die zit op de 494 vast achter een kop-staartbotsing met een stuk of twintig auto's, maar kan elk moment hier zijn.'

'Daar heb je het antwoord op je vraag, Gino,' zei Magozzi.

'Welke vraag?' wilde Jimmy weten.

'Hoe je een lijk rechtop zet, zodat je er een sneeuwman omheen kunt bouwen.'

Jimmy knikte. 'En die ski's zijn niet zomaar voor de show, hoor: deze jongen was een doorgewinterd langlaufer. Dat pak dat hij aan heeft, vind je niet onder de zeshonderd ballen. En tel daar nog maar eens duizend bij op voor de ski's en de stokken.'

'Heb je weer naar het Home Shopping Network zitten kijken?'

'Was het maar waar: ik heb drie kinderen, waarvan twee in het skiteam. Ik ben elke kerst blut! Ik heb al geprobeerd ze om te praten een goedkopere hobby te zoeken, de debatclub of zo, maar niks hoor.' Hij liep naar Deatons lichaam en wees naar de zijkant van diens hoofd. 'Eén schot, klein kaliber, is hij waarschijnlijk meteen door neergegaan. Geen uittredingswond, dus bij de lijkschouwing zouden we een kogel moeten vinden. En ik zie piepkleine puntjes op zijn schedel, wat betekent dat het van heel dichtbij is geweest.'

Hij hurkte bij een dienblad met daarop een keurige rij zakjes met bewijsmateriaal. Hij pikte er een uit met een leren portemonnee erin. 'Deze heb ik net op het lichaam gevonden: identiteitsbewijs, creditcards en tweehonderd achtenzeventig ballen aan contanten.'

Magozzi's blik ging naar Tommy Deatons riemholster. Daar had zijn dienstpistool in moeten zitten. 'Maar geen wapen meer.'

'Precies.'

'En Myerson? Is die al onthuld?'

'Daar is mijn team nog mee bezig. Laten we even een rondje lopen, dan kunnen de jongens wat foto's maken van Deaton zonder sneeuw om hem heen.'

Ze zorgden ervoor op veilige afstand te blijven van het lint rond een slingerspoor door een dun stukje bos – het enige spoor dat Tommy Deaton en Toby Myerson met elkaar verbond. Natuurlijk waren de honderden die daar doorheen waren gestampt voordat dat lint was aangebracht lang niet zo voorzichtig geweest, dus wist Magozzi dat er weinig hoop was dat ze nog bruikbare sporen vonden. Een paar lui van het BCA waren echter in het bosje aan het werk: ze zaten op hun hurken bij een schriele esdoorn met een pincet snippers van de bast te verzamelen – een goed teken.

'Hebben jullie wat gevonden?' vroeg Jimmy hoopvol.

'Misschien wel. Hier ligt een hele hoop verse confetti. Voor zover ik weet houden de bevers momenteel winterslaap, dus zouden we hier wel eens een kogel kunnen vinden.'

'Haal maar een paar man van het veld en maak het stuk rond dat spoor een paar honderd meter breder. Bekijk elke boom nauwkeurig.'

'Die komen er al aan. We houden je op de hoogte.'

Toby Myersons situatie leek erg op die van zijn partner uit het Tweede District: van de ski's tot aan het gele touw dat hem tegen de wegwijzer omhooghield. Alleen hing zijn rechterarm er vreemd bij en was de mouw van zijn skipak gescheurd en vol donkere vlekken.

Magozzi stond alles doodstil in zich op te nemen: alleen zijn ogen bewogen. 'Die wond aan zijn arm moet als een gek gebloed hebben. Maar waar ís al dat bloed?'

Het leverde hem zelfs een glimlach van Jimmy op. 'Goeie vraag, Grasshopper. We hebben een beetje bloed gevonden dat in de sneeuw was weggelekt, maar lang niet genoeg. Ik vermoed dat hij dat armschot niet hier heeft gekregen. We zijn al aan het zoeken naar een bloedspoor tussen de twee sneeuwmannen.'

Gino knikte. 'En er zit geen handschoen meer aan zijn rechterhand. Is die al gevonden?'

'Nee.'

'Hebben jullie zijn hand al op kruitsporen getest?'

'Niks.'

'Hm... Dus het is hem niet gelukt te schieten, maar hij heeft het wel geprobeerd.'

Jimmy keek hem fronsend aan. 'Hoe kom je daar zo bij?'

Gino tikte met zijn enorme want tegen zijn slaap. 'Dat zie ik gewoon, zo simpel is dat. Twee kerels gaan samen skiën, meteen na de eerste sneeuw; de slechterik springt van achter een boom vandaan en knalt Deaton neer; Myerson ziet dat zijn partner wordt omgelegd, trekt zijn handschoen uit om zijn wapen te pakken... maar voor hij kan schieten, raakt de moordenaar hem in zijn arm, waardoor hij zijn wapen moet laten vallen.'

Magozzi rolde met zijn ogen, maar Jimmy leek gefascineerd. 'En dan?'

'En dan probeert die arme Myerson te ontsnappen, zich afzettend met zijn goede arm. Maar hij komt niet verder dan hier, waar hij doodbloedt.'

Jimmy Grimm keek naar Magozzi. 'Waar háált hij het allemaal vandaan?'

'Hij verzint het gewoon; dat doet hij constant. Alleen geloof ik dat hij nu wel eens gelijk kon hebben: het klinkt heel aannemelijk.'

Grimm knikte ernstig. 'Op één ding na: hij is niet doodgebloed. Dat armschot heeft zijn bot verbrijzeld, maar was niet fataal.' Hij liep om de paal heen waarop Toby Myerson was vastgebonden en wees naar een piepklein gaatje achter in de nek van de dode. 'Die engerd heeft hem opgejaagd en een kogel recht door zijn ruggengraat geschoten. Dat was niet dodelijk, maar het heeft hem waarschijnlijk op slag verlamd.'

Nu was het Gino's beurt om te fronsen. 'Maar waar is hij dan aan doodgegaan?'

Grimm staarde in de verte en haalde zijn schouders op. 'Wie zal het zeggen? Daarvoor zul je moeten wachten tot de dokter binnenin gaat zoeken. Het kan een hartaanval zijn geweest, onderkoeling, algehele orgaanuitval...'

'Mijn hemel,' fluisterde Magozzi. 'Bedoel je nu dat hij misschien nog leefde, toen er een sneeuwman om hem heen werd gebouwd?'

'Misschien wel. Misschien zelfs nog lang daarna.'

Magozzi sloot zijn ogen.

5

Harley Davidsons landhuis zag eruit alsof het voor een Currier &
Ives-kerstkaart was gestileerd. Anders zag het er vanaf de straat nogal dreigend uit, maar gedecoreerd met verse sneeuw en alle nog niet
weggehaalde kerstversieringen leek het meer op het peperkoekhuis
van de heks uit het bekende sprookje dan op het roodstenen schuil-
hol van de motorgriezel van Summit Avenue. Zelfs de gemene punten op het gietijzeren hek zagen er anders uit met hun witte padde-
stoelenhoedjes. Langs de dakrand van het koetshuis twinkelde een
smaakvol aangebrachte serie lichtjes en voor de grote houten deuren
stond een liefdevol gerestaureerde antieke slee, alsof hij stond te
wachten tot er een knap span paarden voor werd gespannen.

Maar bij Harley moest je bij paardenkracht aan iets heel anders
denken. Het koetshuis was namelijk eigenlijk een vermomde garage: iedereen die er een blik naar binnen zou werpen, was meteen
weer van zijn Currier & Ives-fantasie af – al stonden alle onbetaal-
bare auto's, motors en de luxe touringcar die door Monkeewrench
als een soort mobiele misdaadbestrijdingseenheid werd gebruikt,
weggestopt onder dekens en dekzeilen te wachten op warmer weer
en drogere wegen. En daar baalde Harley enorm van.

Op de tweede verdieping van het grote huis brandden alle lichten in het Monkeewrench-kantoor. De geheel in het leer geklede
heer des huizes had zich achter zijn mammoetbureau geposteerd,
waar hij de laatste happen van een Carnivoor Speciaal van een piz-
zeria uit de buurt verorberde, terwijl Roadrunner met een klem-
bord in zijn handen door de ruimte banjerde en hardop een lijst
voorlas. Zijn slungelige, twee meter lange lijf was vandaag gehuld
in een spierwit Lycra fietspak. Harley vond hem net een origami-
kraanvogel.

'Tekeningen op niveau twee bijwerken,' declameerde Roadrunner.

Harley schonk hem een afwezig knikje terwijl hij tomatensaus van zijn donkere baard depte. 'Werk ik al aan.'

Roadrunner maakte nauwgezet een aantekening op zijn lijst en ging verder. 'Oké. Lettertypes komen niet overeen in...'

'Ja ja, weet ik. Werk ik ook aan.'

'Laadsnelheid tussen niveaus drie en vier verbeteren.'

'Da's jouw pakkie-an, maatje: míjn niveausprongen werken prima.'

Roadrunner schonk hem een knorrige blik. 'Jij bent nog niet eens begonnen aan het schrijven van de codes voor jouw niveaus!'

'Weet ik, maar áls ik dat doe, zullen ze perfect zijn. Wat nog meer?'

Roadrunners ergernis bleef hangen, maar toch keerde hij zonder commentaar terug naar zijn lijst. 'Er zijn nog een paar dingetjes meegekomen vanuit de bètaversie, maar het ziet ernaar uit dat Annie en Grace die allemaal hebben benoemd... Hier heb je er net een: HARLEY, KLEED DIE IJSPRINSES NOU EENS AAN!'

Harley keek hem dreigend aan. 'Wie heeft dat geschreven? Annie?'

'Die IJsprinses moet kleren aan, Harley.'

'Ze hééft toch wat aan?'

'Ja, een bikini!'

'Dat zeg ik: ze is al aangekleed. Het is toch "meekijken gewenst", of niet soms?'

'Het is een spellingsspel voor kinderen, leeftijdscategorie vijf tot tien jaar. Die bikini is totaal misplaatst.'

Harley draaide een rondje met zijn stoel en staarde uit het raam. 'Moet je zien: ze hebben nog steeds geen sneeuw geruimd. Weet je, we kunnen ook naar buiten gaan, een paar sleetjes kopen en de hele Summit Avenue af scheuren!'

'Pak jij die IJsprinses nu aan, of hoe zit het? Want als jij het niet doet, doe ik het.'

'Fijn, lijkt ze straks nog op Lance Armstrong!'

Roadrunner werd knalrood en Harley vreesde even dat hij het pas geslepen potlood naar zijn hoofd zou krijgen.

'Ach, Roadrunner, wind je niet zo op. Oké, ik trek haar wel een coltrui aan, of een nonnenhabijt – wat jij wilt.'

'O, en je kunt het echt niet maken dat bij een spelfout zo'n sneeuwelfje op een ijspegel wordt gespietst.'

'Dat was een grapje! Relax toch, man! Dit moet leuk zijn, weet je nog? Tenminste, dat zeg jij steeds tegen mij. Maar je neemt zelf alles veel te serieus.'

'Dit ís ook serieus, Harley. Het is voor een goed doel. Met de opbrengst van dit spel worden kinderen geholpen die dringend behoefte hebben aan een veilige plek waar ze na school naartoe kunnen. Je weet verdorie uit eigen ervaring hoe belangrijk zoiets is – wij allemaal. Daarom hebben we nou juist dít doel uitgekozen, weet je nog?'

'Natuurlijk weet ik dat nog! En ik doe het ook graag – net als al die andere pro bono-dingen. Maar dit soort programmeerwerk kan ik met mijn ogen dicht: simpel, eenvoudig... Ik verveel me dood, man!'

Zuchtend sjokte Roadrunner naar zijn eigen bureau en plofte op zijn stoel. 'Ik weet precies wat je bedoelt. Maar we waren het er nu eenmaal met zijn allen over eens dat we na dat gedoe in Four Corners even een paar maandjes rust nodig hadden. En daarbij: we kunnen er in dit weer toch niet met de bus opuit.'

'Weet ik ook wel, maar ik ben wel weer eens toe aan wat actie. Hé, als we ons virus eens op pad stuurden om een paar spammers de nek om te draaien?'

Roadrunner keek hem afkeurend aan. 'Spammen is niet verboden. Als ze ons pakken, vliegen wij de bak in.'

'Weet je wat er vanochtend in mijn mailbox zat? Een spambericht met de titel: "Lit te klijn? Niet jauw faut!" Dat zou toch verboden moeten worden?'

'Misschien probeert iemand je voorzichtig iets te vertellen.'

'Daar geef ik niet eens antwoord op.' Harley draaide zich naar zijn computer en begon driftig te tikken.

'Wat doe je nou? Je gaat toch niks stoms doen, hè?'

'Rustig maar. Ik kijk gewoon of ik nog nieuwe post heb!'

'Zeg, jij bent voor vandaag klaar met werken, toch?'

'Hé, het is zaterdag... Wie weet heb ik wel een spannend afspraakje.'

'Oké, dan ga ik naar huis.'

'Jij fietst in dit weer niet naar huis!'

'Hoezo niet? Prima training. Trouwens, het is al opgehouden met sneeuwen.'

'Het zou nog zeker een dag zo doorgaan; kun je zo opzoeken.'

Roadrunner keek pruilend naar zijn computerscherm. 'Dan neem ik wel een taxi.'

'Doe niet zo achterlijk; ik geef je wel een lift. Als je nog heel even geduld hebt...'

Omdat Roadrunner wist dat 'heel even' bij Harley wel een uur kon duren, begon hij maar wat over de websites van de plaatselijke nieuwszenders te surfen, op zoek naar een weerbericht. Hij stuitte echter op live-filmpjes en foto's vanuit het Theodore Wirth-park. En verdomd als het niet waar was: daar zag hij Magozzi en Gino op de achtergrond van een van de stills.

'Harley, zet eens gauw de tv aan!'

In een heel andere wereld, aan de overkant van de Mississippi, parkeerde Magozzi de ongemerkte politieauto op een brede plek, uitgehakt tussen twee verse sneeuwbanken. Hij zette de motor uit, waarna Gino en hij door de voorruit naar de woning van Tommy Deaton keken. Het was een van die vooroorlogse, vrij lage, bakstenen huizen die je overal in de buitenwijken van Minneapolis tegenkwam, met name in de buurt van de meren. Ze maakten geen van beiden aanstalten om uit te stappen.

'Tien jaar terug lag deze wijk helemaal in de goot,' zei Gino.

'Kan ik me nog goed herinneren. Ik vraag me af waar deze huizen nu voor weggaan.'

'Zo vlak bij het water? Minstens een kwart miljoen, met dank aan de politie van Minneapolis: voer het aantal surveillances op, haal de rotzakken van de straat... en voor je het weet gaan er politieagenten wonen en schieten de onroerendgoedprijzen de lucht in. Als je het mij vraagt, zou de politie ook een percentage moeten krijgen. Zeg, zit die Poolse slager hier niet ergens?'

'Kramarczuk? Nee joh, bij lange na niet!'

'Al zit Kramarczuk honderd kilometer verderop, dan is het nóg de moeite waard ervoor om te rijden. Man, zulke worstjes krijg je nergens! Als ik daar een pakketje van meeneem, kan ik bij Angela zeker een week geen kwaad doen. Moeten we binnenkort weer eens langsgaan!'

Magozzi klikte zijn gordel los, maar stapte nog steeds niet uit. 'Niet te geloven: wij zitten hier halfdood te vriezen en hebben het verdorie over worstjes!'

Gino zuchtte. 'Altijd hetzelfde als we zo'n mededeling moeten gaan doen. De laatste keer hebben we op de oprit vijf minuten zitten kletsen over gazonmest.'

'Echt waar?'

'Alles om maar niet naar binnen te hoeven! Heb je die oprit trouwens eens goed bekeken? Er is hier iemand heel goed bezig geweest met een bladblazer.'

Magozzi knikte en legde eindelijk zijn hand op de deurkruk. 'Iemand van de politie misschien, of mevrouw Deaton zelf – moeten we zo maar eens vragen.'

'Ja, dat zou wel een aardige wending zijn: "Het spijt me, mevrouw Deaton, u te moeten mededelen dat uw echtgenoot is overleden... maar eh... wie is eigenlijk degene die uw oprit heeft schoongeveegd?" Het is verdorie toch al een wonder dat die lui niet hun geweer pakken en ons neerknallen.'

Het duurde een hele tijd voor Tommy Deatons vrouw bij de voordeur kwam. Toen hij haar zag, wist Magozzi ook waarom: ze was een kleine, tengere vrouw met dikke, blauwe ogen, een opgezwollen gezicht en een groot verband over haar neus. Ze bestudeerde eerst nauwgezet hun insigne en toen hun gezicht, waarbij zij moeite deden niet naar haar geruïneerde gezicht te staren. Maar zij was natuurlijk getrouwd met een agent en wist precies wat ze dachten: 'Nieuwe neus,' verklaarde ze met een vlugge, verlegen glimlach. 'Cadeautje van mijn man, voor mijn dertigste verjaardag.'

Magozzi's gedachten dwaalden meteen af. In wat voor wereld leefde hij toch, als mannen hun nog piepjonge vrouw voor haar verjaardag naar de plastisch chirurg stuurden? Wat gaf je daar voor boodschap mee af? *Hartelijk gefeliciteerd, schat, maar laat in vredesnaam iets aan je gezicht doen!*

Tommy Deatons vrouw keek hem vriendelijk aarzelend aan. Ze vroeg zich vast en zeker af wat zij hier kwamen doen.

Ze viel flauw op de deurmat toen hij het haar vertelde.

Toen ze weer bij was gekomen, hielpen Gino en Magozzi haar eerst met het plegen van een paar telefoontjes. Daarna hadden ze ongeveer een kwartier voor alle vreselijke vragen die ze helàas móésten stellen. Mary Deaton zat stijf als een plank op de bank terwijl de tranen over haar wangen rolden, maar beantwoordde ze allemaal keurig. Zij wist hoe het hoorde.

De normaal gesproken zo vlijmscherpe, broodnuchtere Gino was erg voorzichtig met haar, zoals altijd bij dit soort gelegenheden, maar deinsde toch niet terug voor vragen als: 'Dus u had geen enkele reden om zich zorgen te maken, toen Tommy gisteravond niet thuiskwam?'

'Nee. Zoals ik al zei, is Tommy dol op langlaufen. Net als Toby: die twee wachtten al maanden op een fatsoenlijk pak sneeuw. Hij had me al gezegd dat hij waarschijnlijk bij Toby bleef slapen; die woont namelijk een stuk dichter bij het park. Ze drinken na afloop altijd graag een paar biertjes. En omdat Tommy niet iemand is die in de auto stapt als hij heeft gedronken, logeert hij daar in de winter wel vaker.'

'Heel verstandig,' zei Gino met een glimlach.

'Ja, zo is Tommy.'

Ze bleef maar in de tegenwoordige tijd over hem spreken. Dat vond Magozzi altijd erg lastig bij gesprekken met nabestaanden. Het gebeurde meestal niet uit ontkenning: soms duurde het gewoon wat langer voordat de dood tot in de spreektaal was doorgedrongen.

Gino grinnikte zacht. 'Weet u, ik blijf ook wel eens een nacht weg – gewoon omdat ik nog aan het werk ben – maar als ík mijn vrouw dan de volgende ochtend bel, wil ze alles weten: waar ik ben, wat ik aan het doen ben, wanneer ik thuiskom... dat soort dingen.'

Mary Deaton keek hem aan alsof ze water zag branden. 'Werkelijk?'

'Zeker weten.'

Ze glimlachte vaag. 'Tommy zou het beslist niet fijn vinden als ik hem zo zou controleren. Hij is nogal op zijn vrijheid gesteld – als u begrijpt wat ik bedoel.'

'Jazeker.'

Op dat moment arriveerden Mary Deatons ouders. Zij vlogen meteen op hun dochter af, wat een nieuwe tranenvloed veroorzaakte, die uiteindelijk uitmondde in het zachte, meelijwekkende gejammer van een volwassene die terugglijdt naar zijn kindertijd – toen de armen van een van je ouders je nog tegen zo goed als alles beschermden. Magozzi en Gino trokken zich discreet terug, om niet te hoeven kijken naar dat tegen elkaar aan gekropen drietal en die vloedstroom van gedeeld verdriet niet te hoeven horen, waarin zelfs de meest geharde agent uiteindelijk kon verdrinken – als hij zichzelf toestond te luisteren.

Ten slotte maakte de vader zich uit het groepje los en kwam naar hen toe. Hij stelde zich voor als Bill Warner en schudde hun de hand. Hij was langer dan Gino, maar kleiner dan Magozzi, had grijs, kort haar, een vlezig gezicht en een getraind lichaam, met een uiterst bekend voorkomende pose.

Gino wierp één blik op hem en zei: 'U bent vast ook agent.'

Bill Warner schonk hem een droeve glimlach en zei: 'Wás: twintig jaar bij de politie van Minneapolis, nu twee jaar met pensioen. Maar het verheugt me dat het nog steeds te zien is. Volgens Mary bent u erg aardig voor haar geweest; mijn dank daarvoor. Heeft u al de kans gehad haar te vragen wat u weten moet?'

'Het is voorlopig voldoende,' antwoordde Magozzi. 'Misschien dat we er later nog op moeten terugkomen.'

Meneer Warner knikte. 'Dat moet altijd. Als er iets is dat wij kunnen doen; wie van ons dan ook...' Hij haalde een kaartje uit zijn portemonnee en gaf het hem. 'Alice en ik nemen Mary nu mee naar huis. Dit is mijn vaste nummer, dat mijn mobiele. Zou u misschien íéts kunnen loslaten over wat er werkelijk is gebeurd? Het enige dat Mary kan vertellen is dat hij er niet meer is. Op het nieuws zie je steeds weer dezelfde koppen die steeds weer dezelfde informatie op een andere manier proberen te slijten. Die bombastische nonsens komt me nu al de strot uit... en ik heb er nog maar een kwartiertje van gehoord, onderweg hiernaartoe. Die aasgieren blíjven maar doorzagen over al die getraumatiseerde kindertjes, alsof dat het enige erge is dat daar heeft plaatsgevonden...' Hij stopte even om op adem te komen. Het rood in zijn gezicht werd meteen een paar tinten lichter. 'Sorry, zo hoor ik helemaal niet te reageren. Maar ja, toen Mary ons belde, wisten wij nog niet eens dat er twee agenten waren vermoord. Op het nieuws mekkeren ze alleen maar over die stomme omvergegooide sneeuwpoppen...' En daar ging hij dus bijna opnieuw. Hij bood nog maar eens zijn excuses aan.

'Geen probleem. Maar als u het per se weten wilt: het feit dat het om politieagenten gaat, is nog niet officieel bekendgemaakt.' Magozzi legde een hand op de arm van de man (iets wat hij bij nabestaanden zelden deed) en overtrad toen zelfs een van de hoofdregels, door hem een korte samenvatting te geven van wat ze tot dusver wisten. Bill Warner was tenslotte een van hen: hij wist heus wel dat hij zijn mond moest houden. Tegelijkertijd zat hij nogal in zijn maag met dat ijzingwekkende beeld van Toby Myerson die – verlamd, hulpeloos, maar nog steeds in leven en misschien zelfs bij bewustzijn – geheel in sneeuw werd verpakt en vervolgens centimeter voor centimeter stierf, terwijl hij dat waarschijnlijk nog donders goed in de gaten had ook. Dat deel van het verhaal verbloemde hij zoveel mogelijk, ervan uitgaand dat Warner de partner van zijn schoonzoon zou kennen. Deatons dood was echter snel gekomen, zo kon hij hem verzekeren. Bill Warner luisterde zonder hem te onderbreken, zoals een goede agent betaamt, maar aan het eind van het verhaal liet hij zich op een stoel zakken en begroef zijn hoofd in zijn handen.

Intussen was het huis volgestroomd en konden ze nergens meer ongestoord praten. Steeds meer familie en vrienden verzamelden zich er; een gestage stroom van blauwe uniformen trok via de hal naar de woonkamer: de politie sloot de gelederen om een collega.

Terwijl hij en Gino zich naar de uitgang wurmden, wierp Magozzi nog één blik op Mary Deaton. Ze oogde klein en hulpeloos te midden van de groeiende menigte – als een kind met een oorlogstrauma dat werd omringd door goedbedoelende soldaten.

Eindelijk buiten wachtten ze naast hun wagen. Ze ademden de ijskoude lucht diep in, terwijl de geüniformeerde agent die hen had ingesloten zijn auto verplaatste. Het leek wel alsof de politiebond in het huis vergaderde: de hele oprit was vol patrouillewagens. Ze stonden zelfs op straat nog dubbel geparkeerd. Gino en Magozzi voelden zich hierdoor iets minder rot over het feit dat ze Tommy Deatons weduwe alleen lieten, maar een stuk rotter over wat er was gebeurd.

'Gelukkig hoeven wij dit niet nóg eens te doen,' bromde Gino. 'McLaren belde net toen ik op de plee zat. Ik heb op het bureau met hem en Tinker afgesproken. Daar gaan zij naartoe zodra ze de andere kennisgeving hebben gedaan.'

'Was Myerson ook getrouwd?'

'Dat verhaal is bijna nog erger: vrolijke vrijgezel, amper achtentwintig, pas weer bij zijn moeder ingetrokken toen zij ernstig ziek werd, was het grootste deel van zijn vrije tijd druk met zorgen voor haar. McLaren kende hem en is er helemaal kapot van. Verdomme, Leo, er vermoordt iemand agenten – goeie, ook nog. En dat recht onder onze neus, op een door de politie gesponsord feest! Dit komt zó dichtbij dat ik het niet meer héb van angst! Shit, het vriest, man! Volgens mij is de temperatuur wel twintig graden gezakt sinds wij dat huis binnengingen.'

Magozzi opende het portier en draaide zijn gezicht recht naar de westenwind. Die begon langzaam aan te wakkeren en hij róók gewoon dat er nog meer sneeuw onderweg was.

6

Het was zaterdagmiddag; Steve Doyle had eigenlijk thuis moeten zijn om de sneeuw weg te blazen, zodat zijn vrouw en kinderen als ze die avond thuiskwamen uit Northfield de oprit op konden. En hij had de gootsteen moeten leegruimen, met al die vuile vaat die zich daar na een week van vrijgezellenmaaltijden had opgestapeld. Maar bovenal had hij op de bank moeten zitten, met een biertje in de hand en de ijshockeywedstrijd van de Gophers op tv. Dat hád hij moeten doen.

In plaats daarvan zat hij op zijn kostbare vrije dag achter zijn bureau, te lezen in de misselijkmakende levensbeschrijving van het zoveelste stuk tuig dat hij in de gaten moest houden – enkel doordat die rotsneeuw er gisteren voor had gezorgd dat alle bussen waren uitgevallen en de meeste wegen afgesloten, waardoor de pas voorwaardelijk vrijgelaten Kurt Weinbeck niet op zijn vrijdagmiddagafspraak bij zijn reclasseringsambtenaar had kunnen verschijnen. En om redenen enkel bekend bij God en het justitieel apparaat, had het zijn baas toen een goed idee geleken om het hele schema om te gooien en Doyle in het weekend te laten opdraven, voor zijn preek over urinetests, betaald werk en de reclasseringsinrichting waar dat stuk tuig de komende maanden zou moeten verblijven. Alsof het allemaal ook maar íéts uitmaakte.

Hij dronk zijn mok leeg en schonk koffie bij, ook al stuiterde hij al zowat door al die cafeïne in zijn lijf – en richtte zijn aandacht weer op het dossier voor hem. Hoe meer hij las, hoe gedeprimeerder hij werd. Kurt Weinbeck was al meerdere malen veroordeeld en, voor zover Doyle kon inschatten, een crimineel met geen enkele kans op verbetering: echt weer een van die veelplegers die steeds maar weer de straat op werden gebraakt door een systeem dat niet alleen blind maar ook hersendood was. Hij had altijd al gevonden dat je van dat soort kerels gewoon mest moest maken, omdat ze van het begin af aan niet meer waren dan een stuk stront.

Hij was amper veertig en volgens iedereen nog maar een paar jaar verwijderd van een volledige burn-out, maar Doyle wist bijna zeker dat hij allang over die drempel heen was. Zijn vrouw smeekte hem al jaren ander werk te zoeken en hij begon erover te denken om eindelijk eens naar haar te luisteren. Sterker nog: Kurt Weinbeck kon wel eens de allerlaatste zaak zijn die hij aannam. En van die gedachte werd hij zowaar een beetje vrolijk.

Hij was aan deze baan begonnen als een jonge, vrome christen vol hoop, die onvoorwaardelijk geloofde dat elke crimineel in wezen slechts een misleid slachtoffer was en dat hij eigenhandig, enkel met steun van God, elke zondaar tot inkeer kon brengen. Na vijf jaar in dit vak was hij veranderd in een cynische agnosticus die de doodstraf niet eens zo'n slecht idee vond. Nog eens tien jaar later was hij een onverzettelijke atheïst met een .357 in zijn bureaula, omdat de helft van die kerels hem de stuipen op het lijf joeg. Een mens kon maar een bepaald aantal dossiers verwerken over engerds die hun eigen kinderen seksueel misbruikten, vreemden verkrachtten en iedereen die hun volgende crackbeurt in de weg stond de keel doorsneden, voordat je begon te denken dat als er werkelijk een god was die een oogje in het zeil hield, je helemaal niks met zo iemand te maken wilde hebben. Jaar in, jaar uit had hij toegekeken hoe het systeem dat voor zijn loonstrookje tekende dit soort lui opslurpte, om ze vervolgens weer uit te spugen, waarna ze weer van voren af aan konden beginnen. De laatste tijd fantaseerde hij er wel eens over om dat grote pistool te pakken en elke ex-bajesklant die door die deur binnenstapte zonder omwegen neer te schieten – om de staat een hoop geld en de wereld een hoop verdriet te besparen.

Zoek ander werk, zei hij tegen zichzelf. En doe het nu, voordat het te laat is!

Hij stond op en zette het tv'tje aan dat op een plankje hoog aan de muur hing, in de hoop tijdens het wachten nog wat ijshockey te kunnen meepikken. Hij stuitte echter op een nieuwsbulletin met een live-verslag, waarin een stel agenten van de politie van Minneapolis in het Theodore Wirth-park allemaal sneeuwpoppen omduwden. Hij zette het geluid wat harder en voelde hoe zijn maag zich samenkneep. Ging het soms om een terroristische aanslag? Toe maar: veeg in één keer een heel park vol kinderen van de kaart! Natuurlijk was het dat niet (althans niet wat tegenwoordig onder terreur werd verstaan), maar lijken verstoppen op een plek waar kinderen ze konden vinden, dat stond voor hem zo ongeveer gelijk aan terrorisme.

Toen Weinbeck even later eindelijk verscheen, zette Doyle het geluid weer zachter, nam plaats achter zijn bureau en maakte een snelle visuele inschatting van zijn nieuwe cliënt. Van voorwaardelijk vrijgelaten criminelen bestonden drie basismodellen: vet en vals, gespierd en vals, mager en vals. Deze hier viel duidelijk in de laatste categorie, met zijn grote, onrustige ogen die de hele ruimte door flitsten en dat kromme, gluiperige lijf dat zich nerveus bewoog – als een stokstaartje aan de crack.

'U bent dertien minuten te laat, meneer Weinbeck. Realiseert u zich dat ik zo een aanhoudingsbevel had kunnen opvragen?'

'Het spijt me, meneer. Het zal niet meer gebeuren.'

'Daar zou ik maar voor zorgen, ja. Voor de toekomst: kom vroeg. En als dat niet lukt: kom dan op zijn vroegst op tijd. Dat is een van de regels. Zolang u zich aan de regels houdt, kunnen wij wel met elkaar overweg.'

'Ja, meneer, dat weet ik.'

Met veel misbaar begon Doyle door het dossier te bladeren. 'Ik zie dat dit voor u al de derde keer is dat u voorwaardelijk bent vrijgelaten. Denkt u dat wij er samen voor kunnen zorgen dat dit uw laatste keer wordt?'

Weinbeck knikte geestdriftig en stortte zich toen in een uiterst voorspelbaar kletsverhaal over hoe oprecht veel berouw hij had, dat hij eindelijk zijn lesje had geleerd, dat hij o zo dankbaar was dat hij nog een kans kreeg, hoe hij ervoor zou zorgen dat het hem ditmaal wel zou lukken en blablabla... Doyle knikte steeds op de juiste ogenblikken, maar zijn blik bleef maar afdwalen naar de tv.

'Is er soms iets gaande?' vroeg Weinbeck, die Doyles blik had gevolgd.

'Niets om u druk over te maken.' Doyle schoof hem over het bureau een stapeltje papieren toe. 'Hier, dit is uw bijbel. Hierin vindt u alle regels en voorschriften, hoe alles in elkaar steekt, waar u zult verblijven, waar u gaat werken...'

'...wanneer ik mag eten, slapen, pissen... Ik weet hoe het gaat.'

'Dat geloof ik graag, maar kijk er toch maar even naar. Als u nog vragen heeft, is dit het moment om die te stellen.'

'Wanneer krijg ik mijn vrouw te spreken?'

Doyle staarde hem aan. 'Je maakt toch zeker een grapje?'

'Ze is wel mijn vrouw, hoor.'

'Jullie zijn twee jaar geleden gescheiden; daar heb je alle papieren van gezien. Als jij je binnen een straal van honderd meter van haar vertoont, vlieg je terug de lik in voor je weet wat je overkomt.'

Weinbeck deed zijn best om vriendelijk te glimlachen. 'Hoe zou ik dát nu moeten doen? Niemand vertelt me waar ze zit. Maar ik wil alleen maar met haar praten. Eén telefoontje, da's het enige dat ik vraag. En ze zeiden dat u haar nummer heeft.'

'Dat kun je vergeten, Weinbeck, dat weet je heel goed. Jij hebt dit vaker meegemaakt. Wil je de handdoek nu al in de ring gooien en meteen terug naar Stillwater? Maakt het voor ons allemaal een stuk eenvoudiger, hoor.'

Kurt Weinbecks houding veranderde ogenblikkelijk, evenals zijn gezichtsuitdrukking. Deze verzachtte meteen en toonde een bestudeerde mengeling van eerbied en onderwerping. 'O nee, meneer, dat wil ik zeer zeker niet. Sorry dat ik er zelfs maar over begon. Maar ik maak me gewoon zorgen: ik zou zo graag willen weten of het goed met haar gaat – meer niet.'

Doyle bestudeerde het gezicht van de man tegenover hem langdurig. O, wat haatte hij dit soort types: hoe ze dachten jou te kunnen bespelen, met een glimlach en die zogenaamde berusting. Hij was toch zeker niet gek! Het waren stuk voor stuk rotzakken die je uit puur eigenbelang om de tuin probeerden te leiden. En toch, ergens diep onder dat met veel moeite opgebouwde schild van cynisme, bezat hij ook nog steeds een irritant vleugje dom idealisme. En daar kwam hij maar niet vanaf – wat waarschijnlijk ook de reden was dat hij dit werk, na al die jaren vol teleurstellingen, nog steeds deed. Zijn hoofd wist intussen wel beter, maar zijn hart wilde nog steeds geloven dat zelfs in het ergste stuk tuig nog een menselijk wezen school, dat wanneer de juiste persoon hem op het juiste moment wat naastenliefde schonk, hij het juiste pad wel weer zou vinden. En ach, wat kostte het hem nu voor moeite? Een zinnetje, een paar geruststellende woorden.

'Ik heb uw vrouw zelf gesproken: zij maakt het prima.'

Ditmaal was Weinbecks glimlach oprecht, wat Doyle voor het eerst in maanden weer een goed gevoel gaf.

'Dank u, meneer. Het betekent erg veel voor me om dat te horen. Zijn wij nu klaar met elkaar?'

'Nog een minuut of tien.'

'Kan ik misschien wat te drinken krijgen, een colaatje of zo? Ik zag verderop in de gang een automaat staan.'

Doyle schoof hem over het bureau een paar formulieren toe. 'Ik haal wel even een blikje. Begint u maar alvast handtekeningen te zetten, overal waar een kruisje staat. Hoe sneller u klaar bent, hoe sneller u hier weg kunt.' Hij pakte Weinbecks dossier en bleef aan de andere kant van het bureau even staan kijken of Weinbeck wel op de juiste plek tekende. Sommigen waren zo dom dat ze, zelfs als er kruisjes stonden, niet konden bedenken waar ze hun naam moesten zetten.

Hij zag het mes pas toen het op hem af kwam flitsen, maar dat was niet snel genoeg.

7

Halverwege die zaterdagmiddag gonsde op het hoofdbureau van politie als een opgeblazen luidsprekerbox. De entree stond volgepakt met zo'n beetje elke verslaggever en cameraman uit de hele staat, en zoals gewoonlijk waren de politici nooit ver weg als er ergens camera's stonden.

Terwijl Gino en hij zich al 'geen commentaar' roepend een weg baanden, onder de kakofonie van vragen door die meteen na hun binnenkomst was losgebarsten, herkende Magozzi minstens drie gemeenteraadsleden, meerdere wetgevers, leden van het pr-team van de burgemeester en merkwaardig genoeg ook de woordvoerder van de wethouder van Verkeer. Wat die hier nu moesten? Aasden zij soms op verhoging van het sneeuwverwijderingsbudget, zodat ze zich konden ontdoen van al dat witte spul waar lijken in werden verstopt?

Vreemd genoeg bleek de afdeling Moordzaken de enige relatief rustige ruimte in het hele pand. Aan de andere kant van de deur die de receptie scheidde van de kantoorruimte, hoorden ze Gloria overdreven beleefd in de telefoon praten. Magozzi wist niet wat hem meer verontrustte: dat zij op een zaterdag naar haar werk was gekomen of dat ze waarachtig beleefd tegen iemand deed. 'De rechercheurs bevinden zich nog steeds op de plaats delict, meneer. Jazeker, dat zal ik doorgeven.'

Gloria was groot, zwart, scherp van tong, zeer kieskeurig op haar uiterlijk en met een heel eigen, wilde stijl. Ze waren gewend haar in allerlei gedaanten te zien. De ene keer had ze haar hoofd vol piepkleine vlechtjes, bij een volgende gelegenheid droeg ze een kleurige tulband; de ene dag was ze gehuld in een sari, de dag erop in een minirok met plateauzolen. Maar dit was weer iets heel anders.

Ze stond bij het eerste bureau, met de handen op haar omvangrijke heupen woest te kijken naar al die knipperende lichtjes op haar telefoon. Ze zag er vandaag uit als een kolossale, pikzwarte Priscilla Presley: haar donkere haar was in een soort kuif gespoten en haar knalroze jurk was wijd en glimmend en ritselde bij elke beweging. Gino had zoiets niet meer gezien sinds zijn vader hem een foto van zijn schoolbal had laten zien. Hij deed zijn mond al open om iets te zeggen, toen Gloria met een boze blik haar wijsvinger in zijn richting priemde.

'Ben je erg gehecht aan je ballen, Rolseth?'

'Eh... ja.'

'Mooi zo, want deze dag is te zwart voor geintjes.'

Gino knikte. 'Ik wilde alleen maar zeggen dat ik je nog nooit in zoiets moois heb gezien. Rood staat je goed.'

'Hmm.' Haar brede schouders ontspanden zich weer. 'Dat is geen rood, sukkel, dat heet "kersenbloesem". En als je deze jurk al apart vindt, dan had je de bruid eens moeten zien: die zag eruit alsof ze rondliep in een reusachtig kanten tafelkleed.' Ze plofte ruisend en grommend terug op haar stoel. 'De chef belde net: hij was halverwege zijn huisje aan het meer, toen het nieuws hem bereikte. Hij kan hier niet vóór het nieuws van vijf uur zijn – wat misschien maar goed is ook: de plaatselijke media zijn al lang en breed op de buis geweest en nu heeft ook CNN het nieuwtje opgepikt. Die hebben het in zo'n regel onder in beeld al over het Sneeuwmannenslagveld van Minneapolis – vinden die schoften grappig.'

Magozzi voelde zijn kaak verstrakken. 'Verdomme, we hebben hier wel te maken met twee vermoorde agenten, hoor.'

'Tja, "politiemoordenaar" is een geliefde kop, maar die belandt toch op de tweede plaats als er een filmpje is van een stel uniformen die honderden sneeuwpoppen omvergooien, recht voor een menigte huilende kindjes.'

'Mijn hemel, laten ze dát zien?'

'Echt wel! Lokaal, landelijk en waarschijnlijk ondertussen ook wereldwijd wordt dat ene rotstukje aan één stuk door vertoond. De chef doet vanavond om negen uur iets live met de pers. Hij wil alles wat jullie hebben vóór achten op zijn bureau, zodat hij daaruit kan plukken wat hem bevalt.'

Halverwege de ruimte zaten Johnny McLaren en Tinker Lewis

achter hun bureau te telefoneren, begraven onder de papieren; verder was er niemand. Magozzi en Gino rolden een paar stoelen naast Tinkers bureau (voornamelijk omdat McLaren eruitzag als de binnenkant van een afvalcontainer tijdens een staking van de vuilophaaldienst).

Tinker bedankte iemand aan de telefoon en legde toen behoedzaam op. Deze man deed alles behoedzaam – had hij altijd al gedaan, zo lang Magozzi hem kende – maar op deze afdeling viel zijn manier van doen nogal op. Zijn bruine ogen keken altijd al melancholiek, maar vandaag stonden ze ronduit zwartgallig. 'Het Tweede District is alert bij alles wat ze over Tommy Deaton en Toby Myerson hebben: recente verslagen van functioneringsgesprekken, arrestatierapporten, privéspullen uit hun kastjes, alles wat mogelijk niet in de hoofddossiers staat. De brigadier kon niets opmerkelijks bedenken. Niet dat hij daar vandaag nog op zou kunnen komen. Trouwens, iedereen daar is met zijn hoofd in de rouw gedompeld.'

Magozzi knikte. 'We zullen alles overhoop moeten halen, om te zien of dit om de politie gaat of misschien zelfs specifiek om het Tweede District.'

'Ja, daar maken ze zich daar wel een beetje zorgen over.' Hij wierp een blik op McLaren, die geboeid zat te luisteren aan de telefoon en tegelijkertijd op een stukje papier krabbelde. 'Johnny praat nu met een van de jongens daar die in zijn vrije tijd wel eens met Myerson optrok. Hebben jullie bij Deatons familie nog iets ontdekt?'

Magozzi schudde zijn hoofd. 'We hebben ze stevig aan de tand gevoeld, maar niets dat eruit springt. Zijn vrouw ging om als een sequoia toen we het haar vertelden: behoorlijk overstuur. Hoe was het bij Toby Myerson thuis?'

Tinker leunde achterover, sloot zijn ogen en zag Toby Myersons moeder weer voor zich: scheefgegroeid vastgebonden in haar rolstoel, één kant van haar gerimpelde gezicht verzakt door de beroerte die de helft van haar lichaam en het grootste deel van haar spraakvermogen had uitgeschakeld, maar haar bewustzijn, gevoelens en gezichtsvermogen intact had gehouden, met ogen die meer zeiden dan Tinker had willen horen. 'Hij had geen andere familie buiten zijn moeder. Toby zorgde voor haar. Geen idee wat er nu met haar gebeurt.'

Tinker begon hem keurig gelabelde dossiermappen toe te schuiven, sommige wat dikker dan de andere. 'De rapporten beginnen langzaam binnen te druppelen, maar voor je het weet heb je een lawine. Er moeten daarbuiten honderden zijn geweest vandaag. Plus alle filmpjes en foto's van de media die we moeten doorploegen. En dan wordt er ook nog eens een huis-aan-huis-onderzoek gehouden rond het park. En je weet hoe dat gaat: zo gauw mensen ontdekken dat er een moord is gepleegd, horen we van honderden geparkeerde auto's die er, nu ze erover nadenken, nogal verdacht uitzagen...' Hij blies zijn wangen, die elk jaar dat hij nog werkte lager gingen hangen, gefrustreerd bol. 'Uiteindelijk weegt het dossier van deze zaak tegen de ton.'

Magozzi knikte. 'Heb je Espinoza erop gezet?'

'Ja: wij geven alles aan hem door, hij stopt het in de Monkeewrench-software. Maar er blijft een hoop spul over waar ook nog naar gekeken moet worden.'

'Zoals altijd.'

Johnny McLaren hing eindelijk op en richtte zijn bloeddoorlopen blik op hen. Het gerucht ging dat de vuurrode rechercheur elk weekend begon met een braspartij die achtenveertig uur lang duurde. Nu hij hem eens op een zaterdag kon bekijken, geloofde Magozzi dat nog ook. 'Ik heb íéts – kan goed zijn, maar ook slecht: Toby Myerson en Tommy Deaton waren gisteravond samen. Het waren allebei langlauffanaten en ze konden gisteravond niet wáchten tot ze klaar waren met hun werk om de loipes te proberen.'

Gino knikte. 'Ja, dat vertelde Deatons vrouw ook al. Weet je, na één blik op die eerste sneeuwman dacht ik al aan een gestoorde seriemoordenaar met zijn trofee. Toen de tweede werd gevonden, dacht ik: Het lijken potdorie de Olympische Winterspelen voor Seriemoordenaars wel. Toen we vervolgens ontdekten dat ze allebei van de politie waren, begon het er op te lijken dat de een of andere gek het op agenten gemunt had. Nu we weten dat die twee samen op stap waren, moeten we misschien zoeken naar een meer persoonlijke invalshoek. Zoals dat slechts één van hen het doelwit was, terwijl de ander gewoon in de weg stond.'

Dat idee beviel Tinker wel. 'Dan heeft het wellicht niets te maken met het feit dat het agenten waren.'

'Dat zou wel het mooiste scenario zijn, ja.'

'Die invalshoek bevalt me een stuk beter dan die van de seriemoordenaar die zomaar wat lui neerknalt, of politieagenten in het bijzonder,' zei Magozzi.

'Dat vinden we allemaal. Maar dat betekent nog niet dat het ook zo is gegaan.'

Ze keken allemaal op bij het horen van het zware getik van Gloria's hakken op de vloer en zagen de ruimte tussen de bureaus worden opgevuld met roze. 'Ik ga nog gauw even een hapje eten voor de chef hier is. Jullie zorgen dat hij die rapporten krijgt, hè?'

Broodmagere, roodharige McLaren keek breed grijnzend naar haar. Hij was heel even kwijt dat ze werkten aan een rotzaak met vermoorde agenten, met een heel lange avond voor de boeg. 'Je moet me echt eens verklappen hoe je die rok zo wijd laat uitsteken!'

Gloria negeerde hem volkomen. 'De centrale doet alle telefoontjes tot ik terug ben, maar Evelyn zit er vanavond achter, dus let een beetje op. De laatste keer drukte ze de voorzitter van de gemeenteraad weg en verbond ze een mafkees door die beweerde van de CIA te zijn en de regering te willen omverwerpen. De chef had haar bijna in de cel gegooid.'

'Ik kan het haar niet eens kwalijk nemen,' zei Gino. 'De voorzitter van de gemeenteraad of een gestoorde gek: niet zoveel verschil, als je het mij vraagt.'

Glorie schonk hem een woeste blik en draaide zich abrupt om. Op het allerlaatste moment draaide ze haar hoofd nog even en keek McLaren strak aan. 'Een petticoat,' zei ze en verdween toen door de deur.

'Een wát?' fluisterde McLaren.

Gino keek hem aan. 'Wat ben je toch ook een nitwit. Een petticoat is een soort superstijve onderrok, met plastic hoepels erin. Uit de jaren vijftig, dus het zal wel zo'n retro-bruiloft zijn geweest. Niet te geloven dat zij naar zoiets gaat, zeker in zo'n outfit.'

McLaren stond nog steeds te staren naar de plek waar hij Gloria voor het laatst had gezien.

Het was al een uur donker en nóg hoorde Grace dat irritante ge-schraap. In een arbeiderswijk als deze zag je niet veel sneeuwblazers: iedereen was de hele dag met zijn sneeuwschuiver in de weer ge-weest om de sneeuw van gisteren van de stoepen en straten te krab-ben. Achter een paar daarvan liepen onverschrokken jongelui van huis naar huis, om met een flinke klus een klein centje bij te verdie-nen. Dat soort jong ondernemerschap zag je tegenwoordig niet vaak meer: de meeste kinderen hingen liever voor de tv of PlayStation en staken hun handen enkel uit voor hun zakgeld, dat ze simpelweg kregen omdat ze bestonden. Die paar die nu voor de kleine oude huizen aan Saint Pauls Ashland Avenue voortzwoegden, namen echter nooit de moeite aan te kloppen bij Grace MacBride.

Zij had immers toen ze dit huis zes jaar geleden kocht hightech verwarmingsroosters in haar stoep en oprit laten inbouwen: zelfs midden in een hevige sneeuwstorm kon je op haar stoep nog skee-leren. Niet omdat ze zo tegen de lichamelijke inspanning van sneeuwruimen opzag, maar omdat ze zich in die tijd nog graag voor bepaalde lieden verschool en weigerde zich zo lang buiten te vertonen, enkel om een pad door winters Minnesota te banen. Ook al was er nu naar alle waarschijnlijkheid niemand meer die haar wilde vermoorden, ze wilde het risico gewoon niet lopen.

Vanavond bracht zij in haar knusse, in een fort omgetoverd huis de MacBride-variant van slonzigheid in praktijk.

Niemand zag Grace ooit zo. Behalve Charlie natuurlijk, maar aangezien het spreken van mensentaal zo'n beetje de enige truc was die deze hond nog niet beheerste, verklapte hij niets. De flanellen pyjama was een cadeautje van Roadrunner: zacht, warm en... (be-dankt, WandelendeTak-man) zwart. Er was sowieso goed over deze aankoop nagedacht: de broek was ook wijd genoeg voor haar Derringer, die ze als ze thuis werkte altijd rond haar enkel droeg. Maar alleen al de zachtheid van het lichtgewicht flannel voelde ge-durfd aan: Grace had een voorkeur voor zware stoffen tussen haar en de rest van de wereld.

Als het iemand anders dan Magozzi was geweest, had ze de voordeur niet eens geopend. Hij grijnsde dwaas bij het zien van haar outfit. 'Je bent in pyjama! Dat noem ik nog eens hoopgevend.'

'Je bent vroeg, Magozzi.'

'Ik dacht dat ik misschien kon helpen met koken.'

'Alles staat al op het fornuis. Ik wilde me net gaan aankleden.'

'Misschien kan ik je daar dan mee helpen?'

Rollend met haar ogen deed Grace een stap opzij, zodat Magozzi zijn jas kon ophangen en Charlie begroeten. Hij kwam hier tegenwoordig zo vaak dat het dier niet langer totaal door het lint ging zodra hij zijn voet over de drempel zette. Hij was nog wel blij, maar toonde die vreugde ingetogener, respectvol haast – alsof Magozzi in Charlies minibrein de overstap van speelkameraad naar baas had gemaakt. Grace wist niet zo goed wat ze daarvan moest vinden.

Zonder op te kijken van het kloppen op de rug van de hond zei Magozzi: 'Heb je het al gehoord?'

'Harley en Roadrunner belden dat ik de tv moest aanzetten.'

Hij kwam weer rechtop en keek haar aan. Zijn blik had niets luchthartigs toen hij zei: 'Het waren politiemannen, Grace. Allebei.'

In de anderhalf jaar dat hij haar nu kende, had Magozzi Grace zelden emoties zien tonen. Ze was bijna halverwege de dertig, maar had nog geen enkele rimpel in haar gezicht: geen lachrimpeltjes in haar mondhoeken, nog geen zweem van een frons tussen haar wenkbrauwen. Ze was als een onbeschreven blad; een babygezicht voordat de vreugde en het verdriet van het leven hun fijne lijntjes hadden achtergelaten – en dat stemde Magozzi altijd wat bedroefd. Heel soms, als hij van heel dichtbij keek, meende hij iets in haar ogen te zien, maar dat ging nooit echt diep.

'Wat erg voor je, Magozzi,' zei ze. En hij voelde hoe ze de deur naar de buitenwereld en al het vreselijks dat daar gebeurde dichtgooide.

Ze pakte hem bij de hand en leidde hem naar de keuken, waar ze heel even keek naar wat er op het fornuis stond te sudderen en toen twee glazen wijn inschonk en tegenover hem aan de keukentafel plaatsnam. 'Vertel op,' zei ze en Magozzi bedacht dat deze woorden nog nooit door een vrouw tegen hem waren uitgesproken. Het voelde als een toverspreuk.

Dit is dus wat Gino met Angela heeft, dacht hij. Je komt thuis, uitgeput en gefrustreerd, en dan is daar zo'n heerlijke vrouw die werkelijk wil weten hoe jouw dag is geweest. Nee, dit was niet niks. Het betekende niet alleen dat je je tijd samen wilde doorbrengen; het betekende ook dat je alle tijd die je níét samen was met elkaar wilde delen. En wat hem aanging, kwam dat zo'n beetje neer op je hele leven willen delen. Hij vroeg zich af of Grace zich hier ook van bewust was.

'Waarom grijns je nou zo, Magozzi?'

Magozzi begon een hekel aan zijn eigen woning te krijgen: het was er donker, leeg en – nog veel erger – er waren geen vrouw of hond. Hij had het vanavond ongelooflijk moeilijk gevonden om bij Grace weg te gaan, maar hij moest morgen vroeg op én er lag nog een forse stapel rapporten om door te nemen. Van lezen kwam natuurlijk niets met haar naast hem in haar flanellen pyjama.

Hij pakte een flesje Summit Pale Ale uit de koelkast, schakelde de tv aan en zette zich schrap voor het tienuurjournaal.

De nieuwsploegen hadden de hele dag gehad om het maximale effect uit het verhaal te peuren, dat was wel duidelijk: dramatische, opruiende teksten, opgesmukt met bijvoeglijke naamwoorden als 'huiveringwekkend', 'schokkend' en 'gruwelijk' deden het goed tegen een achtergrond van vakkundig gemonteerde filmpjes, waardoor de in feite keurig geleide handelingen op de plaats delict leken op de chaos rond een belangrijke voetbalwedstrijd. Vooral raak waren de beelden van gillende en huilende kinderen, die toekeken hoe de jongens in het blauw de ene sneeuwpop na de andere omvergooiden. Zonder uitzondering kwam de politie van Minneapolis in elke uitzending over als een troep harteloze wilden.

Allemaal toonden ze fragmenten van de persconferentie van commissaris Malcherson en ook daar deugde niets van. Ook al was deze man een ware meester in het beheerst presenteren van de feiten, ditmaal werkte het niet. Zo deed hij hard zijn best de aandacht te vestigen op de mogelijkheid dat een doorgedraaide ex-gevangene de agenten die hem hadden gearresteerd wilde terugpakken, maar de pers bleef maar hameren op die ene vraag, die ook de politie bezighield: wie verstopt er nu een lijk in een sneeuwman? Het leek wel iets uit een slechte film.

Kristin Keller van Channel 3 wist er zelfs nog een schunniger draai aan te geven. Terwijl je zag hoe Magozzi en Gino zich al 'geen commentaar' roepend door de massa verslaggevers in het hoofdbureau van politie worstelden, hoorde je een voice-over met haar beste het-eind-der-tijden-is-nabij-stem: 'Men kan niet anders dan zich afvragen of de politie van Minneapolis de waarheid soms verhult, in een poging paniek onder de bevolking van deze stad te voorkomen. Een gepensioneerd criminoloog die anoniem wenst te blijven, vertelde uw verslaggeefster dat het zo uitvoerig tentoonstellen van lichamen in sneeuwpoppen een onmiskenbare indicatie is voor het feit dat het hier gaat om een psychopathische seriemoordenaar...' Ze laste een dramatische pauze in en keek recht in de camera, '...een moordenaar die zeer waarschijnlijk opnieuw zal toeslaan.'

Voor hij zijn vuist dwars door de tv had kunnen rammen, ging de telefoon. Hij hoefde niet eens op het display te kijken om te weten wie het was.

'Gino!'

'Leo, allereerst dit: ik wil dat jij je vrij voelt om in gedachten zoveel mogelijk godslasteringen aan mijn kant van dit gesprek toe te voegen, want ik zit hier bij mijn kinderen en kan het daarom zelf niet doen.'

'Jij hebt dus ook naar Channel 3 zitten kijken?'

Gino sputterde wat. Het lukte hem blijkbaar niet om een woord te bedenken dat ook geschikt was voor kinderoren.

'Ze zeiden eigenlijk niets dat wijzelf niet ook al hadden bedacht, Gino.'

'Ach, het is niet wát ze zeiden, maar de manier waaróp. Achterlijke paniekzaaierij! Straks worden kinderen nog bang voor sneeuwpoppen. Ze bouwen ze niet langer. En later als ze groot zijn laten ze hún kinderen ook geen sneeuwpoppen meer bouwen...

Dan zendt de tv die grappige tekenfilm "Frosty de Sneeuwman" nooit meer uit, schrappen alle radiozenders dat liedje van hun speellijst en ziet Gene Autry's familie nooit meer een royalty-cheque... Man, zelfs het beeld van een typisch winterlandschap zou in het hele land radicaal kunnen veranderen – enkel omdat Kristin Keller aast op een betere positie bij de omroep.'

Nadat Gino zijn tirade eindelijk had afgerond bleef Magozzi achter met een lauw biertje en een berg papierwerk.

8

Kurt Weinbeck knipperde met zijn ogen tot hij goed wakker was, kwam toen met een ruk overeind in zijn stoel en keek paniekerig om zich heen. Hij vroeg zich af hoe hij in slaap had kunnen vallen, maar ook waar hij eigenlijk wakker van was geworden. Van de kou waarschijnlijk. Of misschien had een windvlaag het autootje even heen en weer geschud. Nee, dát kon het niet zijn: dat rottige stukje blik stond zo vast in de sporen die het met zijn kale banden had gegraven, dat alleen een orkaan het een millimeter van zijn plaats zou krijgen.

De greppel was idioot diep en elke boerenjongen uit Minnesota wist precies wat dat betekende: ze hadden die rotweg dwars door een moeras gelegd en daarbij net genoeg aarde gebruikt om hem boven het wateroppervlak uit te krijgen – maar ook geen korreltje meer. Dus lagen er overal in deze staat hoog boven het omliggende land uittorenende wegen, met daarnaast greppels zo diep dat je er in het voorjaar makkelijk in kon verdrinken. En wie er in de winter overheen reed, kreeg het idee mee te doen aan een Olympische wedstrijd 'autorijden over een evenwichtsbalk': één centimeter te ver naar links of naar rechts en je was de sigaar.

Hij had het geweten zodra hij de auto voelde wegglijden en alleen nog maar lucht voelde. Als er geen halve meter verse sneeuw op de bodem had gelegen, had hij bij het neersmakken misschien zelfs zijn as gebroken. Hier kwam hij van zijn leven niet meer uit. Toch probeerde hij het, door heen en weer te rijden zolang de banden nog grip hadden. Hierdoor groef hij zich echter nóg dieper in, waarna de gesmolten sneeuw rond de wielen uiteindelijk bevroor en hij werkelijk muurvast stond. En het ergste was nog wel dat hij zich nu zo diep had ingegraven, dat er een heel pak sneeuw naast de deuren zat, dat hij met geen mogelijkheid kon wegduwen.

Het was potdomme een doodkist van sneeuw, dat zeg ik je. Die ouwe Cameron Weinbeck had zich zo diep ingegraven, dat de

sneeuw tegen de deuren drukte en hij geen ene moer meer kon doen
om eruit te komen. Maar natuurlijk was hij zoals altijd weer be-
hoorlijk lazarus, dus misschien was het ook weer niet zó erg om
daar te zitten wachten tot zijn oogleden bevroren en zijn vingers af-
braken. Die heeft zich waarschijnlijk prima geamuseerd tot de laat-
ste fles leeg was. Alleen vanaf dat moment is het, denk ik, allemaal
wat minder gegaan.

Het was beslist geen standaard grafrede geweest, maar dit verhaal
was het best bij hem blijven hangen, toen hij als achtjarige bij de
kist van zijn vader had gestaan. En daar zat hij dan, vierentwintig
jaar later: op het punt de nalatenschap van zijn familie nieuw leven
in te blazen. Hij had het al bijna in zijn broek gedaan, toen hij had
bedacht dat hij gewoon het raampje naar beneden kon draaien en er
zo uit kon kruipen.

Tegen de tijd dat hij uit de auto en tegen de rand van de greppel
was geklauterd, sneeuwde het als een idioot en de temperatuur
daalde veel te snel voor zijn dunne jas en gympen. Hij keek om zich
heen naar de besneeuwde bossen, het lege land en de verlaten weg
en dacht: Aan het eind van de wereld – een zinsnede die in deze
staat te pas en te onpas werd gebruikt – tot je je realiseerde dat dat
precies was waar je uitkwam als je zo ver noordelijk van The Cities
ergens de hoek omsloeg.

Op het nieuws begonnen ze de kijkers ergens in november al op
de wintervoorschriften te wijzen. Zo moest er altijd een noodpak-
ket in je kofferbak liggen: kaarsen, lucifers, blik soep, dekens en
nog wat troep die je leven kon redden, als je ooit zo stom was om
te doen wat hij en zijn vader (en tientallen andere inwoners van
Minnesota) elke winter deden. Het probleem was echter dat lui die
stom genoeg waren om midden in een sneeuwstorm in een greppel
vast komen te zitten, blijkbaar ook te stom waren om zo'n nood-
pakket mee te nemen, want er lag helemaal niks in zijn auto. Dat
ding had niet eens een kofferbak!

Dus over naar de tweede regel, de belangrijkste: "Blijf bij uw
auto; ze vinden u wel." Toen hij om zich heen keek, leek hem dat
hoogst onwaarschijnlijk. Bovendien stond gevonden worden niet
bepaald boven aan zijn verlanglijstje. Hij wist dat hij moest gaan

lopen om een andere auto te vinden, waarmee hij deze staat kon verlaten, om nooit meer terug te keren.

Maar voor het zover was moest hij nog één ding afhandelen. Hij piekerde er geen seconde over om dat te laten: hij had er de afgelopen drie jaar in zijn cel op zitten broeden, wachtend op deze dag, die nu eindelijk was gekomen.

Dus had hij de sneeuw bij de uitlaat weggeveegd en was hij teruggekropen in de auto, om zich een beetje op te warmen voor zijn grote tocht. Misschien dat hij zo zelfs zijn schoenen wat droger kreeg. Toen had hij de verwarming voluit gezet en het raam op een kier, om te voorkomen dat hij zichzelf vergaste.

Goeie zet, dacht hij. Door de warmte had hij zeker twee uur geslapen – het was nu drie uur in de nacht – en de uitlaat kon intussen best weer verstopt zitten met verse sneeuw.

Hij sloot de auto af, klom voor de tweede en laatste maal naar boven en begon te lopen. Hij had geen idee waar hij was, maar wist wel waar hij naartoe moest: terug naar het meer en dan gewoon de oever volgen. Want als je in Minnesota op één plek beschaving kon vinden, dan was het wel overal waar water was. Met een stuk land langs het meer kon je schatrijk worden, zelfs in het uiterste puntje van deze langgerekte staat. Hij wist dat het meer niet zo heel ver terug lag en misschien was het nog niet eens zo vervelend om daarlangs te lopen.

Wie lang genoeg in een cel doorbrengt waar het licht altijd brandt, vergeet op den duur hoe het donker eruitziet. En zelfs in een sneeuwlandschap heb je wat licht nodig om al dat wit te weerkaatsen, anders zie je nog geen hand voor ogen. De maan was ideaal – die brandde in de winter boven de aarde als een gigantische stroboscoop – zelfs sterrenlicht was bij zoveel sneeuw al voldoende. Maar vannacht was er geen maan én geen sterren en moest hij gewoon op de weg zien te blijven om terug te komen bij het meer.

Hij vond het een halfuur later, toen hij zijn voeten al niet meer voelde. Langs de oevers lag de sneeuw nog hoger dan op de weg. De kou kroop tot boven zijn knieën; sneeuw doorweekte zijn hele spijkerbroek, waarna deze stijf als een plank werd en bij elke stap langs zijn kuiten kraste.

Nog een halfuur verder had hij ook geen gevoel meer in een groot deel van zijn gezicht. En nog steeds had hij geen enkel huis gezien – of welk bouwwerk van welk type dan ook, op de spookachtige schaduwen van een paar vishutten op het ijs een heel eind terug na. In veel van die dingen stonden kacheltjes, wist hij, en wat wás hij in de verleiding gekomen, maar hij kon echt niet teruggaan.

Na nog een kwartier sjokken besloot hij dat dit het grootste meer van de hele staat moest zijn én het enige zonder bebouwing langs de oever. Hij ging sterven! Het gekke was ook nog dat het niet eens zo koud was, althans niet voor Minnesota: tien, misschien twaalf graden onder nul. Doodvriezen bij zo'n milde wintertemperatuur was gewoon gênant.

Dus liep hij door, nog eens tien helse minuten lang: weg van het meer, een lichte helling op naar een vlak, leeg veld dat tot aan de horizon leek door te gaan. Die helling, hoe licht ook, deed hem bijna de das om. Toen hij eindelijk boven stond, was hij tweemaal gevallen, brandden zijn longen en waren de bezwete haren op zijn voorhoofd bevroren. Dat was het moment dat hij zijn stappen ging tellen, in plaats van de minuten, en hij wist dat dat een slecht teken was. *En buig die knie*, zei hij tegen zichzelf. Zijn dijspieren schreeuwden het uit toen hij een van zijn voeten optilde (die hij boven de sneeuw al niet meer voelde). *Dan even stoppen om adem te halen en te kuchen... en dan precies hetzelfde met het andere been.* Bij vijf moest hij ophouden met tellen, omdat hij zich het volgende cijfer niet meer kon herinneren.

En toen zag hij het: een piepklein, wazig lichtje, amper zichtbaar door de vallende sneeuw. Het kon natuurlijk een luchtspiegeling zijn, maar misschien ook niet. Hij begon zijn stappen weer te tellen.

Het was niet het soort schuilplaats waarop hij had gehoopt, maar hij lag wel uit de wind; het was er enkele graden warmer dan buiten en zou zijn armzalige hachje daarom wel redden. En het was nu eenmaal zo dat hij, voor het eerst in lange tijd, veel had om voor in leven te blijven.

Tijd voor de afrekening, dacht hij, terwijl hij op zijn bevroren voeten rondstrompelde en met zijn halfbevroren vingers in het donker voelde, tot hij had gevonden wat hij nodig had om de nacht door te komen.

9

Iris Rikker was al in geen tien jaar vóór zonsopgang opgestaan. Het beviel haar maar niks. Voor ze door haar stikdonkere slaapkamer naar de lichtschakelaar was gestommeld, had ze haar elleboog al gestoten aan de commode én was ze in een hoopje verse kattenkots gestapt.

'Shit, shit, shít!'

Toen het licht aanging, verraadde de boosdoener zich meteen: ze zat vlak bij haar verrassinkje en knipperde geschrokken met haar streepjespupillenogen.

'Puck! Viezerik dat je d'r bent.' Iris hinkelde op één blote voet naar de badkamer, waar ze de andere meteen in de wasbak stak.

Het water was ijskoud. Iris ademde in tussen haar tanden toen het over haar voet stroomde. Het zou nog zeker een paar minuten duren eer het warme water van de antieke geiser in de kelder twee verdiepingen omhoog was gestroomd. En extra minuten hád ze vanochtend niet. "Nieuwe geiser": ze zette het boven aan de lijst van dingen die ze nu misschien kon betalen. Dat was tenminste iets.

Zelfs het geluid van stromend water kwam niet uit boven het hijgerige geloei van de wind rond de noordkant van de oude boerderij. IJzige hagelkorrels doken op uit het donker en tikten tegen het badkamerraam, waar zich alweer een laag ijs had gevormd op de binnenkant van het houten schuifraam. "Nieuwe ramen" – misschien moesten die wel op nummer één.

Terwijl ze haar voet afdroogde, keek ze chagrijnig naar de natte sneeuw die nu tegen het raam sloeg. Ze dacht erover naar Californië óf Siberië te verhuizen – als ze er maar een beetje op het weer kon rekenen. Twee dagen geleden had ze de vierhonderd meter naar haar brievenbus nog op de fiets afgelegd; gisteren was haar brievenbus onder dertig centimeter sneeuw verdwenen; vanochtend voegde een nieuw sneeuwfront daar een laag ijs aan toe... En dat was nog maar het begin.

De poes wachtte tot Iris op het toilet zat, kwam toen de badkamer binnen, stopte en keek haar aan.

'Jij vieze gluurder! Kotsende gluurder...'

Puck kneep even met haar ogen en kwam toen op haar af, om tegen haar benen te strijken. Iris besloot dit maar te vertalen als een kattenexcuus en streelde de dunner wordende zwarte vacht. Het beest werd dit voorjaar vijftien en ze mocht het haar niet kwalijk nemen dat haar verouderende spijsverteringssysteem af en toe opspeelde. 'Arme Puck, voel je je niet lekker?'

De kat begon te spinnen en braakte prompt over Iris' andere voet.

Het was zes uur en nog steeds donker, toen Iris eindelijk naar de keuken liep. Ze droeg de outfit die ze de avond daarvoor had klaargelegd, na een vreselijk uur vol besluiteloosheid: een zwarte broek, witte trui en zwarte blazer hadden over de rugleuning van haar stoel gehangen. Tegen de paarsige kringen onder haar ogen kon ze met make-up helaas niets beginnen.

Ze was halverwege haar eerste kop koffie en een kom ontbijtgranen, toen de telefoon ging.

'Iris Rikker?' vroeg een mannenstem.

'Ja. En met wie spreek ík?'

'Inspecteur Sampson. Zeg, wij staan hier bij Lake Kittering, bij de openbare steiger. Weet u waar dat is?'

'Eh...'

'Noordoever, even voorbij het sheriffkantoor, vlak naast Shorty's Garage. Er is een lichaam gevonden.'

Iris stond doodstil; ze was via een stuk telefoondraad verbonden met een gloednieuwe wereld. Ze haalde diep adem en zei toen: 'Ik kan er over een halfuur zijn.'

'Nee, dat kunt u niet. De wegen zijn pet. Maar maak u geen zorgen, deze hier gaat nergens naartoe.'

Er klonk een klik toen er abrupt werd opgelegd. Ze knipperde even met haar ogen, legde de hoorn toen voorzichtig terug op de haak, deed een stap naar achteren en sloeg haar armen om zich heen. Ze keek haar knusse keuken rond: witte kastjes, donkergroen behang, kan met droogbloemen op de eiken tafel. Het rook er naar verse koffie en de kaneelkaars die ze gisteravond had aangestoken. Het was een fijne keuken, een gezellige boerenkeuken – daar hoorden geen telefoontjes over lijken in thuis.

Er hing een passpiegel aan de binnenkant van de kastdeur. Iris keek naar zichzelf terwijl ze haar tien jaar oude moonboots aantrok en de zwarte parka die ze vorige week had aangeschaft. *Iets ouds, iets nieuws.* Tegelijkertijd vroeg ze zich af waarom ze er vanochtend zo iel uitzag. Ze zag een kleine blonde vrouw met blauwe ogen die te groot waren voor haar gezicht en een akelig bleke huid.

Verdorie, er moesten helemaal geen lijken zijn. Daar was nooit sprake geweest, geen enkele keer.

Ze staarde net zolang in de spiegel tot de ogen van haar spiegelbeeld alleen nog maar gaten waren. Ze probeerde in haar hoofd te bevestigen wie en wat ze was: een meisje uit de stad, invallerares Engels op elke school in de omgeving die haar maar hebben wilde. Maar ze was ook de nieuwe hulpsheriff die amper twee maanden nachtdiensten draaide op de telefooncentrale, omdat ze met haar parttime werk als lerares haar rekeningen niet betaald kreeg... Toen sloot ze haar ogen en haalde bibberig adem. Ja, gisteren was ze dat alles nog geweest; vandaag was ze de pas gekozen sheriff van een van de grootste plattelandscounties van Minnesota... en volgens de een of andere sukkel genaamd Sampson degene die hij moest bellen, wanneer er ergens een lijk was aangetroffen.

'Ja ja,' fluisterde ze tegen de spiegel en spurtte toen naar boven, naar de badkamer.

Puck vond haar, op haar knieën voor het toilet.

Iris schonk haar een onheilspellende blik. 'Kijk maar goed hoe het moet, Puck.'

Behalve voor monsters onder het bed en andere kinderangsten was Iris eigenlijk nooit ergens bang voor geweest. In een leven dat in de ogen van de meesten een sprookje leek, was daar ook geen enkele reden toe geweest – totdat Mark, de schoft, haar verliet. Dat had alles veranderd. Opeens klonken de nachtelijke geluiden van het oude huis onheilspellend. Achter elk donker raam loerden denkbeeldige gezichten. En nu stond ze hier dan: haar hand op de klink van de achterdeur, verlamd door de gedachte dat ze haar eigen achterveranda op moest – enkel omdat het nog donker was. O, wat haatte ze hem daar om: dat hij haar zelfverzekerdheid aan stukken had geslagen – een eigenschap die ze altijd zo vanzelfsprekend had gevonden.

Verdikkeme, je bent nog nooit bang geweest voor het donker, dus waarom nu wel?

'Oké dan,' zei ze hardop, opende de deur en stapte naar buiten.

Zodra het huis haar niet langer bescherming bood, begon het harder te waaien. De wind rukte haar capuchon van haar hoofd en blies haar haar in wilde cirkels rond haar hoofd. Ze was nog geen vier stappen van de veranda verwijderd of de lichtkring uit het huis werd volledig door het donker geabsorbeerd. Nietsziend zwoegde ze in de richting van haar SUV, tot aan haar knieën in de sneeuw en Mark opnieuw vervloekend, want sneeuwruimen was zíjn taak geweest. Jammer dat hij niet tot de eerste sneeuwval was gebleven: het gebeurde best vaak dat iemand bij het schoonvegen van zijn oprit bezweek aan een hartaanval...

Ze zag haar auto pas toen ze er bijna tegenop botste. En ja hoor, toen ze de sneeuw van de voorruit probeerde te vegen, voelde ze de dikke ijslaag eronder: het zou zeker een kwartier kosten om die eraf te bikken. Verdorie, waarom hadden ze ook een huis zonder garage gekocht? Nóg iets waar ze Mark dolgraag de schuld van zou geven, maar dat kon ze toch niet over haar hart verkrijgen. Híj was immers juist degene geweest die háár op dat nadeel had gewezen. Maar ja, toen was het zonnig en zevenentwintig graden geweest en had de charme van de oude boerderij, het prachtige erf en het gunstige prijskaartje haar tijdelijk verblind.

Ze gaf een ruk aan de deur aan de chauffeurskant; trok het handvat er zowat vanaf, maar het gaf geen millimeter mee. Natuurlijk, zaten die rotdeuren ook nog eens dichtgevroren! Het was vanochtend duidelijk haar lot te worden geplaagd door elk ongemak dat winters Minnesota verzinnen kon. Ze kon maar beter meteen gaan nadenken over de kans dat haar auto niet zou willen starten: zij was immers zo traag en lui dat ze nog steeds niet bij de garage was geweest voor een nieuwe accu – ook al stond dat al drie maanden op haar lijstje. *Het is een zachte winter; ik heb dat ding toch niet op stel en sprong nodig; ik heb nu geen tijd om te wachten tot ze het erin hebben gezet; dat kan ook wel wachten tot morgen, volgende week, volgende maand, volgend jaar...* Oftewel: de eeuwige litanie van de geboren uitsteller.

En toen ging haar stemming zonder haperen over van geïrriteerd naar goed kwaad. Ze begon het portier met haar vuist te bewerken, in een poging de minigletsjer die zich daar in de loop van de nacht had gevormd, los te trillen. Toen dat niet werkte, probeerde ze het met een flinke trap.

Dat laatste had eindelijk effect: onder een regen van ijsscherven ging het portier kreunend open. Met een schietgebedje duwde Iris vervolgens de sleutel in het contact. Ze werd echter begroet door het misselijkmakende gejammer van een op-sterven-na-dode accu – precies zoals ze al had voorspeld. Dit was niet best, dit was helemaal niet best. Kreeg je als sheriff straf als je te laat op een plaats delict arriveerde? Kreeg ze dan op haar insigne achter haar naam een fronsende smiley? *Sheriff Iris Rikker* ☹

Ze bleef de motor maar proberen – wat moest ze anders? Toen het gejammer steeds zieliger begon te klinken, groeide haar paniek, tot er wonder-boven-wonder ineens leven kwam in de sputterende suv.

Ze maakte een stukje vrij op de voorruit, net groot genoeg om wat te kunnen zien, liet de motor een paar minuten warmdraaien en gaf toen gas. De auto slingerde even toen ze over een sneeuwrichel ging, maar gelukkig deed de vierwielaandrijving wat hij doen moest. Ze reed over de ronde oprijlaan, tot haar koplampen de tochtige oude spookschuur beschenen.

Shit! Ze trapte op de rem en staarde naar de deur, die gisteravond nog dicht had gezeten, maar nu op een kier stond.

Het was een van de dingen waarmee de plaatselijke bevolking de spookverhalen die ze zo graag over deze oude boerenhoeve vertelden, verfraaiden: deuren die uit zichzelf openden, lichten die 's zomers in het donker opflakkerden en dat verre gehuil dat sommigen zeiden te horen, sinds die dag dat de oude dame van wie de boerderij was geweest met een wapen in haar hand op de oprit was gevonden. Onverbeterlijke nonsens natuurlijk, allemaal verzonnen rond het enige echte mysterie: waarom had die oude vrouw een wapen bij zich gehad? Iris wist heel goed dat die flakkerlichtjes in de zomer vuurvliegjes waren, dat het gehuil kwam van de prairie-wolven in het bos achter de verste akker, en het mysterie van de open deuren was mooi opgelost toen het weer voor het eerst was omgeslagen.

Het was die zomer een paar maal eerder gebeurd, als een zware storm de achterkant van de schuur geselde en door de spleten joeg. Het slot van de honderd jaar oude deur was nogal verbogen en bleef alleen dicht als je het heel lief vroeg – en dat was dus niet genoeg als de wind eenmaal tekeerging. En die had vannacht weer stevig huisgehouden, dus geen wonder dat die deur weer openstond, volkomen logisch. Maar waarom stond haar nu dan het zweet in de handen?

Laat maar. Gewoon doen alsof je niks hebt gezien.

Dat plan beviel haar uitstekend, maar de ijzige sneeuw hoopte zich nu al onder aan de deur op. Over een paar uur zat die aan de grond vastgevroren, waardoor die deur de hele winter open zou blijven staan en de sneeuw zich uiteindelijk in de schuur zou ophopen. Ze hadden dat bed daar ook nooit moeten stallen!

Het was het enige bezit waar Iris werkelijk aan hechtte: een hemelbed uit de tijd van de Burgeroorlog, dat al honderdvijftig jaar in haar familie was en nu in een (jongere!) tochtige schuur stond opgeslagen, omdat het niet door de deur van het huis paste. Het was keurig verpakt in verhuisdekens met daar weer een paar zware gewatteerde kleden overheen, maar ze wist dat er beter geen sneeuw op antiek notenhout kon waaien. Die zou de matras ook weinig goed doen.

Een halve minuut, meer werk is het niet; hoogstens een hele.

Maar ze bleef achter het stuur zitten kijken hoe de natte sneeuw in het licht van de koplampen dwarrelde, terwijl haar hart hevig tegensputterde. Uiteindelijk begon ze zich toch een beetje bespottelijk te voelen.

Ze stapte uit, ploegde door de dikke sneeuwlaag en begon tegen het ijs onder aan de deur te schoppen. Toen ze genoeg had verwijderd om hem dicht te kunnen trekken, stapte ze door de deur in het spelonkachtige donker en zocht in haar jaszak naar de zaklamp, die ze echter op de stoel in de auto had laten liggen.

Ze vloekte binnensmonds, besloot toen dat ze zoiets groots als een bed in het donker ook wel vinden kon en begon schuifelend naar voren te lopen. Ze hoorde haar laarzen ruisen door het stro, planken antwoorden op een windvlaag die zij niet voelde en het tevreden gemurmel van duiven hoog in de dakspanten. Ze probeerde het gekraak en gekreun van het oude hout dat klaagde tegen de wind als een soort muziekstuk te zien, maar het klonk als de griezelige soundtrack bij een film over een spookhuis.

Eindelijk voelde ze dan het bed onder haar handen: de verhuisdekens waren nog steeds rond de poten gebonden en lagen in meerdere lagen op het bed, netjes weggestopt tussen de randen. Maar ze voelde ook een hoek waar de wind de gewatteerde doeken had losgewoeld en een deel van het matras was blootgelegd.

Ze trok haar handschoen uit en zuchtte opgelucht toen ze voelde dat het matras droog was gebleven. Toen trok ze de dekens weer over de hoek heen en liep terug naar buiten, naar haar auto.

Achter haar in de schuur, onder de lagen gewatteerde dekens op het bed, vlogen twee ogen wijd open.

10

Zelfs met vierwielaandrijving kostte het Iris ruim een halfuur om de vijfentwintig kilometer over de provincieweg naar de afslag Kittering Road af te leggen. Inspecteur Sampson – wie dat dan ook zijn mocht – had gelijk gehad: alle wegen waren spekglad door een laagje ijs en nu doken er ook nog vette witte vlokken op uit het donker die tegen haar voorruit spatten. Nog tien centimeter voor het ophield, kondigde de radio-dj aan, met de perverse vreugde van een geboren en getogen Minnesotan.

De oudjes in Dundas County zagen hun streek graag als het begin van het ware Minnesota. Honderd kilometer naar het zuiden lonkten de Twin Cities Minneapolis en Saint Paul nog als goedkope hoeren naar de *highschool*-laatstejaars, maar je hoefde maar één stap over de noordgrens van de county zetten of je zag net zo makkelijk een prairiewolf of een beer als een forens.

Maar ze rukten natuurlijk wel op: het verlaten land aan beide kanten van de snelweg werd hier en daar al bewoond. Uiteindelijk zouden die hobbyboeren in hun Armani-pakken zich natuurlijk steeds verder noordelijk wagen, maar voorlopig stonden er nog akelig weinig huizen, erg ver uit elkaar, langs de weg waarover Iris nu reed.

Haar vingers knepen even wat harder in het stuur, toen ze bedacht hoe ver – en koud! – de plaatselijke bewoners zouden moeten lopen om hulp te halen, als hun auto hier vanochtend zijn grip verloor en met zijn neus in een met sneeuw gevulde greppel belandde. Want er waren hier nog steeds erg veel mensen – vooral ouderen – die een mobieltje vol argwaan bekeken.

Toen ze links afsloeg, een smalle kronkelweg op, voelde ze de wielen van haar Explorer wegglijden, zich vastgrijpen en opnieuw gaan glibberen, waardoor even door haar hoofd schoot of ze soms op haar eerste dag in haar nieuwe baan al zou sneuvelen. Lake Kittering lag aan de linkerkant, vijftien meter dieper op haar te wachten, onder aan de weg die zich aan de zijkant van de heuvel vastklampte. Over enkele maanden zouden er overal zwarte gaten in het witte ijs verschijnen, als open monden die hongerden naar de eerste auto die de gedeukte vangrail uitdaagde – en deze strijd verloor.

Volgens de plaatselijke overlevering had de weg tegen Kittering Hill richting het sheriffkantoor meer verdachten weggewerkt dan welke rechter van de county dan ook. En vanochtend geloofde Iris Rikker dat nog ook.

Tegen de tijd dat zij de verraderlijke helling had bedwongen, had ze alle lippenstift van haar onderlip geknaagd en kon ze haar handen niet meer voelen. Ze pakte het stuur wat losser beet en boog haar vingers om het bloed weer op gang te brengen.

Slippend reed ze langs het lage, bakstenen gebouw dat zowel het sheriffkantoor als de gevangenis huisvestte; de ramen wierpen een gelig licht op de besneeuwde duisternis. Haar ogen vlogen even naar links, terwijl ze huiverend bedacht dat ze hier straks naar binnen zou moeten, om iedereen onder ogen te komen die die ochtend was ontwaakt als ondergeschikte van de allereerste vrouwelijke sheriff in de geschiedenis van deze county. Ze had donuts of koekjes moeten meenemen! Dat was waarschijnlijk de enige manier om binnen te worden gelaten.

Een paar huizen voorbij het sheriffkantoor draaide de weg scherp naar beneden, richting het meer. Ze ging ervan uit dat de openbare steiger was waar de weg ophield en de ijshutten begonnen. Shorty's Garage was een grijsmetalen huis op palen, direct aan het meer. Op de parkeerplaats stonden allerlei onverzekerde voertuigen in diverse staten van verval, waaronder een geheel met ijs bedekte groene rammelkast, die als een hond aan de riem achter een sleepwagen aan hing. Erachter stond een eveneens met ijs bedekte hulpsheriff van Dundas County.

Iris liet de Explorer dwars voor de ingang staan en zwoegde door de sneeuw naar hem toe.

'Rikker?' klonk er van onder een capuchon die bijna zijn hele gezicht bedekte.

Iris onderdrukte de neiging om te antwoorden met: 'Rikker!' Ze vroeg zich af waarom ze hier nooit fatsoenlijke zinnen maakten. 'Dat klopt. En u bent inspecteur Sampson?'

'Ja.'

'Ik geloof niet dat wij elkaar al hebben ontmoet.' Iris stak haar gehandschoende hand naar hem uit – die de inspecteur echter niet zag óf verkoos te negeren. De inwoners van deze county hadden haar zeven stemmen meer gegeven dan de zittende sheriff, maar het was wel duidelijk dat niet alle hulpsheriffs daar blij mee waren.

Sampson gaf een klap op de kofferbak van de rammelkast; Iris maakte een sprongetje van schrik. 'Loterijwagen.'

Ze kneep haar ogen tot spleetjes en tuurde door de sneeuw naar het wrak. 'Dat meent u niet! Is dat ding een loterijprijs?'

Hij snoof of zuchtte, of maakte een geluid dat Iris niet kon thuisbrengen. Of misschien was het de wind. 'Vergeten. U bent niet van hier.'

Ze overwoog even hem te vertellen dat ze al een jaar in deze county woonde; dat haar laatste paar schoenen geen stadse stoeptegel meer hadden gezien, maar besloot toch maar te zwijgen. In dit soort gebieden bleef je altijd een buitenstaander als je niet was geboren op een boerderij die je overgrootvader nog met zijn blote handen en een stelletje muilezels had gebouwd, of iets dergelijks.

'Elke winter zetten we zo'n ouwe kar op Lake Kittering,' legde hij uit. 'En dan wedt iedereen in de county op welke dag en hoe laat precies dat ding door het ijs zakt. Doen ze hier al zolang ik me kan herinneren. De winnaar mag zich een jaar lang op de borst kloppen, de opbrengst gaat naar een goed doel. Dit jaar heeft de een of andere sufferd hem recht boven een bron gezet en door die warme periode van de afgelopen weken is het ijs gisteren gebarsten en is hij al ondergegaan, net voor de eerste sneeuw.'

Iris onderdrukte een rilling en probeerde haar sheriffgezicht op te zetten. 'Dus het lichaam ligt in die auto?'

'Nee, ik sta gewoon wat te kletsen. Het lichaam ligt daar.' Hij maakte een hoofdknik richting het meer. 'Even voorbij dat groepje ijshutten. Kom maar.'

Hij was al drie meter verder en bijna niet meer te zien in de steeds dichter wordende sneeuw, toen Iris haar benen zover had dat ze in beweging kwamen. Ze haastte zich achter hem aan naar de oever van het meer en toen het ijs op, dat vast lag te wachten op die ene misstap van die stadsmeid, waarna het zou barsten en haar mee zou sleuren, de ijzige diepten in. Ze wist ineens zeker dat dat precies was waarom hij haar van die auto had verteld. De schoft: nu wist ze tenminste dat het ijs elk moment onder haar gewicht kon bezwijken!

Schoft, schoft, schoft, zei ze in zichzelf, terwijl ze achter hem aan sjokte door een landschap vol bevroren sneeuwhopen, dat eruitzag als een ruwe zee met stijve golven. Ze zweette zich kapot onder haar lagen kleding en bleef zichzelf maar geruststellend toespreken. Als ze deze tocht over het ijs overleefde, was het onderzoeken van het lijk verder een eitje. Tenslotte had ze wel eerder een dode gezien: ze was toch wel eens naar een begrafenis geweest? En haar ex had ze zich ook wel duizendmaal dood voorgesteld, bij voorkeur naast de negentienjarige slet met wie hij ervandoor was gegaan, minder dan een maand nadat ze samen naar een bouwvallige boerderij waren verhuisd, zo ver van de stad dat men er een andere taal leek te spreken – zonder hele zinnen.

Ze botste bijna tegen Sampsons rug toen hij plotseling stilstond. Ze kneep haar ogen half dicht tegen de striemende sneeuw en zag twee hulpsheriffs in winterkledij staan. De ene keek haar zwijgend aan; de andere – een en al babyvet en blauwe ogen – knikte en zei: 'Morgen, sheriff. Hulpsheriff Neville.'

'Ook een goedemorgen, hulpsheriff Neville.' Iris hield haar adem in toen de twee opzij gingen om haar te laten zien wat er achter hen lag.

Ergens was het niet eens zo erg als ze had gevreesd – geen bloed, geen viezigheid, niet meteen het gevoel dat ze naar een dood mens keek – maar ergens was het ook erger. Want Iris bezat dan misschien geen fatsoenlijke geiser of verwarmingsketel, ze had wel een televisietoestel en daar had ze gisteravond lang genoeg naar zitten kijken.

'Nee toch,' mompelde ze, terwijl ze naar de dikke, met ijs bedekte sneeuwman keek die tegen een van de ijshutten stond geleund. Sneeuwmannenkop, sneeuwmannenlijf – niet zo sprookjesachtig perfect als die ze gisteren op het nieuws had gezien, maar het leek er goed genoeg op – en geheel gehuld in een harde sneeuwlaag, op zijn handen na. Die waren bloot, blauwig wit, maar onmiskenbaar van een echt mens en gewikkeld rond een vishengel.

'Ik neem aan dat u gisteravond naar het nieuws heeft gekeken?' vroeg Sampson.

Iris kon alleen maar knikken.

'Zoals ik het zie, hebben wij hier te maken met sneeuwman nummer drie.'

Iris wist genoeg adem te verzamelen om te zeggen: 'Is de lijkschouwer al gebeld?'

'Meteen na u.'

'Waar is hij dan?'

'In Mexico.'

'Mexico?'

Sampson trok zijn schouders op. 'Het is januari: iedereen zit nu in Mexico. De politie van Minneapolis en het Bureau Criminele Aanhouding willen deze toch. Zij zullen niet weten hoe snel ze hier moeten komen na ons telefoontje.'

'Vanuit Minneapolis?' Iris blies een wolkje vrieslucht in de naderende dageraad. 'Dat gaat ze in dit weer uren kosten.'

'Zeker.'

'Wanneer heeft u ze gebeld?'

'Heb ik nog niet gedaan.'

'Waarom niet?'

'Heb ik de bevoegdheid niet toe.'

Iris zuchtte geïrriteerd. Ze wilde dat ze een paar rustige nachten op de centrale had besteed aan het doorbladeren van het *Politiehandboek* – als dat al bestond. 'En wie heeft die dan wel?'

'De sheriff.'

Iris sloot even haar ogen en begon toen in de zak van haar parka te zoeken naar haar mobieltje. 'Wie moet ik bellen en wat is het nummer?'

Sampson schopte wat naar de sneeuw met zijn zware veterschoenen, die er een stuk warmer uitzagen dan die van haar. 'Als ík het moest doen, zou ik de politie van Minneapolis bellen en vragen naar rechercheur Magozzi of rechercheur Rolseth: die waren gisteren bij die sneeuwmannen in dat park. Maar dat moet u via de vaste lijn doen, zeker met dit weer. Ik moest al naar binnen om u te bellen.'

'Ook goed. Bent u in de tussentijd onze rechercheur?'

'Nee.'

'O. Zorg dan dat diegene hierheen komt en de leiding van deze zaak op zich neemt.'

'Onze moordzakenrechercheur ís er al.'

Iris' blik beet zich vast in de twee hulpsheriffs die een rechthoek van politietape rond de sneeuwman bevestigden. 'Wie is dat dan?'

Ditmaal draaide Sampson zijn hoofd helemaal naar haar toe. Het was voor het eerst dat ze zijn gezicht kon zien. Hij glimlachte heel licht. 'Dat bent uzelf, sheriff Rikker.'

11

Magozzi werd die ochtend om vijf uur wakker van het geluid van natte sneeuw die tegen zijn slaapkamerraam kletterde. Hij draaide zich om, duwde zijn kussen tegen zijn oren om het niet te hoeven horen... en herinnerde zich toen dat er iemand politiemannen vermoordde en in sneeuwmannen verstopte.

Een halfuur later stond hij gedoucht en aangekleed eieren en ham in een koekenpan door elkaar te roeren, terwijl hij de evangelist die bij het aanzetten op de tv was verschenen, probeerde te negeren. *Shit: zondagochtend!* Zelfs in een staat vol nieuws- en weerverslaafden stond één dag in de week godsdienst boven aan het uitzendschema. Wie wilde horen of de wereld die nacht was vergaan, moest wachten tot kerels in zwarte jurken hadden verteld dat Gods liefde overal was. Magozzi dacht dat die lui nooit naar het journaal keken.

Terwijl hij at, zapte hij van kanaal naar kanaal tot hij een lokaal nieuwsprogramma had gevonden. Dit liet echter niet meer zien dan wat er gisteravond al was uitgezonden. Maar ook enkele kabelzenders hadden het Minneapolis-verhaal intussen overgenomen – hoofdzakelijk natuurlijk omdat het zulk prachtig filmmateriaal leverde. Zo zag hij een paar beverige amateurclips die hij nog niet had gezien. De burgers sloegen meteen hun slag: eerst hadden ze hun kinderen gefilmd terwijl die vrolijk een sneeuwpop bouwden, daarna zag je hoe de politie van Minneapolis deze weer omgooide, op zoek naar lijken. Hij duwde zijn bord opzij en veegde zijn mond af met een servet.

Toen hij het gerommel en geschraap van de gemeentelijke sneeuwploeg en strooiwagen buiten hoorde, voelde hij een steek van teleurstelling die hij na bijna dertig jaar nog herkende. Vroeger, toen hij nog een kind was, zou een sneeuwbui als die van gisteren de stad zeker een dag, misschien wel twee, hebben stilgelegd – vreugdevolle, niet verwachte vrije dagen die iedereen thuishielden en de klok zo'n honderd jaar terugzetten. Vaders trokken hun kinderen op een slee dwars door de straat, moeders bakten koekjes en brouwden een grote pan zelfgemaakte soep en elk huis rook naar natte wollen wanten die op de radiator lagen te drogen. Maar onvermijdelijk klonk dan uiteindelijk toch het gevreesde geluid van de grote sneeuwschuivers, de ouders trokken een opgelucht gezicht dat alles weer normaal werd en de kinderen kreunden, gromden en haastten zich naar het huiswerk dat ze eerder aan de kant hadden gesmeten.

De afdeling Verkeer had sinds die tijd nogal wat veranderingen ondergaan en Minneapolis had geleerd om te gaan met zo'n beetje alles wat de natuur haar in de schoot gooide. In deze stad werden de wegen, stoepen en parkeerplaatsen vele malen vlotter geveegd dan in de rest van het land. Magozzi kon zich dan ook niet herinneren wanneer voor het laatst de scholen en winkels een hele dag waren gesloten, laat staan twee dagen achter elkaar. Vooruitgang was niet altijd beter, vond hij.

Gino belde precies op het moment dat hij de deur uit wilde stappen. 'Wat ben jij aan het doen?'

'Ik wilde net naar buiten gaan om een paar kinderen te zoeken die ik op hun sleetje kan voorttrekken.'

'Dat wordt hun dood, man. Het is ijskoud buiten. Kom maar gewoon naar je werk. Malcherson wil ons z.s.m. in zijn kantoor zien.'

'Ben jij daar dan ook al?'

'Ik rij net de parkeerplaats op – die overigens aardig vol staat voor een zondagochtend.'

'Ik ben er over twintig minuten.'

'Niet als je wilt blijven leven: dat spul dat ze op de wegen hebben gestrooid werkt vanochtend niet zo best. Ik ben op de autoweg een keer helemaal om mijn as gedraaid, ben op Washington Avenue wel viermaal door rood gegleden... Nee, ik stap niet meer in een auto tot het voorjaar is en het weer gaat dooien! O, en trek laarzen aan: er wordt nog meer sneeuw verwacht.'

Commissaris Malcherson was de belichaming van Minnesota's stugge Scandinavische volksaard. De man hád waarschijnlijk wel emoties, maar die waren dan beslist niet bedoeld voor vertoning in het openbaar. Vanochtend was de ernst van het verlies van twee collega's erg goed af te lezen van zijn gezicht. De losse huid rond zijn treurige ogen en bloedhondenwangen leek sinds de persconferentie nog wat verder gezakt – alsof hij de hele nacht aan zijn gezicht had zitten trekken. Hij keek nauwelijks op uit zijn papieren toen Magozzi en Gino het kantoor binnenliepen. 'Goedemorgen, heren rechercheurs, neemt u alstublieft plaats.'

Zelfs Gino, die zelden een kans miste om iets te zeggen over de maatkledij van zijn baas, hield zich eerbiedig in en kwam meteen terzake: 'Morgen, chef. Uitstekend werk op die persconferentie gisteravond. Moet niet makkelijk zijn geweest, daar bedaard staan overkomen terwijl al die verslaggevers aan uw taas stonden te trekken!'

Malcherson zei er maar niets van. Als hij te goed nadacht over rechercheur Rolseths complimentjes moest hij hem waarschijnlijk ontslaan.

'We moeten in deze zaak zeer snel handelen. De pers heeft zich nu eenmaal vastgebeten in het scenario van de seriemoordenaar, dus zúllen wij daar iets mee moeten – waarna we die mogelijkheid hopelijk spoedig kunnen verwerpen. Helaas heb ik in jullie rapporten nog niets gevonden waarmee dat zou kunnen.'

'Wij ook niet, chef,' zei Gino. 'Maar het kán gaan om een wraakzuchtige ex-gevangene, zoals u ook al zei, een weggelopen krankzinnige uit een inrichting of wie weet wat. Seriemoordenaars zijn echt niet de enige zieke lui die er rondlopen. De pers springt daar alleen maar bovenop omdat het kijkcijferkanonnen zijn. Da's het verschil tussen ons en de pers: zij trekken meteen hun conclusie, wij moeten wachten op bewijzen.'

Malcherson knikte, sloot het dossier met rapporten van gisteravond en stopte het keurig op alfabet in zijn la. Hij bezoedelde zijn maagdelijke bureau nooit met dingen die hij op dat moment niet nodig had – en dat gold zelfs voor de foto's van zijn gezin: die hadden een keurig plekje in een van zijn boekenkasten. 'Hebben jullie vanochtend nog iets nieuws voor me?'

Magozzi knikte en legde een dikke bruine dossiermap op het bureau, zich haast schuldig voelend dat hij daar weer rommel moest maken. 'Kopieën van de voorlopige rapporten van de lijkschouwer en het BCA.'

Malcherson keek vermoeid naar de omvang van de map. 'Zou u die nieuwe informatie misschien even voor mij willen samenvatten?'

Magozzi klapte de map open en begon de punten af te vinken. 'Alle kogels op de plaats delict waren .22's: de afdeling Ballistiek werkt er op dit moment aan; we zouden tegen de middag iets van ze moeten horen. Er ís ook een soort van spoor gevonden, maar beide locaties waren zo vervuild dat Jimmy Grimm niet erg optimistisch was dat daar iets uit zou komen. Verder heeft het BCA na ons vertrek gisteren nog een bloedspoor gevonden dat overeenkwam met Toby Myersons bloedgroep, plus een van zijn handschoenen.'

'Wij denken dat het als volgt is gegaan,' nam Gino het van hem over. 'Tommy Deaton ligt op de loipe voor op Myerson. De moordenaar wacht hem tussen de bomen op en verrast hem van dichtbij, net als hij het bos weer uit wil skiën. Myerson ziet hoe zijn vriend wordt neergeschoten, trekt één van zijn handschoenen uit en grijpt naar zijn wapen. Maar de moordenaar is een heel goede scherpschutter óf een enorme bofkont en raakt Myerson in zijn schietarm – wat dat bloedspoor zou verklaren. Myerson vlucht helemaal naar de andere kant van het veld (geen geringe prestatie, gezien het feit dat dat schot zijn spaakbeen compleet heeft verbrijzeld), maar wordt dan in zijn nek getroffen, waarschijnlijk vlak bij de plek waar die sneeuwman om hem heen is gebouwd, want die laatste kogel moet hem ogenblikkelijk hebben verlamd.'

Commissaris Malcherson nam de tijd om de scène die Gino hem zojuist had voorgeschilderd te verwerken – verscholen achter zijn Scandinavische ijsmasker. 'Helaas, wat mij nog het meest stoort aan dit scenario, is dat het dat seriemoordenaarsconcept niet uitsluit. Integendeel, zou ik zelfs zeggen.'

Magozzi vroeg: 'Hoe dat zo, chef?'

'De wortels!' zei Malcherson met een geheimzinnig lachje.

Magozzi grijnsde terug. Onder die chique pakken en dat gepolijste uiterlijk zat nog steeds een springlevende speurder, die dacht als een echte politieman. 'Heel goed! Veel mensen hebben voor noodgevallen een stuk touw in de auto liggen, maar een wortel? Daarmee verraadt hij zich: de dader had zich dus wel degelijk voorbereid op het bouwen van een sneeuwman.'

Er begon een lampje te branden op Malchersons telefoon. 'Excuseert u mij alstublieft een ogenblik, heren.'

Magozzi glimlachte om de beleefdheid van zijn chef en keek hoe deze opnam en meteen naar een vers notitieblok reikte. Een hele poos maakte Malcherson bijna uitsluitend driftig aantekeningen, zonder veel te zeggen tegen degene aan de andere kant van de lijn. 'Ik onderneem dadelijk actie, sheriff,' zei hij ten slotte. 'Toevallig zitten de rechercheurs Magozzi en Rolseth juist in mijn kantoor. Als u even aan de lijn blijft, zet ik u op de speaker.' Hij drukte haar in de wacht. Het kwam Magozzi voor dat zijn chef wel drie tinten bleker zag dan een paar minuten eerder.

'Het is sheriff Iris Rikker uit Dundas County.'

Gino knikte. Hij herkende de naam uit de krant van een paar maanden geleden. 'Die grasgroene hulpsheriff die de zittende sheriff versloeg.'

'Correct. Zij heeft wellicht ook te maken met een sneeuwmanmoord. Luister maar even naar wat zij te zeggen heeft.' Hij drukte op een knopje en knikte naar Magozzi, waarop deze zich over de telefoon boog.

'Leo Magozzi hier, sheriff Rikker. Wij horen net van de chef dat u daar nóg zo'n sneeuwman heeft.'

'Zoals ik uw chef reeds vertelde, ben ik niet honderd procent zeker, rechercheur. Van wat ik gisteravond op het nieuws zag, is het niet precies zo'n sneeuwman als u gisteren in het Theodore Wirthpark heeft aangetroffen. Hoewel dat oorspronkelijk wel het geval kan zijn geweest; dat is op dit moment vrij lastig te bepalen.'

Magozzi fronste, terwijl hij de relevante informatie probeerde te distilleren uit wat zij in die korte tijd allemaal had uitgebraakt. Ze leek wel een FBI-agent. 'Verklaar u nader, alstublieft.'

'Uw sneeuwmannen zagen er allebei uit alsof ze uiterst zorgvuldig waren opgebouwd; artistiek verantwoord haast.'

'En die van u?'

'Tja, het heeft hier vanochtend eerst geijzeld, gevolgd door natte sneeuw en nu weer gewone sneeuw...'

'Hier is het niet anders, hoor.'

'...dus zelfs wanneer dit aanvankelijk een herkenbare kopie was, dan hebben de weersomstandigheden daar intussen aanzienlijke wijzigingen in aangebracht. Ik heb een foto naar uw chef gestuurd, zodat u zelf een oordeel kunt vellen.'

Magozzi zag nu dat commissaris Malcherson op de computer op de lage kast achter zijn bureau een online-document aan het downloaden was.

'In de tussentijd,' ging sheriff Rikker verder, 'proberen wij de plaats delict onder de gegeven omstandigheden zo goed mogelijk in stand te houden – wat vanzelfsprekend onder andere inhoudt dat wij nog niet zijn begonnen aan het ontmantelen van de sneeuwman. En omdat wij daarom nog niet eens een minimaal basisonderzoek van de overledene hebben kunnen uitvoeren, hebben we ook nog niet met enige mate van zekerheid kunnen vaststellen dat het hier eveneens om een moord gaat.'

Gino gaapte hoorbaar en zelfs Magozzi begon nu een tikje ongeduldig te worden. 'Maar weet u wel zeker dat er een lijk in zit?'

In de stilte die op die opmerking volgde, hóórde hij haar bijna mentaal een stap achteruit doen. Snibbig klonk het: 'Dat weet ik heel zeker, meneer de rechercheur. Zijn handen waren namelijk ontbloot – zoals u op de foto ook zult zien.'

'Kan het niet gewoon gaan om iemand die is overvallen door de sneeuwstorm?'

Opnieuw een lange stilte. Nu voelde Magozzi zelfs een zekere boosheid. Dat was het vervelende van veel vrouwelijke agenten, vond hij, zeker als ze op een hoge post zaten. Zij konden niet, zoals mannen, tegen een onschuldig plaagstootje.

'De gedaante bezit een zeer duidelijke vorm, meneer de rechercheur. Al dan niet perfect uitgevoerd en ondanks de schade door het weer, is het ons hier allemaal overduidelijk dat iemand een sneeuwpop rond dit lichaam heeft geconstrueerd. Of er ook een link bestaat met úw zaak, valt uiteraard nog te bezien, maar voor de zekerheid én vanuit het oogpunt van collegialiteit brengen wij u direct op de hoogte. Nadat u de foto heeft bestudeerd, bent u wellicht beter in staat de mate te bepalen van de noodzaak uw mensen onder deze weersomstandigheden hiernaartoe te sturen.'

...wellicht beter in staat de mate van de noodzaak te bepalen...? Wie praatte er nu zo? Magozzi wreef over zijn slapen en zag toen dat Gino exact hetzelfde deed, met een gepijnigde uitdrukking op zijn gezicht. Deze vrouw bezorgde hun allebei hoofdpijn.

'Prima, sheriff Rikker. Ik zie dat de chef uw foto inmiddels binnen heeft. Kunt even blijven hangen terwijl wij ernaar kijken?'

'Welzeker.'

Malcherson drukte haar terug in de wacht en deed toen een stap opzij, zodat Gino en Magozzi op zijn computerscherm konden kijken.

'Nou nou, die is lichtgeraakt,' bromde Gino. 'Ze zet meteen haar stekels op.' Samen met Magozzi tuurde hij langdurig naar het digitale plaatje op het scherm van de chef.

'O, man,' riep Gino uit. 'We hebben er wéér een!'

Magozzi leunde naar voren en drukte op de luidsprekertoets. 'Sheriff Rikker? Sorry, dat we u zolang hebben laten wachten. Rechercheur Rolseth en ik komen zo snel mogelijk naar u toe. Heeft u er problemen mee dat het BCA de plaats delict van u overneemt?'

'Ik wilde hen hierna al bellen.'

'Dat doen wij wel voor u. Ik wil graag dezelfde mannen als die die sneeuwmannen in het park hebben onderzocht.'

'Uitstekend, *sir.*'

Magozzi trok zijn wenkbrauwen op. Eerst was ze een-en-al snibbigheid, nu noemde ze hem ineens *sir*! En toen ging ze hem ook nog eens tot in de details uitleggen hoe hij moest rijden en sloot af met een bedankje voor hen allen – althans zo dacht hij dat ze het bedoelde: superbeleefd en netjes en veel te omslachtig, hen allemaal bij naam noemend alsof ze het voorlas (wat waarschijnlijk nog zo was ook). Als dit een politieagent was, was hij een bord cornflakes!

'Zo'n sheriff heb ik nog nooit gehoord,' zei Gino, nadat de chef het gesprek had afgerond.

'Vergeet niet dat ze lerares Engels was voor ze bij de politie kwam,' zei Malcherson.

'Dat meent u niet! Nou, dat verklaart alles: alleen een juf heeft vijfhonderd woorden nodig voor wat ze in vier had kunnen zeggen. Ik zou niet graag door haar op mijn rechten worden gewezen. Ze heeft vast haar eigen versie, van een paginaatje of tien!'

Malcherson schonk hem een zure blik. 'Ikzelf ervaar haar taalkundige nauwkeurigheid juist als verfrissend. En ik hoef jullie er toch hopelijk niet aan te herinneren dat jullie sheriff Rikker met hetzelfde respect dienen te benaderen als elke andere gekozen functionaris of collega – hoe het ook met diens spreekvaardigheid is gesteld.'

'Geen probleem, chef, mijn respect heeft ze – tot ze het verspeelt. Maar tot dusver lijkt ze de zaken prima aan te pakken. Ik zou alleen willen dat ze wat sneller ter zake kwam. Het werk dat wij doen is meestal behoorlijk tijdgevoelig, begrijpt u?'

Ondertussen in Dundas County, hing Iris Rikker op. Ze sloot haar ogen om het kantoor waarin ze zat even niet te hoeven zien en liep toen in haar hoofd het hele gesprek nog eens na. Ze kon het gevoel maar niet van zich afschudden dat die rechercheur uit Minneapolis haar maar een idioot vond.

Een vluchtige roffel op de deurpost onderbrak haar gedachten. Inspecteur Sampson stampte binnen, duwde de capuchon van zijn parka naar achteren en strooide overal sneeuw in het rond. 'P. van M. onderweg?'

Iris voegde in gedachten vlug een paar woorden toe – begroeting, werkwoord, lidwoord, geen afkortingen – zodat ze de vraag tenminste begreep. 'Rechercheur Magozzi en rechercheur Rolseth komen eraan. En ze sturen hetzelfde BCA-team dat de locatie in Minneapolis ook heeft gedaan.'

Sampson plofte in de grote leren leunstoel en klapte de voetensteun uit. 'Mooi zo.'

Iris stond op en keek door de brede ruit naar het meer. Ze bedacht dat het wel erg makkelijk was dat de plaats delict recht onder het raam van de sheriff lag. Ze kon door de steeds dikker vallende sneeuw niet veel zien, maar daar was ze juist wel blij om. 'We moeten er een lap plastic of zo overheen leggen, zodat de locatie zo goed mogelijk intact blijft. Hebben wij zoiets?'

Omdat Sampson zweeg, draaide ze zich om en keek naar hem. Het beviel haar maar niks zoals hij daar in die leunstoel lag, alsof hij verdorie thuis was! Dat was toch onbeschoft? Als zij van plan was hier de leiding over te nemen, en ze wilde het echt goed doen, dan was het belangrijk dat ze de basisregels van het begin af aan duidelijk maakte. En daar kon ze maar beter meteen mee beginnen.

'Goed plan van dat plastic,' zei hij – haar hele mentale preek over gedragsverandering onderbrekend en haar bovendien totaal van haar stuk brengend, omdat hij zelfs iets aardigs had gezegd... toch? 'Maar een beetje laat. Ik heb een paar van de jongens al een tent laten ophalen, bij zo'n verhuurshop; wordt op dit moment opgezet. Tjonge-jonge, wat een ochtend! Zeg, gaat u hier kanten gordijnen ophangen of zo?'

Iris staarde hem een minuut lang aan en besefte dat ze nog eerder iets zou kunnen veranderen aan het gedrag van een regenworm. Ze kon er niet onderuit: iemand als Sampson hoorde nu eenmaal meer thuis in dit kantoor dan zij. Hij zag er heel anders uit met die capuchon naar achteren; donker haar dat om de een of andere reden precies bij hem leek te passen, donkere knijpogen en een licht weekendbaardje – precies de man die je verwachtte in een kantoor met schrootjes, een flatscreen-tv, een leren leunstoel en een stapel *Playboys* op tafel.

Sampson duwde zich omhoog uit de stoel. Hij had blijkbaar genoeg van haar gezwijg. 'Tja... ik wilde gewoon even weten of die jongens uit Minneapolis komen of dat we die plaats delict zelf moeten afhandelen. Ik stap maar weer eens op.' Bij de deur stopte hij even. 'Ik neem aan dat u de nachtportier die het lichaam heeft ontdekt, wel wilt horen?'

Iris knipperde met haar ogen. 'Ja, zeker.'

'Ik zal haar naar binnen sturen. Haar naam is Margie Jensen, voor het geval u haar nog niet had ontmoet.'

'O. Bedankt.'

Pas toen ze zeker wist dat hij weg was, zakte Iris terug in die stomme leren stoel en wenste dat ze dood was – of op zijn minst thuis, met een over haar voeten kotsende kat.

Ze had er niet eens aan gedácht te vragen wie het lichaam eigenlijk had gevonden. Ze deed verdorie maar wat – en dat wist Sampson maar al te goed.

Jij houdt niemand voor de gek, Iris. Jij hebt nog nooit op straat gesurveilleerd, een patrouilleauto bemand, een plaats delict afgehandeld. Je spreekt verdomme niet eens dezelfde taal!

Een kleine oude vrouw in een overall roffelde met een bezemsteel op de deur en stapte meteen binnen. 'Ik ben de portier, Margie Jensen, en ik weet van niks.'

Iris glimlachte naar haar. *Dan zijn we met zijn tweetjes.*

12

Het was al bijna negen uur en het sneeuwde als een gek tegen de tijd dat Magozzi en Gino eindelijk een van de politie-SUV's pakten en in noordelijke richting de stad uit reden.

Magozzi zat achter het stuur; Gino zat stil en stijf op de passagiersstoel, zichzelf bijna een maagwandcorrectie bezorgend met een veel te strak zittende gordel. Hij tuurde strak naar buiten, alsof hij een ramp kon voorkomen door geen enkele keer met zijn ogen te knipperen. 'Ik haat SUV's,' zei hij. 'We zijn veel te hoog! We gaan onderweg vast wel twintig keer over de kop.'

'Kan nooit,' zei Magozzi. 'Daar zijn de ijssporen onder de sneeuw veel te diep voor.'

De hagelkorrels van die ochtend waren overgegaan in sneeuw, de wind beukte en de sneeuwruimers hadden er grote moeite mee het allemaal bij te houden, zelfs op de autowegen in de stad. Magozzi schatte dat het zicht nog geen twee autolengtes was. Toen de bescherming van de gebouwen in de binnenstad wegviel werd het zelfs nog erger, laat staan toen ze de buitenwijken achter zich lieten en het platteland op reden.

'Ik krijg het gevoel alsof we zo over het randje van de wereld kunnen rijden, Leo. Ik zie geen moer!'

'We hebben nu aan beide kanten moerasland, dus er is niets dat de wind tegenhoudt. Het wordt wel weer beter als we eenmaal in de bossen zijn.' Magozzi stuurde de four-wheeldrive door de tien centimeter verse sneeuw die was gevallen sinds de laatste keer dat de sneeuwploeg hieroverheen was gegaan.

'Weet je zeker dat er bossen komen?'

Magozzi zat zich hevig in te spannen om nog íéts van de kant van de weg te ontwaren. 'Ach, weet ik veel. We rijden in noordelijke richting en in het noorden van Minnesota heb je toch bossen? Ga eens tegen de rugleuning zitten. Je hijgt de hele voorruit dicht.'

Gino deed echt zijn best om ontspannen achterover te leunen, maar enkele tellen later hing hij alweer naar voren en tuurde met half dichtgeknepen ogen naar de dikke vlokken. 'Je rijdt veel te hard.'

'Verdomme, Gino, rustig nou! Je maakt me gek. Je klinkt als een oud wijf. Man, toen wij nog samen patrouilleerden, reed je altijd als een maniak.'

'Ja, maar toen ging ik trouwen en kreeg ik kinderen. En ik wil hun diploma-uitreiking graag nog meemaken.'

Met een zucht tilde Magozzi zijn voet een tikje hoger. 'Daar dan! Nu rij ik vijftig. Kun je daarmee leven?'

'Ik meld me wel weer. Verdomme, dit tripje kan maar beter niet voor niks zijn: het heeft me nú al minstens tien jaar van mijn leven gekost.'

'Het is óf dezelfde óf een na-aper – allebei niet best. En ik sta ook niet echt te popelen om samen te werken met die sheriff daar.'

'Vertel mij wat! Toen de chef zei dat ze lerares was geweest, kreeg ik meteen een flashback van mijn *highschool*-juf Kinney, een lange, zuur kijkende zeurkous, die altijd met haar liniaal op het bureau sloeg en haar lippen samentrok alsof ze de hele wereld haatte. Zij praatte net zoals dat mens van Rikker. En van haar begreep ik ook nooit wat. Ze ratelde maar door, alsof je een jampot vol centen omkeerde. Als je toevallig een grote woordenschat hebt, hoef je die toch niet per se allemaal tegelijk in dezelfde zin te gebruiken?'

'Ach, misschien was die sheriff Rikker nerveus.'

'Mm. Maak jij je maar klaar om voor mij te vertalen. Als een agent meer dan één bijvoeglijk naamwoord gebruikt, denk ik al dat het om multiple choice gaat en geeft mijn brein er de brui aan... Shit Leo, nu komt die rotsneeuw ook al van opzij. Kun jij de weg nog wel zien?'

'Nee.'

Ze deden exact twee uur over honderd kilometer – en dat over de snelweg. Tegen de tijd dat ze rechts afsloegen, het secundaire wegennet op, wilde Magozzi dat hij een sneeuwmobiel had gepakt in plaats van een suv. De eerste bocht gleden ze al zijwaarts door, kwamen een paar maal gevaarlijk dicht bij de greppel en ploegden toen verder door diepe sneeuwgroeven op een smalle bermloze tweebaansweg. Gino was bepaald niet blij.

'Man, het lijkt hier Fargo wel! Hebben ze soms geen sneeuwruimers of zo?'

Magozzi's knokkels rond het stuur waren wit, wat zelden voorkwam. 'Weer alleen open veld hier; niets dat de wind tegenhoudt. Als ze hier tien minuten hadden geveegd, zag je het nog niet. Maar kijk even goed of je borden ziet; er komt zo weer een afslag.'

'Ha, fijn! Gaan we die ook op onze zij doen?'

'Wou jíj soms rijden?'

'Man, ik wil bij dit weer niet eens in een auto zitten! Als we langs een hotel komen, zet je mij daar maar af. En kom me in april maar weer eens halen.'

Twintig minuten later zwabberden ze linksaf richting Kittering. Zodra hij de suv weer een beetje recht had, bleef Magozzi zoveel mogelijk tegen de rechterkant van de weg plakken, op zoek naar grip in de besneeuwde helling. Gino kneep zijn ogen tot spleetjes en tuurde naar buiten. Hij kon de top van de heuvel echter niet ontdekken. 'Wás het maar Fargo,' gromde hij. 'Dit is een heuse berg. En aangezien wij altijd boffen, zal het de Donner-pas wel zijn... O man, da's me nogal een afgrond aan de linkerkant, Leo. Doe hier maar niet meer van dat zijwaartse gedoe, wil je?'

'Spelbreker!'

Toen Magozzi voelde dat de achterkant begon te glibberen, liet hij het gaspedaal een beetje omhoogkomen, en deed en schietgebedje dat ze nu niet achteruit de heuvel af zouden glijden. Toen ze eindelijk de top van de heuvel hadden bereikt, kostte het hem zeker vijf seconden om zijn kaken weer een beetje van elkaar te krijgen. Hij parkeerde de suv tussen twee county-wagens naast het sheriffkantoor, zette de motor uit en bleef toen samen met Gino even zitten nahijgen van dit avontuur.

Uiteindelijk kwam Gino weer tot leven en klikte zijn gordel los. 'Ik voel me bijna alsof we zo de grond moeten kussen of zoiets.'

Magozzi schudde zijn hoofd. 'Kun je niet maken, joh. Die plattelandsjongens zitten binnen misschien te kijken en die pakken die route natuurlijk constant. Denken ze gelijk dat we een stel mietjes zijn.'

'Zíjn we toch ook?'

'Maar dat hoeven we toch niet meteen breed uit te meten?'

De vrouwelijke hulpsheriff achter de centrale bekeek hun insignes en knikte. 'Goedemorgen, heren. De sheriff verwacht u al. Ze komt zo naar beneden. Hoe erg was uw rit?'

Gino gromde. 'Ik zal u één ding zeggen: ik ga alleen terug over die heuvel als er een strooiwagen pal voor ons blijft rijden.'

'O, daar strooien ze nooit. Pekelwater verontreinigt het meer.'

'Is dat zo? Je zou toch denken dat de lijken van al die lui die via het ravijn dat meer in glijden, het water een stuk ernstiger verontreinigen dan een beetje zout. Het scheelde niks of wij hadden er ook in rondgedobberd.'

De hulpsheriff knipperde even met haar ogen. 'U houdt me voor de gek! U bent toch zeker niet over Kittering Hill gekomen?'

'Linksaf richting Kittering en dan de heuvel op naar het kantoor van de sheriff: zo luidden onze instructies.'

De vrouw floot zacht voor zich uit. 'Niemand rijdt in dit weer tegen die heuvel op; da's pure zelfmoord. U had achterom moeten komen.'

Gino's gezicht werd langzaam rood. 'Er is een betere route?'

'Natuurlijk. U rijdt gewoon voorbij Kittering tot aan Cutter. Daar slingert de weg zo'n beetje om de heuvel heen: veel lager hellingspercentage en de bomen zorgen er voor een redelijk goede bescherming tegen het weer. Welke grapjas heeft u die routebeschrijving gegeven?'

Het gezicht van Gino en Magozzi bleef uitdrukkingsloos; dat van de hulpsheriff werd langzaam knalrood toen het tot haar doordrong.

'O... tja... moet u horen, als u het per se weten wilt: sheriff Rikker kent die andere route zelf waarschijnlijk ook niet.'

'Lijkt me anders wel iets dat een sheriff zou moeten weten,' merkte Magozzi stijfjes op.

De vrouw schudde haar hoofd. 'Zij is nieuw hier. Iemand had het haar moeten vertellen voor ze hier vanochtend naartoe kwam. Maar... het is ook een soort van ontgroeningsritueel, begrijpt u?'

'Hoe lang doet zij dit werk eigenlijk?' vroeg Gino.

'Nou... voor ze werd gekozen heeft ze een paar maanden op de centrale gewerkt, maar toen is er geen sneeuwvlokje gevallen. Vandaag is zo'n beetje haar allereerste dag als sheriff. Is me wel even wat om het spits mee af te bijten, hè?' Toen haar schakelbord begon op te lichten, glimlachte ze verontschuldigend en zei: 'Excuseert u mij, heren.'

Gino trok Magozzi aan zijn arm opzij. 'Ben ik in een andere wereld terechtgekomen of deugen mijn oren niet meer? Ik dacht toch echt dat ik net hoorde dat dit mokkel niet meer ervaring heeft dan een paar maanden op de centrale...'

'Dat zeg ik tegen Angela, hoor, dat jij een vrouw een "mokkel" hebt genoemd!'

'...wat inhoudt dat de minst bevoegde politiebeambte van de hele staat nu sheriff is van een van de grootste counties van Minnesota en daarmee de leiding heeft over een moordonderzoek waar wij wellicht bij moeten meeliften.'

'Gino, je wist toch dat ze pas in november is gekozen?'

'Tuurlijk wel. Ik ging er alleen van uit dat ze al een paar jaar ervaring had met dit soort werk. En nu blijkt dat die ervaring enkel bestaat uit het indrukken van een paar knopjes! Verdomme, Leo, hoe kunnen dit soort dingen toch gebeuren?'

'Ik geloof dat ze dat democratie noemen.'

'Als blijkt dat wij in deze zaak met háár moeten samenwerken, noem ik me liever stagebegeleider en ik heb helemaal geen trek in babysitten...'

'Heren rechercheurs?'

Gino en Magozzi krompen ineen toen ze de stem achter zich hoorden – dezelfde stem die ze in Malchersons kantoor door de speaker hadden gehoord. Toen hij zich omdraaide, vroeg Magozzi zich schuldbewust af hoeveel van hun conversatie ze had opgevangen.

De bezitster van de stem was noch een zure ouwe zeurkous, noch een dame die er taai genoeg uitzag om zich in een verkiezingsstrijd voor sheriffs te werpen. Iris Rikker was een tengere blondine met een aardig gezicht en grote blauwe ogen, die vast moeite hadden met het wegmoffelen van leugens. En ze zag er zo informeel uit als maar kon, tot de afwezigheid van een uniform aan toe. Ze droeg wel een wapen, maar Magozzi kon maar niet besluiten of hem dat een beter of een slechter gevoel over deze hele situatie gaf.

'Rechercheurs Magozzi en Rolseth?' vroeg ze nogmaals, ietwat onzeker.

'Ja. Sheriff?'

'Sheriff Iris Rikker, aangenaam kennis te maken.' Ze glimlachte beleefd en schudde hen de hand, toen Magozzi en Gino zich kort aan haar voorstelden.

'Het spijt me zeer dat u hier in dit weer naartoe heeft moeten rijden. Waren de wegen erg slecht?'

'Nee hoor, geen sneeuwvlokje gezien,' zei Gino, geprikkeld als altijd na een aanvaring met de dood – echt of ingebeeld.

'Is het BCA er ook al?' vroeg Magozzi.

'Ja, zij zijn een paar minuten voor u gearriveerd. Ik heb een van mijn hulpsheriffs ze naar de locatie laten brengen. Wilt u koffie?'

Magozzi kneep even met zijn ogen. Er was hier een lijk en een BCA-team dat midden in een sneeuwstorm op hen stond te wachten... en zij vond dat ze eerst maar eens een kopje koffie moesten drinken? Hij wierp een blik op Gino, die heel erg zijn best stond te doen zijn minachting te verbergen – op de rollende ogen na... en toen de toon waarmee hij haar toebeet: 'Het BCA kan zijn werk niet beginnen voor wij een kijkje hebben genomen; ze zullen enorm pissig zijn als wij ze laten wachten.'

Iris Rikker keek eerst geschrokken en toen beschaamd. 'O jee, natuurlijk... Het spijt me... Ik dacht alleen...' Ze griste een dikke parka van een haak aan de muur en was de deur al uit voordat ze had bedacht dat ze die jas beter eerst kon aantrekken.

Gino ritste de zijne dicht terwijl hij haar hoofdschuddend door de glazen deur nakeek. Ze glibberde dwars over de parkeerplaats richting een enorme, gloednieuwe SUV. Net toen ze naar de deurkruk reikte, maakte ze opnieuw een buiteling.

'Als wij deze zaak overnemen en we moeten met dat mens samenwerken, maak ik mezelf van kant.'

Magozzi trok zijn handschoenen aan. 'Ach, het is haar eerste dag en absoluut haar eerste moord. Geef haar wat krediet.'

'Echt niet! We hebben hier te maken met twee dode collega's: er is helemaal geen tijd om wie dan ook krediet te geven.'

'Bobby Windemeyer.'

'Hè?' Gino bleef staan, zijn hand al op de deurklink.

'Bobby Windemeyer: jouw eerste dode, weet je nog? Je wierp één blik op het joch, zeeg ineen en begon te brullen als een baby. Je verplaatste het lichaam, stond met je voeten in het bloed, ruïneerde zo'n beetje die hele plaats delict.'

'Hmm, da's lang geleden.'

'Juist, en dit is Iris Rikkers "lang geleden". Voor iedereen geldt: eens moet de eerste keer zijn.'

Gino deed alsof hij het hele verhaal niet had gehoord en keek boos naar buiten, waar de SUV net voor de deur was gestopt, met een rood aangelopen Iris Rikker achter het stuur. 'O ja, en nu verwacht ze ook nog dat wij met haar meerijden! Het is te hopen dat ze beter rijdt dan loopt.'

13

Rechercheur Tinker Lewis lag diep onder het donzen dekbed te luisteren naar de natte sneeuw tegen zijn slaapkamerraam. Hij werd langzaam steeds wakkerder door de geuren van verse koffie en gebakken bacon die via de trap naar boven zweefden.

Het moest dus zondag zijn, anders zou Janis zich niet in de buurt van het fornuis wagen. Zij kon koffiezetten en een pond bacon bakken, en als ze een goeie dag had zaten daar drie of vier eetbare plakjes tussen. Tinker was erg blij dat ze dit soort dingen maar eenmaal per week probeerde. De keuken was zijn terrein.

Tegen de tijd dat hij beneden kwam, stond ze met haar handen op haar heupen naar een bergje vettige bacon te kijken, dat lag weg te kwijnen op een stuk keukenpapier. 'Ik ben hier echt waardeloos in. Welke idioot kan nu geen bacon bakken?'

Tinker peurde er met een mes en vork in, op zoek naar een stukje dat niet rauw of zwartgeblakerd was. 'Misschien moet jij je tijd niet langer verdoen met stomme hartoperaties, maar gewoon lekker thuis oefenen met koken, zodat je een betere echtgenote wordt voor die arme, op de proef gestelde man van je. Ik zou zelfs een schort voor je kunnen kopen.'

'Ja, daar zit ik echt op te wachten!' Ze keek fronsend naar hem op. 'Waarom heb jij je werkkleren aan? Het is zondag.'

'Als er agenten sneuvelen, werken we allemaal.'

Eén blik op haar gezicht was voldoende om te wensen dat hij lenig genoeg was om zichzelf een schop tegen zijn achterste te verkopen. Janis zat in een van de transplantatietteams van het academisch ziekenhuis. Ze had gisteren meegewerkt aan een ware operatiemarathon: bijna achttien uur aan één stuk in die ijle, geïsoleerde sfeer van een operatiekamer – geen tv, geen radio, geen enkel nieuwtje uit de buitenwereld. En hij was allang diep in slaap geweest toen ze thuiskwam. Ze had het dus nog niet gehoord.

'Het spijt me.' Hij pakte allebei haar handen, ging tegenover haar aan de keukentafel zitten en vertelde wat elke vrouw van een politieagent vreest: dat het erop leek dat iemand het op politiemannen had gemunt. Opeens stond haar echtgenoot midden in de vuurlinie.

Toen hij klaar was, bleef ze even heel stil zitten, zonder zijn handen los te laten. 'Dus wij zijn gisteren de hele dag binnen bezig geweest om één leven te redden, terwijl iemand buiten er twee heeft weggenomen. Soms weet ik gewoon niet waarom wij zo hard ons best doen het tempo bij te houden!'

Tinker schonk haar een van zijn droeve glimlachjes. 'Dus jullie hebben dat kindje kunnen redden? Daar ben ik blij om.'

'Hij is al tien, hoor.'

'Weet ik. En dankzij jullie wordt hij misschien ook wel elf. Dat is toch geweldig, Janis? Dat maakt zoveel goed!'

Ze sloot heel even haar ogen, stond toen op en stak hem haar handpalm toe. 'Nou, geef maar op. En maak dan iets fatsoenlijks voor ons klaar, aangezien jij er zo weer op uit moet.'

Schoorvoetend haalde Tinker zijn wapen uit zijn holster en legde het op haar hand. Hij schudde met zijn hoofd toen ze de schoonmaakset uit een van de bovenste kastjes pakte en aan het werk toog. Dat had hij gisteravond al gedaan, maar hij wist dat het geen enkele zin had om haar dat te zeggen. Het was een merkwaardig ritueel: telkens wanneer de kans erin zat dat het wel eens heel erg mis kon gaan, checkte zij zijn wapen – en goed ook. Misschien omdat 't het enige was dat zij kon doen om hem te beschermen. Hij wist niet waar ze had geleerd hoe het moest – waarschijnlijk gewoon van jarenlang naar hem kijken, toen hij nog op straat werkte – maar ze deed het erg grondig en goed. Toch had het hem ook altijd wat gestoord: die levensreddende chirurgenhanden, miljoenen waard, die zorgden dat een instrument des doods naar behoren werkte. Maar, hij had ook lang geleden geleerd zich er maar niet mee te bemoeien, hoe verkeerd het ook op hem overkwam.

Toen de telefoon rinkelde, was hij er als eerste bij. Hij zag dat Janis verstijfde en stopte met haar karweitje om mee te luisteren – zoals altijd in dit soort tijden. Ze ontspande licht toen ze hem hoorde zeggen: 'Hoi Sandy, fijn om van jou te horen.' Maar enkele minuten later spanden haar schouders zich weer, toen Tinker maar bleef zwijgen en zelfs zijn notitieblok erbij pakte.

Het kostte Tinker een halfuur om in de binnenstad van Minneapolis te komen – een ritje dat normaal gesproken slechts tien minuten duurde. De natte sneeuw had een laag ijs achtergelaten op alle straten en stoepen, die na de grote bui nog amper waren geveegd. De *Highway Patrol* had voor de halve staat waarschuwingen uitgevaardigd en voor deze ene keer hadden de meeste inwoners van Minnesota besloten daarnaar te luisteren: zij hielden zich gedeisd tot de zon óf de zandstrooiers zich lieten zien.

De straten in het centrum waren dan ook opvallend leeg, zelfs voor een zondagochtend. En dat was maar goed ook, want hij gleed alle kanten op in zijn Hondaatje. Alle hippe brunchtenten zaten dicht, er hingen ijspegels te druppelen aan de luifels en voor het eerst sinds lange tijd (Tinker kon het zich niet eens meer herinneren) had bijna elke kerk in de stad zijn zondagsdienst afgelast.

Het ijzelde nog steeds toen hij zich naar de stoeprand liet glijden, voor een van die oude kantoorgebouwen die als tijdelijk onderkomen dienden, terwijl de county de giftige schimmels wegzoog uit een groot deel van zijn splinternieuwe miljardencomplex – een schandaal waarvoor nog steeds koppen rolden.

De geüniformeerde agent waar hij om had gevraagd, zat op de stoep op hem te wachten, in warme winterkleding en met glinsterende ijskristallen op zijn bontmuts – als een kerstversiering die men was vergeten op te ruimen.

'Rechercheur Lewis?'

'Klopt.'

'Chalmers, van het Tweede. Gaat u mij nog vertellen waar dit allemaal over gaat, voordat u mij dwingt de deur van een overheidsgebouw te forceren?'

Tinker stak een sleutelbos omhoog. 'Zijn vrouw bleek een extra set te hebben, dus er is niks illegaals aan. Maar... hebben ze jou niks verteld?'

'Ik heb alleen te horen gekregen dat ik hier als de donder naartoe moest. En als Moordzaken belt, dan vliegen wij – zeker na gisteren. Volgens onze brigadier kan alles waar jullie nu naar komen kijken te maken hebben met wat onze jongens in dat park is overkomen.'

'Nou, dat weet ik niet, hoor. Maar áls er iets mis lijkt, krijg ik het wel meteen op mijn heupen; dan wil ik het met eigen ogen zien. En het gaat hier ook nog om een vriend van me: Steve Doyle, reclasseringsambtenaar. Hij had gistermiddag een afspraakje met een nieuwe klant en is sindsdien niet meer gezien. Zijn vrouw was in Northfield overvallen door de sneeuw en kwam laat thuis. Daardoor ontdekte ze pas gisteravond dat hij er niet was. Geen telefoontje, geen briefje: spoorloos. Zij belde me vanochtend thuis.'

Chalmers zette zijn muts af, sloeg ermee tegen zijn bovenbeen en een regen van ijskristallen dwarrelde naar beneden. 'Vriend of niet, ik móét het vragen: zou het eventueel kunnen dat hij – nu zijn vrouw even de stad uit was – een kamer heeft geboekt in het Niet-Verder-Vertellen-Motel?'

'Uitgesloten.'

Chalmers keek hem even recht in de ogen, knikte toen en beende naar de ingang. 'Laten we dan gauw uit dit rotweer stappen en kijken wat we vinden kunnen.'

Binnen was het kantoorgebouw al net zo verlaten als de straten; er hing een muffe geur van brokkelige baksteen en oud cement. De county kon wel eens een van de laatste huurders zijn, voor de boel hier grondig werd verbouwd.

Het kantoortje van de reclassering lag recht tegenover hen; de deur ervan stond wijd open. Toen Tinker dat zag, voelde hij zijn nekharen overeind komen. Dat kon je een loonschaal kosten: een overheidskantoor onafgesloten achterlaten! Zeker bij de reclassering, want daar lag altijd een hoop informatie die nergens anders te vinden was: vertrouwelijke getuigenverklaringen, adressen van slachtoffers en verzegelde dossiers, vooral van jeugdige criminelen.

Hij trok zijn wapen uit zijn holster, maar voelde zich een beetje stom toen Chalmers dat voorbeeld meteen volgde. Wist hij veel, misschien had Steve tot laat zitten werken en had hij toen het ging ijzelen besloten te blijven; of misschien probeerde een collega van hem met een paar extra weekenduurtjes zijn werkdruk wat te verlichten. Kwamen zij daar binnenvallen, met hun wapen in de aanslag; ze joegen die arme kerel nog de stuipen op het lijf! Eigen schuld, dacht Tinker, had hij de deur maar moeten sluiten.

Hij keek naar Chalmers en wist dat de agent precies hetzelfde dacht. Ze trokken allebei hun schouders op, begonnen te lopen, stopten elk aan één kant van de deur en luisterden. Toen aan de andere kant van de muur een muis of zoiets wegrende, maakten ze allebei een sprongetje van schrik. Ze grijnsden schaapachtig naar elkaar. Ze konden er niet omheen: het meest angstaanjagende dat zich hier op dit moment bevond, waren ze zelf.

Maar toen ze het verlaten kantoortje binnenstapten, zagen ze bloed.

Het was niet veel: slechts een smal spoor van druppels en strepen, maar het leidde wel regelrecht naar Steve Doyles bureau. Agent Chalmers krabde op zijn hoofd. 'Waar hebben we hier nu mee te maken: een plaats delict of een flinke papiersnee?'

'Joost mag het weten. Het is te veel voor een papiersneetje, maar te weinig om mee naar de Eerste Hulp te rennen.'

'Mm, lastig!'

Terwijl Chalmers door het kantoortje schuifelde, liep Tinker naar Steves bureau en bleef ervoor staan, terwijl zijn ogen vliegensvlug alles in zich opnamen. En opeens was het helemaal geen lastig geval meer: er klopte te veel niet – een mok op zijn kant, een plasje koffie dat zich in het hout lag te vreten... In de hoek een televisie, met op het scherm een met de vuist zwaaiend studiopubliek, dat schor naar iets of iemand stond te schreeuwen en te wijzen – in absolute stilte... En, nog het meest veelzeggend: Steves jas aan de kapstok naast het bureau, de slappe, lege vingers van zijn handschoenen half uit de zak.

Chalmers voegde zich bij hem en keek om zich heen – naar de tv, de gemorste koffie op het bureau, de vergeten jas. 'Dit bevalt me niks.'

'Mij ook niet.' Tinker drukte met de achterkant van een potlood op het knipperende lichtje op de telefoon: zeven berichten. Vier ervan van ene Bill Stedman, die vroeg of hij onmiddellijk kon worden teruggebeld; de andere drie van Sandy, die almaar ongeruster klonk.

'Zijn vrouw?' vroeg Chalmers.

'Ja.'

'Zal ik Stedman bellen?'

Tinker keek hem aan. 'Ken jij die dan?'

'Tuurlijk: hij runt dat reclasseringscentrum aan Livingston Avenue. De eerste halte voor veel rotte appels uit de Stillwater-mand, wanneer de een of andere achterlijke reclasseringsraad heeft besloten dat het tijd is om ze weer op het publiek los te laten.' Chalmers haalde zijn mobieltje tevoorschijn, toetste een nummer in en gaf hem de telefoon aan.

'Ken jij zijn nummer uit je hoofd?'

'Ach, dat kunnen we allemaal dromen! Dat soort plekken staan boven aan onze lijst, als we weer eens op zoek moeten naar de een of andere rotzak. Ze recidiveren allemaal – stuk voor stuk.'

Toen Bill Stedman opnam, stelde Tinker zich voor en vertelde waarvoor hij belde. Zeker vijf minuten maakte hij alleen maar aantekeningen, toen klapte hij het telefoontje dicht en keek Chalmers aan. 'Heb jij een rol politietape bij je?'

'In de auto.'

'Want ik denk dat we de boel hier moeten verzegelen.'

Nog geen halfuur later kwam Bill Stedman de hal binnenwaaien. De koude windvlaag die met hem meekwam, deed de temperatuur in vijf tellen zeker tien graden dalen. Hij was een grote kerel – meer spieren dan vet – Tinker betrapte zich erop dat hij zich afvroeg of dat lijf soms in de sportzaal van de gevangenis was gekweekt. 'Het gaat harder waaien en het kwik daalt,' meldde Stedman, terwijl hij een stijf bevroren gebreide muts van zijn kale schedel pelde. 'En het gaat ook weer hozen. Chalmers, jongen, hoe gaat het ermee? Jullie hebben het gisteren flink voor de kiezen gekregen, zeg! Mijn hart brak zowat toen ik hoorde dat het om Deaton en Myerson ging. Ik mocht die knapen wel.'

Chalmers knikte. 'Ja, dat gold voor ons allemaal. Rechercheur Lewis hier is op de locatie geweest.'

Stedman draaide zich naar Tinker toe. 'Denkt u dat hier een link zou kunnen liggen met die dode sneeuwmannen?'

Het kostte hem behoorlijk wat moeite, maar Tinker vertrok geen spier. Hij had gewoon de vrouw van een vermiste vriend een plezier willen doen, maar deze mannen sloofden zich extra uit, omdat ze dachten dat hij op het spoor zat van de moordenaar van Tommy Deaton en Toby Myerson. Hij voelde zich een beetje schuldig. Hij had ze echt niet willen misleiden, maar daar begon het onderhand wel op te lijken. 'Daar kunnen we op dit moment echt niets over zeggen. We weten nog helemaal niet wat zich hier precies heeft afgespeeld. Maar door een aantal dingen die u me zojuist aan de telefoon vertelde, kreeg ik er geen goed gevoel bij.'

Stedman keek naar het gele tape dat kriskras over de deuropening van het reclasseringskantoortje was gespannen. 'Dat ziet er niet best uit.' Hij liep naar de deur en gluurde naar binnen.

'Tot dusver is dat slechts uit voorzorg. Zoals ik daarstraks ook al zei: er ligt niet erg veel bloed. Misschien is er niet eens sprake van een misdaad; gaat het gewoon om een ongelukje.'

'Dat denk ik dus niet,' zei Stedman met een grimmige blik. 'Ik zal u vertellen hoe dit werkt. Als die jongens vrijkomen, volgen wij ze met een heel team een poos vrij streng – zeker als het gaat om recidivisten, die al voor de tweede of derde maal door deze molen gaan. Je weet bij die lui nooit wat ze van plan zijn, dus doen wij alles exact volgens het boekje, of eigenlijk nog strikter. Als die vent gisteren niet was komen opdagen, had Doyle mij gebeld – meteen na het uitvaardigen van een aanhoudingsbevel. Plus: Weinbeck heeft zich gisteravond niet voor de avondklok bij ons gemeld: nog iets dat automatisch leidt tot een aanhoudingsbevel – wat dan ook de reden was dat ik Doyle probeerde te bereiken. Geloof me: hij ís hier geweest en is nu op de vlucht. En het is een en al geweld in het leven van die griezel, dus dit ziet er niet al te best uit.'

Tinkers gezicht bleef uitdrukkingloos. Hij hoorde deze man uitspreken wat zijn gevoel hem al de hele tijd probeerde te vertellen, maar dat hij liever niet wilde horen. Hij keek naar Stedmans tas. 'Bedankt dat u die heeft meegenomen. Dit is geen fijne dag om iemand te vragen de deur uit te gaan.'

'Geen probleem: ik zit al twee dagen in één huis met zestien afgestompte ex-bajesklanten. Ik moet wel even uw papieren controleren voor ik u dit kan laten zien.'

Tinker gaf hem zijn insigne en keek hoe de ogen van de man van het identiteitsbewijs naar zijn gezicht vlogen en weer terug. 'Oké, rechercheur Lewis. Heeft u al kans gezien te zoeken naar Doyles kopie van het dossier?'

Tinker knikte. De afgelopen twintig minuten had hij, met latex handschoenen, elk papiertje en dossier in en op Steves bureau bekeken, ook in de afgesloten laden. 'Er is hier niets met Weinbecks naam erop, op een notitie in Steves agenda na, van die afspraak van gisteren.'

Met een zucht liep Stedman naar de bank tegen een van de wanden. Hij ging zitten, zette de tas tussen zijn voeten en trok er een dikke dossiermap uit. 'Kurt Weinbeck, drie van zijn vijf jaar in Stillwater uitgezeten. Afgelopen vrijdag losgelaten, op voorwaarde dat hij het komende halfjaar bij mij en mijn jongens zou doorbrengen.'

Tinker vroeg: 'Waar zat hij eigenlijk voor?'

'Hiervoor.' Stedman gaf hem een stapel foto's.

Zelfs agent Chalmers deinsde even terug bij het zien van de bovenste. 'Bah, wat ís dat?'

'Dat...' antwoordde Stedman, '...is hoe zijn vrouw eruitzag, toen hij klaar met haar was... Zeven en een halve maand zwanger ook nog.'

Tinker bekeek het plaatje wat beter. Zelfs nu hij wist waar hij naar keek, herkende hij slechts met moeite een mens in wat hij zag. Hij bladerde snel door de rest van de foto's van het verwoeste gezicht en legde ze toen omgekeerd op de bank. 'Zegt u nu dat die kerel slechts drie jaar heeft gezeten, voor een dubbele moord?'

Stedman zuchtte en begon in het dossier te zoeken, tot hij de ziekenhuisgegevens van mevrouw Weinbeck gevonden had. 'Geloof het of niet, maar zij én de baby hebben het overleefd. Na een halfjaar in het ziekenhuis en wel honderd operaties in de twee jaar erna, was ze weer min of meer opgelapt. Zij is dus de reden dat ik per se wilde dat jullie hier alles op zijn kop zetten voor Doyles kopie van dit dossier. Dat is namelijk de enige plek waar de verblijfplaats van deze vrouw te vinden is.'

'Staat dat niet in dat van u?'

'Niemand heeft toegang tot de adressen van slachtoffers die uit het zicht proberen te blijven, zelfs de rechtbank niet. Alleen Doyle had het, omdat hij degene was die haar op de hoogte moest stellen zodra haar ex werd vrijgelaten. Reken maar dat hij dat dossier geen moment uit het oog verloor.'

'Dus hij kan het niet thuis hebben laten liggen.'

'Ik werk al heel lang met hem samen. Hij zou dat dossier niet eens méénemen, met dat soort gevoelige informatie erin. Nee, zoiets zou hij hier bewaren, achter slot en grendel, bij alle andere vertrouwelijke stukken. Weet u zeker dat u alle afgesloten kastjes heeft gehad?'

Tinker stak de rinkelende sleutelbos omhoog. 'Allemaal.'

'Dus, we zitten met een vermiste voorwaardelijk vrijgelatene, een vermiste reclasseringsambtenaar en nu ook nog een vermist dossier met het geheime adres van een slachtoffer.' Stedman trok een sigaret uit een doosje en stak hem aan. Niemand zei iets over het verbod op roken in openbare gebouwen. 'Ik heb kopieën van de rechtbankdocumenten. Na de scheiding heeft ze haar meisjesnaam weer aangenomen: Julie Albright. Dat is alles wat ik weet; meer kan ik jullie niet geven – op een heleboel ervaring met lui zoals Weinbeck na.' Hij draaide zijn hoofd en keek Tinker recht in de ogen. 'Hij gaat achter haar aan, rechercheur.'

14

Sheriff Iris Rikker leek erg klein achter het stuur van die grote suv. Magozzi hoopte maar dat ze lang genoeg was om bij de pedalen te kunnen. Hij zette zich op de passagiersstoel en liet Gino achterin kruipen – daar kon hij minder goed door de voorruit kijken om allerlei beren op de weg te zien. Híj was al half gek geworden van diens non-stop commentaar op de heenweg – en hij kende zijn partner. Nog meer stress kon deze sheriff vanochtend vast niet gebruiken.

Gino stak zijn hoofd tussen de voorstoelen door. 'Heeft u de vierwielaandrijving van dit ding al aangezet?'

Iris knikte. 'Die staat altijd aan.'

'O ja? Weet u dat zeker? Maar dan moet er toch een lichtje gaan branden op het dashboard?'

'Zou kunnen.' Ze zette de auto in de vooruit en begon uiterst behoedzaam de parkeerplaats af te rijden.

'Ik zie het anders niet.'

'Wat niet?'

'Het lichtje van de vierwielaandrijving.'

Iris wierp een snelle blik op Magozzi, die zijn best deed niet te grinniken.

'Dat zit daar, Gino.' Magozzi wees naar de middenconsole.

Eindelijk liet Gino zich achteroverzakken.

Terwijl ze de heuvel af kropen, in de richting van het meer, kwamen de plaats delict en alle activiteit daaromheen langzaam tevoorschijn uit de wazige sneeuwnevel. Ze zagen wagens van de county, van de staat, busjes van het BCA en een paar burgervoertuigen, waarvan Magozzi hevig hoopte dat ze van agenten buiten dienst waren en niet van nieuwsgierig publiek. Nog geen media gelukkig. Het meest in het oog springend was echter die kleurige tent vol strepen, bollen en lachende clownskoppen op het bevroren meer.

Gino kwam weer naar voren. 'Wat is dát nou? Is het circus in de stad?'

'Dat... is onze plaats delict,' antwoordde Iris stijfjes.

'Geinig,' merkte Gino op. 'Brengt je echt in de stemming. Delen jullie ook snoepjes uit?'

Voor zover Iris wist, kón ze niet eens kwaad worden. Katten braakten over haar heen, mannen bedrogen haar, de pubers die ze had lesgegeven negeerden haar de meeste tijd – maar nooit had ze de neiging gevoeld daaroverheen te moeten. Misschien was dat wel omdat ze katten, echtgenoten en pubers in haar hoofd op hetzelfde geestelijk niveau plaatste – allemaal wezens die niet in staat waren tot verandering; die simpelweg door hun biologische staat werden gedicteerd zich op een bepaalde manier te gedragen. Of misschien kwam het doordat terugpakken gewoon niet in haar aard zat. Ze had echter het gevoel dat rechercheur Gino Rolseth dat alles ging veranderen, want ze moest behoorlijk moeite doen haar toon kalm te houden, toen ze zei: 'Bob's Feestverhuur aan Mainstreet was zo vriendelijk om ons deze te schenken. Het was het enige dat we op zulke korte termijn krijgen konden.'

Gino gromde. 'Geweldig! Elk kind uit de hele county zal in onze nek komen hijgen, om een kaartje te bemachtigen.'

'Misschien kunnen we u dan bij de ingang zetten, om ze tegen te houden met dat grote wapen van u,' zei Iris liefjes. Toen sloot ze haar mond abrupt en vroeg zich af waar dát in vredesnaam vandaan was gekomen.

'Nou, ik heb eventjes gekeken, maar dat van u is nog groter, hoor. Trouwens, ik hoorde dat u zelfs een opleiding heeft om met kinderen om te gaan.'

Magozzi zakte onderuit en legde zijn handen over zijn ogen.

Bij de steiger manoeuvreerde Iris keurig naar een lege plek en zette haar auto met een ferme klap in de parkeerstand. Dus daar ging dit allemaal over: het was niet alleen de opgeblazen agent uit de grote stad, die neerkeek op zijn collega van het platteland. Nee, het ging om haar: een lerares Engels met een sheriffster; een vróúw met een sheriffster. Hij was vast een vrouwenhater, een vuile seksist. Maar... hij kon natuurlijk ook een gewetensvolle rechercheur zijn, die bang was dat een belangrijk onderzoek door een onerva-ren iemand als zij werd verprutst. En dat kon ze hem natuurlijk niet eens kwalijk nemen. Want als er één ding was waar Iris Rikker niet aan twijfelde, dan was het de omvang van haar eigen onbe-kwaamheid.

Zuchtend draaide ze zich naar hem om. 'Het enige alternatief voor die tent was stokken in het ijs slaan en daar een zeildoek aan vastmaken. Maar omdat het ijs in vrij slechte conditie verkeert, durfden we dat niet te riskeren.'

Gino trok een frons in zijn voorhoofd. 'Hoe bedoelt u: in slech-te conditie? Het is half januari.'

'U herinnert zich wellicht nog dat we tot vorige week een zeer milde winter hadden. Het water van de meren in deze omgeving komt uit ondergrondse bronnen, waardoor er altijd een paar wak-ken en zwakkere plekken zijn. Voorzichtigheid is dus geboden.'

'Bedoelt u nu dat dit ijs niet veilig is?'

'Er is mij verzekerd dat er niets kan gebeuren. O ja: als u het ijs onder u hoort kraken, geen paniek: toen ik eerder vandaag ging kij-ken, gebeurde dat ook heel vaak en toen zeiden ze dat ik me daar echt geen zorgen over hoefde te maken.'

Bij de rand van de steiger bleef Gino staan. Mmet grote nerveu-ze ogen bestudeerde hij het ijsoppervlak. 'Daar zit een barst... een enorme zigzagstreep. Daarzo!' wees hij Iris aan. 'Wat betekent dat?'

Iris keek er zorgelijk naar. 'Mm, die heb ik vanmorgen niet ge-zien. Probeer die plek maar te vermijden.'

Gino en Magozzi keken hoe sheriff Rikker behoedzaam het ijs op stapte en omzichtig om de barst heen liep.

'Kom,' zei Magozzi.

'Heel even nog! Ik wil zien of zij erin valt.'

'Ach, kom op, Gino, moet je al die vishutten daar zien. Als het ijs díé kan houden, houdt het ons ook heus wel.'

'Dat zeg jij! Maar wanneer heb jij voor het laatst op een bron-watermeer rondgestampt, vlak na een milde periode?'

Magozzi trok zijn schouders op. 'Dat heb ik nog nooit gedaan.'

'Shit,' mompelde Gino.

Tegen de tijd dat ze de sheriff hadden ingehaald, stond zij al te praten met de twee hulpsheriffs die bij de ingang van de tent waren geposteerd. Zij begonnen er zelf ook al uit te zien als sneeuwmannen: dikke vlokken hoopten zich op hun petten en parka's op. Ze leken niet bepaald blij met hun taak, noch met het feit dat de sheriff hen aansprak.

Toen ze wat dichterbij waren gekomen, hoorde Magozzi Rikker een van de twee vragen of hij op papier bijhield wie er allemaal de plaats delict betrad. 'Wat denkt u zelf?' beet de hulpsheriff haar toe, waarna Iris zich – onvoorstelbaar maar waar – verontschuldigde voor het stellen van die vraag.

Magozzi en Gino keken elkaar aan. Alle sheriffs die zij ooit hadden ontmoet, hadden die vent eerst op zijn knieën gedwongen... en daarna in de werkloosheidswet.

Aha, dus in Dundas County hebben ze een beetje problemen met hun houding, dacht Magozzi, met name tegenover hun nieuwe sheriff. Hoe iemand als Iris Rikker een bedreiging kon vormen, begreep hij niet. Misschien was het puur iets Neanderthalerigs; hielden de mannen hier gewoon niet van een vrouw als baas. Waarschijnlijker leek hem echter dat het kwam, doordat zij het type vrouw leek dat met het woord DEURMAT op haar voorhoofd door het leven ging. Niemand mocht of vertrouwde een gezagdrager die geen respect wist af te dwingen. De meesten namen zo iemand een mild karakter zelfs kwalijk, als een vorm van verraad. Haar leerlingen hadden vast propjes naar haar gegooid; die hulpsheriff vertoonde nu het volwassen equivalent daarvan. Waarom was zij in vredesnaam ooit tot sheriff gekozen?

Jimmy Grimm stond binnen, vlak bij de ingang van de tjokvolle tent. Hij probeerde ruimte te creëren voor zijn technisch rechercheurs, die om de besneeuwde figuur heen draaiden om er foto's en filmpjes van te maken. Magozzi zag Iris een stap achteruit zetten, licht geschrokken van het licht en alle bedrijvigheid.

'Jimmy, hoe is-ie?'

'Ach, ik ben onderweg bijna vijfmaal verongelukt – enkel om hier halfdood te kunnen vriezen in een circustent, maar voor de rest gaat het allemaal perfect, hoor. Maar als het zo blijft sneeuwen, vrees ik dat we met zijn allen toch onze intrek in Motel Bates zullen moeten nemen... Heb je die tent gezien toen we de stad binnenreden?'

'De Dew Drop Inn, bedoel je? Ik zal het zo zeggen: het verbaasde mij ook niks toen ik dat bordje KAMERS VRIJ zag. Zeg, heb je al kennisgemaakt met sheriff Rikker?' Magozzi gebaarde haar dichterbij te komen.

Jimmy was een en al glimlach toen hij haar hand pakte. Zijn mensenkennis was bijna net zo groot als zijn bekwaamheid als technisch rechercheur. Zodra ze de tent was binnengestapt, had hij gezien dat deze sheriff nog maar een groentje was: ze had zo'n verloren kleinemeisjesblik over zich, hoe hard ze die ook probeerde te verbergen. Dit was waarschijnlijk haar eerste lijk en zonder twijfel haar eerste moordonderzoek – als dat tenminste was waar het hier om ging.

Jimmy was sowieso een aardige vent, maar hij had een zwak voor kinderen, dieren, verloren zielen en oningewijden. Hij hoefde Iris Rikkers voorgeschiedenis dan ook niet te kennen om te weten dat ze bepaald niet in haar element was en heel snel een heleboel nieuwe dingen moest leren. Hij deed een poging haar op haar gemak te stellen: 'Als u vragen heeft, sheriff, dan komt u maar naar mij. Deze twee hier weten niks: dat zijn maar een stel knappe leeghoofden, die we hier alleen hebben neergezet om de media te paaien.'

Iris schudde hem glimlachend de hand. 'Aangenaam kennis te maken, meneer Grimm, en dank u zeer voor uw komst.'

Tjonge-jonge, dacht Magozzi, in een tent met een lijk en een heel team rechercheurs klinkt ze nog als een gastvrouw op een cocktailparty. 'Wat heb je tot dusver ontdekt, Jimmy?' onderbrak hij het vrolijke gebabbel.

'Kijk zelf maar. Maak eens plaats, jongens,' dirigeerde Jimmy de rechercheurs met de camera's. Ze gingen meteen opzij voor Gino en Magozzi.

Gino keek naar de massa voor hem en vertrok zijn gezicht, net zoals die keer dat hij een hap van McLarens ansjovispizza had genomen. Rikker had niet overdreven: als dit ooit was begonnen als zo'n sprookjessneeuwman uit het park, dan had het weer aardig huisgehouden. Het grote hoofd zat vol met putjes van de hagel, had nauwelijks meer vorm en op de pafferige wangen waren de gesmolten beekjes alweer bevroren, zodat het net leek alsof hij had gehuild. Maar, het wás een sneeuwman en die had degene die bij die blauwig bleke handen hoorde echt niet om zichzelf heen gebouwd.

'Het kán nummer drie zijn,' zei Magozzi naast hem en Gino knikte.

Iris stond stokstijf achter hun. Haar voeten, handen en neus waren al gevoelloos van de kou, maar ze deed haar best somber en professioneel te blijven kijken – hoewel ze het liefst op en neer zou springen en in haar handen klappen. 'Nummer drie', dat betekende dat het om dezelfde moordenaar ging; wat weer betekende dat dit een zaak voor Minneapolis was en dat zij dit hele onderzoek bij haar vandaan zouden trekken. *Hè, verdorie!* Ze zorgde er wel voor dat niemand zag dat ze grijnsde.

'Maar het kan ook om een na-aper gaan,' zei Magozzi toen.

Iris' stiekeme grijns haperde.

'Bah, die rare poses, dat vind ik helemaal niks,' zei Gino. 'Die vishengel jaagt me al net zo de stuipen op het lijf als die ski's. Eigenlijk is het nog erger als het een na-aper is: dat betekent dat er nóg zo'n ziek iemand rondloopt.'

'Misschien is het helemaal geen pose,' zei iemand achter hun, die zich voorstelde als inspecteur Sampson. 'Ik hoorde dat die twee die jullie in dat park hebben gevonden aan het langlaufen waren toen ze werden gepakt. Misschien was deze vent wel aan het ijsvissen.'

'Zo gek is toch niemand in dit weer?' zei Gino.

Sampson trok zijn schouders op. 'Het is winter en het sneeuwt. Maar dat doet de vissen helemaal niks en de vissers al helemaal niet. Ziet u die hutjes daar? Daar komt overal rook uit.'

'Rook?'

'Ja, van een kachel.'

'Hebben die dingen kachels?' vroeg Gino.

'Kachels, tv's, bierkoelers: dat is zo'n beetje de standaarduitrusting. Maar dat zijn de luilakken; de echte taaie jongens zitten ook in dit weer gewoon buiten – zoals hij dus. Dan verplaats je je veel gemakkelijker als het tijd is om een nieuw gat te boren.'

'Dat is wel de idiootste hobby waar ik ooit van heb gehoord.'

Sampson grijnsde naar hem. 'U zou het een keer moeten proberen.'

'Echt niet! God heeft ijs gemaakt om hockey op te spelen en in je whisky te gooien – dat is het wel zo'n beetje. Maar, pose of niet, nu zijn we dus ineens bij een heel andere wintersport aanbeland.'

'En een heel ander slagveld,' beaamde Magozzi. 'Als het geen na-aper is, dan is het een avonturier.'

'Jullie kunnen erbij, hoor!' riep een van de rechercheurs. Hij liep met de camera's in zijn armen langs Jimmy de tent uit. 'Ik leg deze vast terug in het busje.'

Magozzi keek om zich heen naar de resterende gezichten in de tent. 'Waar is Anant eigenlijk?'

Dokter Anantanand Rambachan was de patholoog-anatoom van Hennepin County – en wat Magozzi aanging tevens filosoof en de enige in dit wereldje die het was gelukt niets van zijn menselijkheid te verliezen. En belangrijker: degene die gisteren na hun vertrek uit het park de lichamen van Deaton en Myerson had onderzocht, de reden dat Magozzi hem nu ook hier had willen hebben.

'Nog in de Cities, met een vijfjarig meisje op zijn tafel,' klonk Jimmy's antwoord. 'Zij is gisteravond op Cedar Lake door het ijs gezakt en je weet hoe Anant over kinderen denkt.'

Dat wist Magozzi. Het maakte niet uit waar hij aan werkte, als er een kind door die akelige klapdeuren werd binnengebracht, deed Anant dat eerst. *De baby's, rechercheur Magozzi, worden altijd het eerst te ruste gelegd – in het leven, maar ook in de dood is dat de enige juiste handelwijze.*

'Wie hebben we dan?' vroeg hij aan Jimmy.

'Dokter Dreadlock.'

Magozzi schudde afkeurend zijn hoofd.

'Hé, zo noem ik hem gewoon recht in zijn gezicht, hoor. Hij vindt het wel grappig. Zijn echte naam is Rowland: dat past toch niet bij dat haar! Maar: hij is goed, Anant mag hem, ik mag hem én hij heeft gisteren geassisteerd bij Deaton en Myerson, dus hij weet al van de hoed en de rand. Hij heeft al wat voorwerk verricht bij onze vriend hier en is 'm toen weer gesmeerd naar het busje, om zich op te warmen. Hij komt terug om het karwei af te maken, zo-dra wij alle sneeuw eraf hebben gepeld.'

Jimmy keek toe hoe zijn team zorgvuldig een plastic zeil rond de ijsvissende sneeuwman wikkelde. Toen ze tevreden waren wreef hij zich in zijn gehandschoende handen en riep: 'Oké, net zoals giste-ren in dat park, jongens en meisjes. Laten we deze sneeuwman eens openbreken en kijken waar we mee te maken hebben.'

Iris bleef staan, maar sloot wel stiekem haar ogen en luisterde hoe alle sneeuwbrokken voorzichtig op het zeil werden gelegd. Ze opende ze weer toen ze een groot stuk op het plastic hoorde vallen, gevolgd door een gesist: 'Shit!'

De sneeuwman – of wat daarvan over was – zag er nu pas echt bizar uit: het hoofd was nog redelijk intact, maar alle sneeuw rond de romp van de man was in één keer naar beneden gevallen. Waar-schijnlijk, dacht Iris – ergens in een ver, wetenschappelijk hoekje van haar brein – bleef de sneeuw daar niet zo goed plakken door al dat bloed: de borstkas van de man was één groot gat. Net een hor-rorversie van Frosty de Sneeuwman.

Iris voelde dat ze ging flauwvallen, maar een sterke gehand-schoende hand op haar bovenarm hield haar overeind.

'Heel langzaam en diep ademhalen,' zei een stem uiterst zacht. 'Richt je blik ergens anders op, maar hou je ogen open en blijf vooral doorademen.'

Als ze ook maar één minieme beweging had gemaakt – zoals haar hoofd draaien om te zien wie dit zei – was ze beslist onderuitge-gaan, of gaan overgeven. Maar ze herkende de stem: het was nota bene Rolseth die haar gezicht redde en zorgde dat ze overkwam als een echte sheriff.

Toen ze ook de sneeuw van het hoofd hadden verwijderd, staar-de Iris naar het blauwige gezicht, de dichte, gezwollen ogen, de open mond.

'Kent iemand deze man?' vroeg Magozzi.

Niemand.

'En we zullen wel geen afdruk van die handen kunnen maken, zolang hij niet is ontdooid.'

Jimmy Grimm schudde zijn hoofd. 'Geen volledige set in ieder geval: enkele vingers zijn aan de hengel vastgevroren. Als je die gaat buigen, knappen ze als zoute stengels. En als je die hengel eruit probeert te trekken, komen er beslist hele lappen vel mee.' Hij ging op zijn hurken zitten om beter te kunnen kijken. 'Maar ik kan je misschien wel wat informatie geven op basis van die ene duim: die steekt een beetje uit.'

'Doe je best! Hoe sneller we zijn identiteit achterhalen, hoe sneller we kunnen gaan zoeken naar een link met die andere twee.' Magozzi keek achterom naar Iris. 'Jullie zijn toch aangesloten op de database, hoop ik?'

Iris deed haar mond al open – blij dat ze tenminste één vraag fatsoenlijk kon beantwoorden – maar inspecteur Sampson was haar voor: 'Als u een vingerafdruk heeft, kan ik die vanuit mijn wagen in een minuut of tien checken – sneller nog zelfs, als zijn vingerafdrukken door de staat zijn genomen. We hebben het zo ingesteld dat eerst de database van Minnesota wordt doorlopen; scheelt een hoop tijd.'

Dat vond Gino wel interessant. 'Ho even: ik kan hier niet bellen met mijn mobieltje, maar jullie hebben wel in elke politiewagen zo'n snelle computer?'

Sampson haalde zijn schouders op. 'Tuurlijk: draadloze computer, satelliet-GPS – alles net als in de stad, hoor.'

Gino vouwde grommend zijn armen voor zijn borst. In zíjn auto zat geen GPS!

Sampson bleek niet te hebben overdreven: binnen vijf minuten kwam hij teruggesjokt van de parkeerplaats, een uitdraai in de hand. 'Al na twee seconden was het raak! Het gaat om een reclasseringsambtenaar uit Hennepin County, woonachtig in Minneapolis, naam: Stephen P. Doyle. Gaat er al ergens een belletje rinkelen?'

Magozzi keek naar het armzalige overschot van Stephen P. Doyle en schudde zijn hoofd. Hij zag dat de man een gouden trouwring droeg. 'Maar er zal bij iemand anders een heel droevig belletje gaan rinkelen.'

15

Johnny McLaren was helemaal alleen op de afdeling Moordzaken, tegen de tijd dat Tinker eindelijk op kantoor verscheen. Hij stond net bij de koffieautomaat, met een mok in zijn hand, kijkend hoe de druppels eruitkwamen alsof er een snelheidsbegrenzer op zat. Zijn rode haar stak alle kanten uit, alsof hij met zijn vinger in het stopcontact had gezeten en zijn magere gezicht had de ongezonde kleur van een vanillemilkshake.

'Sorry dat ik zo laat ben, Johnny.'

'Verdorie, Tinker, ik had de honden al bijna naar je laten zoeken! Janis belde drie uur terug al dat je "eerst nog even een privédingetje moest afhandelen". Ik dacht dat je ergens met je neus in een greppel lag en kwam er op je mobiel maar niet doorheen.'

Tinker hing zijn jas aan de kapstok, streek hem glad en dacht onwillekeurig aan die van Steve Doyle, achtergelaten in dat nare kantoortje. Hij slofte naar zijn stoel. 'Ik heb nogal druk gebeld, dat klopt. Dat "privédingetje" kon nog wel eens een heel lange staart krijgen.'

McLarens adem stokte in zijn keel. Als er al een vloek aan zijn Ierse afkomst kleefde, dan was dat niet zijn weekendliefde voor whisky van gevorderde leeftijd (dat had niets te maken met zijn afkomst, maar alles met het feit dat hij een eenzame politieman was). Nee, de ware vloek der Ieren was hun morbide fantasie. Tien seconden nadat Tinker 'lange staart' had gezegd, had zijn brein al geconcludeerd dat het 'privédingetje' een doktersafspraak moest zijn geweest, dat Tinker aan de een of andere afschuwelijke dodelijke ziekte leed en waarschijnlijk nog voor het eind van de dag achter zijn bureau zou overlijden.

'Mijn hemel, Tinker, wat ís er dan? Alles goed met je?'

'Ik weet het niet; het voelt allemaal niet goed...' Tinker keek omhoog naar McLarens gezicht, dat met de seconde zorgelijker keek.

'Ach toe, Johnny, dat doe je nu altijd: één van ons krijgt een snee-
tje in zijn vinger en jij slaapt de hele nacht niet, uit angst voor een
vleesetende bacterie of zoiets. Daar moet je echt eens mee ophouden; je maakt jezelf nog gek! Met mij is alles prima; het is Steve om
wie ik me zorgen maak.'

'O, mooi! Welke Steve?'

Dus vertelde Tinker hem snel wat er allemaal was gebeurd. En
Johnny luisterde geduldig – terwijl hij zijn best deed niet al te opgelucht te kijken dat niet Tinker, maar slechts een van diens vrienden mogelijk in de penarie zat. Toen Tinker hem de foto van de
zwaar mishandelde ex-vrouw onder de neus schoof, schrok hij zich
kapot.

'Nee! En díé vent is vrijgelaten?'

'Jawel!'

'En op dit moment is dus de enige die weet waar deze dame zich
bevindt, degene die haar dit heeft aangedaan?'

'Je hebt het plaatje helemaal compleet.'

'Wie gaat haar zoeken?'

Tinker trok zijn schouders op. 'Tegen de tijd dat ík dat spoor heb
nagetrokken kan hij al in Julie Albrights achtertuin zitten. Ik heb
Tommy Espinoza erop gezet: die hackt nu een heel stel websites en
breekt allerlei wetten om haar op te sporen. En als hem het niet
lukt, belt hij die lui van Monkeewrench.'

'Da's dus even afwachten. En hoe zit het met die vriend van je?'

'Da's ook afwachten. Het zag er verdacht uit in dat kantoortje,
maar ik kon er even helemaal niks mee. Dus heb ik de Technische
Recherche erbij geroepen; misschien dat die een konijn uit de hoge
hoed weten te toveren. Ik heb ze gezegd dat het ging om een mogelijke moord – wat nog maar de vraag is, gezien het aanwezige bewijsmateriaal. Daar word ik vast nog voor op het matje geroepen.'

Toen de telefoon ging, maakte hij een sprongetje van schrik. Maar
hij had de hoorn al beet, voordat McLaren zich zelfs maar had ver-
roerd. Tinker hoopte natuurlijk op Espinoza's stem of misschien
zelfs iemand van het onderzoeksteam, maar het was Evelyn van de
centrale maar. Hij praatte een paar minuten op haar in om haar te
kalmeren – grappig dat hij daar bij anderen zo goed in was, terwijl

111

hijzelf nu van de zenuwen de haren wel uit zijn hoofd kon trekken – en legde toen neer.

'Er blijven maar telefoontjes binnenkomen over sneeuwmannen,' lichtte hij toe. 'Evelyn raakt door haar valiumvoorraadje heen.'

McLaren trok zijn schouders op. 'Zo gaat het al de hele ochtend. Een kind bouwt een sneeuwman in de voortuin, tien tellen later draait de buurman het alarmnummer: of er een politie-eenheid kan langskomen om het ding omver te trekken en te kijken of er een lijk in zit. Weet jij hoeveel sneeuwpoppen er in deze stad na een flinke sneeuwbui worden gebouwd?'

'Veel?'

'Je hebt geen idee! En dan heb je nog de paranoïci die de sneeuw-man van hun buurkind zélf omschoppen: kinderen over de rooie, ouders nijdig, staan erop dat buurman in de boeien wordt geslagen voor het betreden van verboden terrein, vernieling van privébezit, traumatiseren van hun kinderen, blablabla... Ze werken bij 9-1-1 al met een dubbele bezetting en nóg worden ze overspoeld! Je moet toch niet denken aan de arme donder die een échte noodsituatie probeert door te bellen...'

Tinker haalde diep adem en schakelde toen van Steve Doyle en Julie Albright over naar de klus die er voor vandaag lag. 'Waar is iedereen eigenlijk? Ik dacht dat we juist een volle bak zouden heb-ben.'

McLaren liep weer naar de koffieautomaat. 'Is ook zo: iedereen is er. Maar een stel is aan het werk: informanten aan het uitknijpen, de laatste gesprekken met de lui die gisteren in het park waren. De rest heeft zich overal in het pand opgesloten in donkere kamertjes en vergelijkt de nieuwsvideo met honderden wazige thuisfilmpjes van kinderen met snotneuzen en rode wangen. Een enorme tijdver-spilling, als je het mij vraagt: die dader is echt niet blijven hangen tot hij op familiekiekjes belandde!'

'Als ze echt gestoord zijn, doen ze dat wel, hoor.'

'Ja, je zult wel gelijk hebben.'

'En waar zijn Magozzi en Gino?'

McLaren leek even in de war, toen draaide hij zijn ogen hemel-waarts. 'Ach ja, jij hebt het natuurlijk nog niet gehoord...'

'Wat niet?'

'Er is misschien nóg zo'n sneeuwman: in Dundas County.'

Roadrunners gezicht, voeten en handen waren totaal verdoofd en zijn hele lichaam was bedekt met een laag ijskoude sneeuw. Hij moest denken aan die dode sneeuwmannen in het park en rilde – wat niets te maken had met de temperatuur. Hij bofte echt als hij Harleys huis haalde, voor hij aan zijn zadel was vastgevroren en zelf zo'n sneeuwman was.

Ondanks de sneeuw en de dreigende onderkoeling stopte hij halverwege de Hennepin Avenue Bridge, zoals altijd wanneer hij deze route reed, en keek naar de brede, bevroren Mississippi, de Stone Arch Bridge in de verte en de bakstenen fabrieksgebouwen langs de rivier – lang geleden verbouwd om er mensen in plaats van meel en granen in op te slaan. Het was alsof er een oude ansichtkaart over de achtergrond van ranke, moderne hoogbouw heen was geplakt. Jazeker, het was een mooie stad – ook in januari, in het besneeuwde halfduister. Het leek niet te kloppen dat hier ook zulke afgrijselijke moorden werden gepleegd.

Hij bleef zo lang mogelijk staan en begon toen als een idioot naar de andere kant van de brug te trappen. Pas toen hij twee flinke schuivers over de bevroren sneeuw had gemaakt, moest hij zichzelf bekennen dat hij dat hele eind op zijn fiets nooit haalde. Hij draaide zich om en keerde terug naar huis.

Het pad dat Roadrunner op zijn oprit had schoongeveegd was perfect voor zijn mountainbike, maar lang niet breed genoeg voor de veel te dikke banden van Harleys Hummer. Maar omdat bergjes van anderhalve meter voor deze tank kinderspel waren, reed hij gewoon regelrecht door naar de voordeur en beukte op zijn toeter.

Roadrunner wuifde naar hem vanuit het voorraam van zijn kleurrijke, victoriaanse woning op Nicollet Island, trok de blinden dicht en haastte zich naar de deur. 'Bedankt voor de lift,' zei hij, toen hij licht hinkend de enorme truck in was geklauterd en zich had vastgesnoerd.

'Niet te geloven, dat jij zo stom was om vandaag op je fietsje te willen komen! Hoe is het nu met je knie?'

Roadrunner voelde aan het kloppende ganzenei dat hij aan zijn valpartij had overgehouden en huiverde. 'Gaat wel; ik heb er ijs op gedaan. Ik móést het wel proberen: er rijden vandaag helemaal geen taxi's of bussen.'

'Jij moet echt eens aan de auto, man,' zei Harley, met een teder klopje op zijn stuurwiel. 'Met zo'n lekkertje ziet je leven er meteen anders uit. Wie weet krijg je dan eindelijk ook eens een date!'

'Dit ding is gewoon obsceen! Ik kan het nog steeds niet geloven dat jij zoiets hebt gekocht.'

'Ach, je moet het zo zien: ik ben een grote vent, dus heb ik ook een grote auto nodig. Trouwens, ik woon toch niet in Los Angeles en rij er kids mee van en naar de voetbaltraining? Dit is een echt wintervoertuig. En wij wonen nu eenmaal in Minnesota.'

'Maar je had toch ook een hybride kunnen kopen? Ze hebben tegenwoordig ook heel aardige hybride suv's.'

'Ja hoor. Die zijn aardig als je een hekel aan auto's hebt. Zie jij Arnold Schwarzenegger al in een hybride? Nee dus!' Harley zette de Hummer in zijn achteruit en gaf een dot gas: het ding bewoog amper toen het zich door de ijsrichel heen vrat.

Roadrunner rolde met zijn ogen en gaf de strijd op. 'Waarom wil jij vandaag eigenlijk zo graag werken? Ik dacht dat het je verveelde.'

'Dat was ook zo. Maar ik ben op iets heel mafs gestuit, rond dat gedoe met die sneeuwmannen in dat park gisteren.'

'Wat dan?'

'Nou, puur voor de gein had ik gisteren voor ik naar bed ging dat misdaadstatistiekenprogramma van ons ingeplugd. Ik wilde het gewoon wat over het internet laten crossen, om te zien of er al eens eerder een gek lijken in sneeuwpoppen had gestopt. Toen ik vanmorgen opstond en de uitdraai bekeek, bleek er na zes uur draaien slechts één dingetje te zijn gevonden: een of ander doodlopend stukje uit een chatroom, waar ik niet veel kaas van kon maken, maar de titel luidde "Sneeuwmannen Minneapolis" en de tekst – in blokletters: "Vermoord ze nu het nog kan. Stop ze in een sneeuwman".'

Roadrunner haalde zijn schouders op. 'Nou en? Er zitten duizenden idioten op het net dat soort zieke dingen uit te kramen.'

'Honderd procent mee eens. Maar... dit berichtje was gepost om negen uur *Central Standard Time*: gisterochtend.'

'Oké... En wat zegt dat dan?'

Harley keek hem geïrriteerd aan. 'Dat zegt heel wat. Denk nou eens na, man. Gino en Magozzi hebben die lichamen 's middags pas gevonden, drie uur ná dat bericht. Iemand wist dus van die lijken, lang voordat ze werden ontdekt!'

Nu pas viel Roadrunners mond open. 'Mijn hemel, Harley. Wat heb je gedaan? Ben je die chatroom binnengegaan; heb je dat lijntje nagetrokken?'

'Dat heb ik geprobeerd, ja! Maar ik kwam er met geen mogelijkheid in.'

'Ach, kom nou...'

'Nee, ik meen het serieus! Het is om knettergek van te worden, maar die URL's bleven maar veranderen, steeds weer een andere code. Ik denk dat ze dat ding zo hebben geprogrammeerd dat het de een of andere stupide lus maakt. Kun jij je de laatste keer nog herinneren dat ik een site niet gehackt kreeg?'

'Dat is toch nog nooit gebeurd?'

'Dat bedoel ik!'

Roadrunner begon nerveus met zijn ogen te knijpen, zoals altijd wanneer hij van streek was. 'We móéten een manier zien te vinden, Harley. We moeten dat lijntje zien te ontrafelen en dan Magozzi bellen.'

'Nu weet je dus waarom wij vandaag moeten werken.'

Toen Harley en Roadrunner het Monkeewrench-kantoor op de tweede verdieping van Harleys landhuis aan Summit Avenue betraden, was Grace al druk aan het proberen toverkracht te ontlokken aan een van hun computers. Annie Belinsky stond achter haar – haar glorieus gevulde lichaam gevangen in een roodfluwelen jurk met hermelijnen bontrand en bijpassende knielaarzen met naaldhakken.

'Al wat gevonden?' vroeg Harley terwijl hij zijn jack van zich af schudde en op de grond liet vallen.

Annie schudde geërgerd haar hoofd. 'We benaderen het probleem vanuit alle mogelijke hoeken. Een paar minuten geleden lukte het Grace eindelijk door een firewall heen te breken, maar terwijl ik van mijn bureau naar het hare liep, had hij haar er alweer uit gegooid.'

Grace duwde haar stoel weg van het bureau en wreef door haar ogen. 'En ik heb net ontdekt hoe dat komt: d'r zit nóg een firewall achter die eerste... en dan volgt er waarschijnlijk nog een. Wij hebben verdorie in het afgelopen kwartaal maar liefst zeven bedrijven van een perfecte netwerkbeveiliging voorzien. En deze stomme chatroom is haast net zo zwaar beveiligd als de systemen die wij maken – beter misschien zelfs.'

Annie klikklakte terug naar haar eigen bureau en maakte haar scherm leeg. 'Ik heb er zo'n hekel aan als ik niet mag meepraten. Stuur mij die URL eens, Grace. Kan me niet schelen hoeveel firewalls ze hebben: ik douw ze één voor één omver – net zolang tot ik binnen ben.'

'Ik heb 'm al naar iedereen gemaild, dan kunnen we er tegelijk aan werken. Maar het gaat nog wel even duren eer...' Ze werd onderbroken door de telefoon en nam meteen op toen ze op de display POLITIE MINNEAPOLIS zag staan. Ze luisterde even en zei toen: 'Zeg me die naam maar en geef ons vijf minuutjes.' Toen hing ze op, draaide haar stoel en keek de rest ernstig aan. 'Vergeet die chatroom maar even. Dat was Tommy Espinoza van de politie van Minneapolis. Hij heeft heel rap onze hulp nodig.'

'Iets met die sneeuwmanmoorden zeker?' vroeg Annie.

'Nee, een heel andere zaak. We moeten een vrouw zien te vinden... voordat haar ex dat doet.'

'Hoe erg is het?'

'Klinkt alsof het behoorlijk uit de hand kan lopen.'

Harley wekte zijn scherm weer tot leven door met zijn muis te bewegen. 'Roep maar wat we hebben.'

'Alleen een naam: Julie Albright.'

'O, fijn. En weten we in welke staat ze zit?'

'Laten we maar beginnen bij Minnesota.'

'Waarom heeft de politie zo'n moeite haar te vinden?' wilde Roadrunner weten.

'Ze zit ondergedoken.'

'Maar als zelfs de politie niet weet waar ze zit, hoe kan die ex haar dan vinden?'

'Omdat die een stel dossiers heeft gestolen. Hij weet waar ze uithangt.'

'Maar de Belastingdienst ook,' zei Harley. Zijn vingers vlogen al over het toetsenbord. 'Waarom heeft Espinoza het daar niet geprobeerd?'

'Heeft hij wel, maar haar dossier is verzegeld.'

Harley liet zijn handen op zijn schoot vallen. 'Hè jakkes, Grace, die vertrouwelijke dossiers zijn verschrikkelijk lastig te kraken. Dit gaat wel wat langer duren dan vijf minuten.'

'Dan moeten we maar gauw beginnen.'

Tien minuten later, terwijl de anderen nog op hun toetsenborden zaten te rammelen, klapte Annie al in haar handen en riep: 'Gevonden! Hé, moet je zien: het adres is Bitterroot.'

'Óns Bitterroot?' vroeg Grace.

'Precies; in Dundas County.'

Harley trok een vies gezicht. 'Die stek in de rimboe waar we afgelopen najaar al die hightech beveiliging hebben aangepakt? Wie woont er nou op een bedrijfsterrein?'

Grace pakte de telefoon en begon Tommy Espinoza's nummer in te toetsen. 'Ze zal haar werk wel als postadres gebruiken. Zij zit ondergedoken, weet je nog?'

16

Tegen de tijd dat Gino en Magozzi aan de terugreis naar de Cities begonnen, sneeuwde het niet langer. De grijze wolken waren in oostelijke richting weggetrokken, naar Wisconsin. En nu beweerde Gino ineens dat dit landschap hem beter was bevallen toen het nog door de sneeuw aan het oog werd onttrokken. Hij keek naar de witte velden en de verspreid liggende boerderijen met de argwaan van iemand die door een ver, vreemd land rijdt.

'Ik weet het niet, hoor, Leo, maar ik vind het platteland echt oer-lelijk: niks dan kale vlakten, niks om naar te kijken.'

Magozzi glimlachte – maar dat kwam vooral omdat hij lekker in een warme auto terug naar de stad reed én omdat de sneeuwploegen sinds die akelige heenrit de wegen eindelijk hadden schoonge-veegd. 'In de zomer komt van die zogenaamde kale vlakten anders aardig wat spul dat zorgt dat jij zo'n lekker gevulde vent blijft.'

'Ach, ze konden hier beter wat maïsvelden omploegen en een stel restaurants uit de grond stampen. Ik zweer je dat het water me in de mond liep, toen we net langs die koeien reden!'

'Nog maar acht kilometer naar Dundas City, en die tent die Sampson ons aanraadde.'

Gino snoof. 'Ja hoor, *The Swedish Grill*. Dat moet een geintje van hem zijn geweest. Heb jij – behalve in de *Muppetshow* – ooit een echte Zweedse kok gezien? Da's niet voor niks, hoor! En heus niet alleen omdat al het eten daar wit is. Nee, de Zweden hébben helemaal geen keuken, laat staan smaak. En ze zouden al helemaal nooit iets grillen.'

'Zal ik er dan maar gewoon langsrijden?'

'Nee, man! We kunnen wel doodhongeren voor we weer iets tegenkomen.'

Ze passeerden een groepje huizen dat zich een dorp noemde (één keer met je ogen knipperen en je was er alweer voorbij). De naam

ervan kon Gino niet eens uitspreken: er stonden allerlei maffe letters in – O'tjes met een umlaut en strepen erdoorheen en zo. Een
ander bord maakte schreeuwerig melding van de veelbelovende
zusterband met een stadje in het moederland. Ook die naam kreeg
Gino niet uit zijn strot.

Een eind verderop las Gino van een uithangbord: "Carl Moberg
heeft hier nog geslapen." Nou en? Wie ís dat en kan het ons wat
schelen waar hij heeft geslapen?'

'Carl Moberg is een beroemde Zweedse schrijver.'

'O? Wat heeft hij dan geschreven?'

'*De emigranten*; over de ontberingen van de eerste kolonisten in
Minnesota.'

'O ja, ik geloof dat ik die als film heb gezien. Dat is toch die ene,
waar ze in een sneeuwstorm stranden, hun paard opensnijden en
hun kind erin stoppen, om te voorkomen dat het doodvriest?'

'Ik geloof dat het een os was.'

'Kan ook. Daar heb ik verdorie nog een jaar nachtmerries van
gehad! Dan vraag je je helemaal af waarom iemand zich hier ooit
heeft willen vestigen.'

'Gewoon; briljante pr. De gouverneur had kolonisten nodig voor
zijn fonkelnieuwe staat. Dus begon hij gratis land uit te delen aan
iedereen die het hebben wilde. Hij verzweeg de strenge winters en
de muggen, en legde de nadruk op het vruchtbare land en de fjord-
achtige omgeving. Hij verkocht het als een soort thuis-in-den-
vreemde en dat werkte als een tierelier in het moederland: bij bosjes kwamen ze uit Scandinavië hierheen.'

Gino staarde sceptisch naar het dorre landschap van sneeuwbanken, bevroren meertjes en skeletachtige bomen. Hij moest weer
denken aan dat dode paard (of os of wat het ook alweer was geweest). 'Nou, dan moeten ze goed kwaad zijn geweest toen ze hier
aankwamen. Hoe weet jij dit soort dingen eigenlijk?'

'Ik heb gewoon opgelet bij geschiedenis. Maar waarom weet jij dit
soort dingen dan niet? Is Rolseth niet ook een Scandinavische naam?'

'Mm, ik ben er altijd van uitgegaan dat-ie Duits was. Maar weet
ik veel? Als je bedenkt hoe die Vikingen tekeergingen, moet zo'n
beetje iedereen wel wat Scandinavisch bloed in zich hebben.'

'Daar zit wat in.'

Ze naderden blijkbaar opnieuw een of ander stipje op de kaart, want er begonnen langs de weg wat bars, tankstations en onduidelijke bouwsels op palen op te duiken. Gino tuurde naar buiten en snoof ineens geamuseerd.

'Wat is er?'

Gino grijnsde wat onnozel en wees. 'Daar staat een heel grote theepot.'

En Magozzi zag inderdaad een watertoren, die idioot genoeg precies de vorm had van een ouderwetse theepot, compleet met Rosemaled-bloemmotiefje. Erop stond te lezen: VÄLKOMMEN IN AMERIKA'S KLEIN-ZWEDEN. Hij grijnsde nu ook. 'Shit, het is nog waar ook.'

'Dat moet wel de enige in zijn soort op de hele wereld zijn.'

'Dat hoop je dan maar.'

'Kom op, niet zo flauw. Er zit vast een of andere diepere betekenis achter.'

'Of niet.'

'Tja. Maar hij is uniek, dat moet je toegeven. En hoe vaak heb jij bloemen op een watertoren zien staan? Dat maakt water drinken toch tot een heel andere ervaring, vind je niet? Ik bedoel, bij White Bear hebben ze een beer op hun watertoren staan en daar moet ik altijd denken aan een beerput.' Er klonk een gedempt piepje. Gino haalde zijn mobieltje uit zijn zak. 'Halleluja! Dat kreng heeft eindelijk een signaal gevonden.'

'Het is aan het opklaren. Of misschien zitten we net in de buurt van de enige toren in de wijde omtrek. Je kunt maar beter snel praten.'

Gino knikte en drukte op de snelkeuzetoets. 'Ja hoor: een hele berg berichtjes van kantoor terwijl dit ding in coma lag. Misschien hebben Tinker en McLaren de zaak al wel opgelost en kunnen we nu lekker met vakantie. Hoi, Tinker. Zeg, wij zijn al op de terugweg, hoor. Hoe gaat het daar? Hoe bedoel je: omdraaien? We zijn net vertrokken! Het is hier net de derde wereld: amper telefoontorens, maar wel gigantische theepotten en huisjes midden op het meer... Ja oké, blijf even hangen.' Gino haalde zijn notitieblok en een pen tevoorschijn en begon te krabbelen terwijl hij naar zijn collega luisterde.

Het telefoontje duurde lang en Gino zweeg het grootste deel van de tijd, wat volgens Magozzi een goed teken was – waarschijnlijk een doorbraak in de Minneapolis-zaak. Tegen de tijd dat hij de parkeerplaats van *The Swedish Grill* op draaide vertelde Gino Tinker net over hún sneeuwman op het bevroren meer.

'...nog steeds niet duidelijk of het om dezelfde dader gaat. Die vent z'n borstkas lag helemaal open, dus beslist geen tweeëntwintiger zoals bij Deaton en Myerson. En het gaat hier ook niet om een politieman – al hield hij zich wel bezig met criminaliteit; hij was reclasseringsbeambte in Minneapolis, ene Steve Doyle. Tinker? Hé, Tinker... ben je er nog?'

En toen zweeg Gino weer en luisterde aandachtig. 'Wij regelen het hier allemaal wel,' sprak hij ten slotte. 'Probeer jij er intussen achter te komen waar Weinbeck vrijdagavond was, toen Deaton en Myerson werden neergeschoten. Ik bel je nog.' Hij klapte het telefoontje dicht en keek Magozzi aan. 'We moeten terug naar de sheriff.'

Magozzi trok zijn wenkbrauwen op. 'Wil je niet eerst eten?'

'Geen tijd voor.' Gino zette de lichtbalk op het dak aan. 'Jij rijdt, ik vertel.'

Magozzi slingerde de parkeerplaats af en scheurde zo hard als hij kon de weg naar Lake Kittering weer op.

'Steve Doyle wordt sinds gisteren vermist. Zijn laatste afspraak was met een smeerlap genaamd Kurt Weinbeck, vers van Stillwater, waar hij zat voor de bijna-moord op zijn hoogzwangere vrouw. Weinbeck is nooit gezien bij het reclasseringscentrum waar hij zou worden opgevangen. Doyles kantoor was overhoopgehaald, er lag een beetje bloed en zijn auto stond niet meer op de oprit. En Weinbecks dossier, met daarin de contactgegevens van zijn ex-echtgenote, ontbrak – reden genoeg voor Tinker om te denken dat hij achter zijn vrouw aan is gegaan. En raad eens? Zij woont in Dundas County, op een of andere plek die Bitterroot heet.'

'Weinbeck zou dus Doyle hebben omgelegd?'

'Daar lijkt het wel op.'

'Maar met een tweeëntwintiger blaas je niet zo'n gat in iemands borst.'

'Weet ik. Hij is dus waarschijnlijk niet ook ónze sneeuwmanmoordenaar. Maar Tinker vertelde dat in Doyles kantoortje de tv nog aanstond. Rond de tijd van Weinbecks afspraak was er op dat kanaal een hele reportage over het parkdebacle. Die kán hij natuurlijk gezien hebben en vervolgens hebben geredeneerd dat hij die moord mooi in de schoenen van onze moordenaar kon schuiven, door simpelweg een sneeuwman om Doyle heen te bouwen.'

'Misschien. Of hij heeft gewoon een ander wapen gebruikt. Misschien heeft hij ze allemaal wel omgebracht.'

'Niet erg waarschijnlijk, maar dat zou helemaal prachtig zijn: alles netjes in één pakket. Kan ik om zes uur alweer achter een bord van Angela's zalige spaghetti zitten.'

'Maar da's natuurlijk wat al te mooi om waar te zijn.'

'Weet ik ook wel! Huiselijk geweld is het enige op Weinbecks strafblad. En dat soort lafbekken knalt meestal geen agenten neer, maar Tinker en McLaren onderzoeken het toch. Maar goed, even terug naar Weinbecks ex-vrouw, die zich tegenwoordig Julie Albright noemt. Toen Tinker belde om haar te waarschuwen, wimpelde zij hem af. Ze beweerde dat ze zich helemaal geen zorgen maakte. Dat geloof je toch niet?'

'Misschien verandert ze wel van gedachten als ze hoort dat haar ex zijn reclasseringsbeambte heeft vermoord om haar te vinden.'

'Zou voor míj voldoende zijn. Maar goed, Tinker wil dus dat wij bij haar langsgaan, om te zien of we haar zover kunnen krijgen dat ze zich onder strenge bewaking stelt – door de politie daar of hier. Zo'n type als Weinbeck, daar moet je niet mee spotten.'

'Misschien houdt zij hem wel verstopt. Zou niet de eerste keer zijn.'

'Had ik ook al bedacht, ja.'

17

Iris zat in de veel te grote leren stoel in het sheriffkantoor – háár kantoor dus – en nam nog een hap van haar pindakaas-met-augurkboterham. Ze voelde zich nogal schuldig dat zij hier lekker zat te eten, terwijl op het meer onder haar raam het BCA-team hard werkte aan de smerige nasleep van de gewelddadige dood van een mens. Telkens als ze haar ogen sloot, zag ze dat gruwelijke bevroren gezicht van Steve Doyle weer voor zich. Toch at ze maar door van die rotboterham. Ze spoorde gewoon niet!

Het papier voor haar was helemaal volgepend met aantekeningen, gemaakt tijdens haar telefoontje met rechercheur Rolseth. Als ze er alleen al naar keek, kreeg ze al hoofdpijn.

Het mooie eraan was dat als deze Kurt Weinbeck werkelijk de moordenaar van Steve Doyle was – en zo klonk het zeker – dan was daarmee haar eerste moordzaak nu al opgelost. Het slechte nieuws was echter dat die vent nog steeds vrij rondliep, en waarschijnlijk ergens in háár county, waar hij een van háár inwoners stalkte, en het was daarom háár verantwoordelijkheid hem op te pakken voor hij nog meer slachtoffers kon maken.

Ze zakte zo diep weg in de zachte stoel dat ze het gevoel kreeg erdoor te worden opgeslokt; ze kwam niet eens met haar voeten aan de grond. Dat móést een teken van boven zijn: ze paste niet in deze stoel, ze paste niet in dit kantoor, ze paste niet in deze baan. Haar laatste hap voelde als een stuk baksteen, de pindakaas plakte aan haar gehemelte.

Toen ze beneden kwam, stond Sampson al in de hal. De rechercheurs uit Minneapolis stapten net weer door de voordeur naar binnen. Magozzi schonk haar een knikje van herkenning; Iris knikte terug. Dat, zo besloot ze, was het geheim van communiceren met mannen: wanneer mogelijk, gebruik signalen in plaats van woorden. Woorden brengen ze maar in de war.

Magozzi vond Iris Rikker er wat uitgeblust uitzien. Geen wonder: op haar eerste dag als sheriff van een vredige plattelandscounty zat ze al opgescheept met een lijk én wellicht een moordenaar die ergens rustig afwachtte tot hij de stand op twee kon brengen. Dat had ze niet voorzien toen ze haar naam op die kandidatenlijst liet zetten.

Sampson daarentegen deed verbazingwekkend onverschillig. Opkijkend van het strikken van zijn schoenen zei hij: 'Ik heb Julie Albright al gebeld, om haar te laten weten dat we eraan komen.'

Gino stond met zijn laarzen op de reeds doorweekte deurmat te stampen. 'Onze man had haar ook al gesproken. Hij zei dat het nog wel eens lastig zou kunnen worden om haar zover te krijgen dat ze zich ter bescherming laat opsluiten.'

'Dat heeft hij goed bekeken; zij denkt dat ze in Bitterroot veilig zit.'

Gino's gedachten vlogen terug naar twee dagen geleden, naar die parkeerplaats bij het vliegveld, waar ze een vrouw meer dood dan levend uit een kofferbak hadden gehaald. Zij had ook gedacht dat ze veilig was. 'Je bent als vrouw nergens veilig als er zo'n smeerlap achter je aan zit. En deze is nog erger dan de meesten: hij is zelfs bereid anderen te doden om bij haar te kunnen komen. We zullen moeten zorgen dat we met zijn allen op dezelfde golflengte zitten als we met die Julie Albright praten, anders krijgen we haar nooit onder onze vleugels.'

Sampson kwam weer rechtop en trok zijn riem onder zijn parka goed. 'Het is alleen zo dat ik niet weet of er wel een plek bestaat die half zo veilig is als waar ze nu zit. Ga eerst maar eens kijken in Bitterroot; zien wat jullie ervan zeggen. Bent u er wel eens geweest, sheriff?'

Iris schudde slechts haar hoofd – precies volgens haar eigen nieuwe regels.

'Dan rij ik wel. En u kunt misschien maar beter met ons meerijden, heren. Het is best lastig te vinden als je de weg niet kent.'

'Prima,' zei Magozzi. 'Hoe ver rijden is dat dorp?'

'Het is geen dorp, maar een bedrijf.' Sheriff Rikker rukte geërgerd aan de rits van haar parka. 'Volgens inspecteur Sampson wonen er werknemers op het terrein. En Julie Albright is een van hen.'

'Tien minuten in vogelvlucht,' zei Sampson. 'Twintig met de auto.'

'Weet je dat ik dat nou nooit heb gesnapt?' zei Gino, met een verlangende blik naar de broodjeszak naast de telefooncentrale. 'Als vogels altijd sneller zijn, waarom hebben ze dan bij het aanleggen van de wegen niet gewoon zo'n beest gevolgd?' Zijn maag rommelde duidelijk hoorbaar. Sampson glimlachte.

'Te veel meren en moerassen; en de wegen kronkelen daar als een idioot omheen. Zelfs de plaatselijke bevolking heeft de helft van de tijd een kompas nodig om te weten welke kant ze op gaan. Pak die zak eens, wilt u, rechercheur? Ik hoor dat we allemaal onze lunch hebben overgeslagen.'

Gino legde zelfs een hand op zijn hart – een gebaar dat bij hem enkel door eetlust kon worden ingegeven.

Tien minuten later manoeuvreerde Sampson de grote county-suv over een smalle slingerweg met aan weerszijden zeker drie meter hoge sneeuwbanken. Sheriff Rikker zat zich naast hem vast te klampen aan haar notitieboekje alsof het een airbag betrof; Magozzi en Gino zaten op de achterbank, tot Gino's grote geluk. Zoals hij het zag, waren degenen voorin het eerst de klos wanneer ze tegen een van die sneeuwbanken op knalden. Hij leunde naar voren en blies wat puddingbroodjesadem richting de voorbank.

'Moet dit een weg voorstellen? En wat doen we eigenlijk als er een tegenligger komt?'

'Plaats zat,' bromde Sampson, terwijl hij hard op de rem trapte voor een scherpe bocht en ze een flinke schuiver maakten. 'Lijkt smaller doordat de sneeuw zo hoog ligt.'

Gino snoof. Daar trapte hij dus echt niet in. In de ogen van iemand die gewend was aan zesbaans stadssnelwegen, was dit alsof ze de witte keelholte van een enorm monster binnenreden.

'En het wegdek is uitstekend,' voegde Sampson eraan toe. 'Brutogewichtnorm voor twintigtonners, omdat er van hieruit zoveel wordt verscheept.'

'Bedoel je dat we op dit karrenspoor zelfs een truck met oplegger zouden kunnen tegenkomen?'

'Nee... op een zondag waarschijnlijk niet.'

'Wat een afgelegen locatie voor een bedrijf! Je zou toch denken dat ze zoiets langs de grote weg leggen; niet ergens midden in de bush-bush? Zeg, wil iemand het laatste puddingbroodje met me delen?'

Een minuut of tien verderop werd de weg eindelijk wat minder kronkelig. Magozzi en Gino zagen in beide richtingen zo ver het oog reikte een hoge omheining. Toen ze dichterbij kwamen werd het nog interessanter.

Magozzi gaf Gino een por. 'Moet je eens boven op dat hek kijken.'

Gino leunde over zijn partner heen om uit het raam te turen. 'Hè? Wat zijn dat voor dingen?'

'Lijkt op de camera's die Grace overal in huis heeft hangen.'

'O, fijn: een heel bedrijf dat net zo paranoïde is als Grace MacBride. Wat maken ze hier in vredesnaam, sheriff?'

Iris zat eveneens te staren naar het hekwerk en de camera's die daar om de zes meter op bevestigd waren. Ze snapte niet waarom het hier zo zwaar beveiligd was. 'Voor zover ík weet, gewoon organische producten, zoals voedingsmiddelen, cosmetica en dergelijke. Ik heb wel eens wat besteld via hun website.'

'Als je het mij vraagt, ziet het er eerder uit als een militaire basis. Of een gevangenis of zo... Hallo! Moet je dát zien.' Ze stopten voor een kolossale poort. Aan de linkerkant stond een bakstenen wachthuisje, waaruit een kleine vrouw op laarzen en in een dikke parka op hen af kwam lopen. 'Ze is bewapend, Leo.'

'Ja, dat zie ik ook wel.'

'Ze hebben hier hun eigen beveiligingsteam.' Sampson draaide zijn raampje naar beneden. 'En allemaal met een wapenvergunning.'

De bewaakster duwde haar capuchon naar achteren en boog zich naar het autoraam. Ze keek langs Sampson heen alsof hij er helemaal niet zat. 'Sheriff Rikker?'

'Dat klopt.'

De vrouw glimlachte breed. 'Gefeliciteerd met uw verkiezing, sheriff! Geweldig om kennis met u te mogen maken.'

Het viel Magozzi op dat Iris nogal beduusd leek. Ze had duidelijk geen felicitaties verwacht.

'O, dank u zeer.'

'En u staat borg voor uw passagiers?'

'Jazeker, dit is inspecteur Sampson...'

'Ach kom op, Liz,' onderbrak Sampson haar. 'Doe niet zo moeilijk. Die twee achterin zijn van de politie van Minneapolis; zij geven hun wapens ook niet af. Maar als je per se wilt, mag je mij wel fouilleren.'

'Mm, verleidelijk... maar toch maar niet. Meteen door naar het kantoor, hè!' bracht ze hem in herinnering.

'Ja ja, ik weet hoe het moet.' Hij draaide het raampje weer dicht, wachtte tot een van de elektronische hekken openzwaaide en reed toen verder.

Gino was perplex. 'Ik snap het niet: ze wísten dat we kwamen, zagen dat het een county-wagen was en tóch moesten we stoppen.'

'Ze houden hier iedereen tegen. Ik word er af en toe knettergek van, maar ze zijn er nu eenmaal behoorlijk streng in. Behalve Liz: ik geloof dat zij het alleen maar doet om mij te pesten.'

'Telkens wanneer jullie hiervandaan een noodoproep krijgen, moeten jullie stoppen bij het hek, zodat zij de auto kunnen checken? Maar dat is toch belachelijk?'

'Nou weet je, we worden hier dus nooit naartoe gehaald. Niet één oproep in al die tijd dat ik hier werk en da's toch al vijftien jaar. Dat ik hier een bekend gezicht ben komt alleen maar doordat ik iemand ken die in de woningen achter het bedrijfscomplex woont.'

Terwijl ze binnen de hekken verder reden, zagen ze niets dan bossen en velden om zich heen, alles bedekt met een dikke laag sneeuw. 'Wélk complex?'

'Achter de volgende heuvel.'

En daar was het dan, een groepje modern uitziende gebouwen met een fraaie binnenplaats en een parkeerplaats met veel groen – een bedrijfscomplex zoals er zoveel de buitenwijken van Minneapolis overwoekerden. Maar dit hier lag midden in de rimboe, omringd door een drie meter hoog hek en met bewapende bewakers aan de poort. Het was niet voor het eerst dat Magozzi een bedrijf zag dat intensief werd beveiligd, maar dit leek hem toch een tikje overdreven voor iets waar drilpuddinkjes en talkpoeder werden gemaakt – net als de metaaldetector en nóg een bewapende bewaakster bij de ingang van het pand zelf.

In een groot kantoor naast de hal werden ze opgewacht door een vrouw die door Sampson aan hen werd voorgesteld als Maggie Holland. Zij kon vijfenveertig zijn, maar ook vijfenzestig – dat vond Magozzi tegenwoordig steeds moeilijker in te schatten. Vrouwen uit deze categorie gaven hem altijd een wat ongemakkelijk gevoel, waarschijnlijk doordat de meesten van hen het punt waarop ze nog iets van mannen verwachtten allang waren gepasseerd. Hún dromen zijn niet uitgekomen, dacht hij, en wíj draaien daarvoor op.

Mevrouw Holland begroette hen hartelijk, maar besteedde vooral aandacht aan de nieuwe sheriff, net als de bewaakster bij het hek had gedaan. Iris Rikker had hier blijkbaar een hele fanclub waar zijzelf niets van afwist.

Na al deze uitbundigheid schakelde ze zonder enige overgang over op een veel zakelijker toon: 'Julie Albright gaat niet met jullie mee.'

Gino knikte. 'Dat vertelde ze onze rechercheur aan de telefoon ook al. Daarom hebben we wellicht uw hulp nodig om haar over te halen.'

'Ik vrees dat ik dat echt niet doen kan. Zij zit hier veel veiliger dan bij u; volkomen veilig, om precies te zijn.'

Gino's geduld was altijd erg gauw op, op zo'n grote afstand van Angela's spaghetti. 'Moet u horen, wij hebben uw beveiliging gezien. Maar ik kan u verzekeren dat een hoog hek, een stel bewakers en een metaaldetector misschien bedrijfsspionage of waar u ook maar bang voor bent zullen ontmoedigen, maar die zullen iemand als Kurt Weinbeck echt niet tegenhouden. Hij heeft al iemand gedood om haar te kunnen vinden. Dat hekje van u zal hem niet eens vertragen.'

'Wij hebben nog wel wat meer dan dat hek en een stel bewakers, rechercheur Rolseth.' Mevrouw Holland drukte een knop op haar toetsenbord in, waarop een deel van de muur openschoof en een gigantisch computerscherm zichtbaar werd. Na het indrukken van nog een paar toetsen verscheen daarop een heel mozaïek van live videobeelden.

Magozzi herkende het wachtgebouwtje bij de poort, de parkeerplaats en de hal waar ze zojuist doorheen waren gelopen. Maar er waren nog minstens twintig andere beelden: enkele van buiten en een aantal met kantoortjes en laboratoria die zich ergens in dit pand moesten bevinden. Hij bestudeerde ze stuk voor stuk.

'Dit scherm toont nu de beelden van alle beveiligingscamera's in wat wij Kwadrant 1 noemen. Bitterroot is verdeeld in twintig van zulke kwadranten. Deze worden allemaal gecontroleerd door camera's en bewegingsdetectors, die gelijktijdig – en vierentwintig uur per etmaal – door ons beveiligingsteam in de communicatieruimte worden geanalyseerd. Het systeem is gebaseerd op dat van de casino's in Las Vegas.'

'Zeer indrukwekkend. Hoeveel camera's zijn er?'

'Honderden. Maar omdat het onmogelijk is om elke vierkante centimeter van een terrein van vierhonderd hectare te filmen, hebben we onlangs een softwarebedrijf gevraagd de bewegingsdetectors en camera's aan elkaar te koppelen. Als er nu iets buiten het zicht van een camera beweegt, laten de detectors de dichtstbijzijnde camera zijn beeld direct dusdanig aanpassen dat de beweging wordt gevolgd.'

Gino gaf Magozzi een por en wees druk met zijn hoofd naar het scherm, maar Magozzi had het allang gezien: onderaan in beeld stond een piepklein Monkeewrench-logo.

'Daarnaast wordt er vierentwintig uur per dag over het terrein gepatrouilleerd, met name langs het hek. En dan telt onze beveiliging nog wel een paar lagen, maar ik geloof dat u nu wel een beeld heeft. Geen enkele locatie die u tot uw beschikking heeft, kan Julie deze mate van bescherming bieden.'

Magozzi keek de vrouw aan, terwijl zijn gedachten als een razende tekeergingen: ze raceten langs alle details die hij met zijn politieblik had geregistreerd en opgeslagen. 'Hoeveel Julie Albrights heeft u hier precies wonen?'

Die vraag verraste haar en Maggie Holland zag er niet uit als iemand die dat vaak overkwam. 'Heel goed, meneer de rechercheur!

Nog best een gok, want zoveel heeft u nu ook weer niet gezien...'
Ze wierp een snelle blik op Sampson. 'Of wist u het soms al?'

Magozzi had de blik gezien. 'Nee. En zo'n grote gok was het niet, hoor. Iedereen die ik hier tot nu toe heb gezien was van het vrouwelijk geslacht, inclusief degenen op die beelden daar. Waarschijnlijk niet zo ongebruikelijk voor een cosmeticabedrijf, maar ook al uw bewakers zijn vrouwen, en dat zie je toch niet zo vaak. Voeg daar Julie Albright en die superstrenge beveiliging aan toe... en dan ga je je toch dingen afvragen. Daarbij heeft uzelf een litteken dwars over uw keel dat er wat te slordig uitziet voor een medische ingreep en is uw neus duidelijk meerdere malen gebroken geweest. Dat alles maakt dat ik moet concluderen dat u op zijn minst met zijn tweeën bent.'

Gino had de hele tijd hevig zitten fronsen, in een poging de conversatie te volgen, maar opeens klaarde zijn gezicht op. 'Ach man, het lag vlak voor mijn neus en nóg zag ik het niet. Maar eh, ze zijn met zijn drieën, hoor. De bewaakster bij de metaaldetector had links een paar gebroken vingers die nooit fatsoenlijk zijn gezet – omgedraaid, zo te zien aan de manier waarop ze waren geheeld. Hoeveel nog meer?'

Mevrouw Holland keek hen kalm aan. 'Iedereen hier.' Ze wierp een vlugge blik op Sampson, die naar de grond zat te staren, maar het natuurlijk al die tijd al had geweten. Toen keek ze naar sheriff Rikker, die nog steeds hard haar best deed om alle puzzelstukjes op hun plek te leggen.

Sinds Magozzi het had gezegd, zat Iris naar het litteken op mevrouw Hollands keel te staren. Onvergeeflijk tactloos en helemaal niets voor haar, maar ze kon haar ogen er niet van afhouden. Erover op het nieuws horen en op de opleiding de statistieken zien was één ding; zelfs luisteren naar alle meldingen van huiselijk geweld die bij de centrale binnenkwamen, had nog voor wat afstand gezorgd; maar het bewijs van de werkelijkheid met eigen ogen aanschouwen, was als een harde klap in haar gezicht. Ze had het gevoel dat ze uit haar eigen wereld was opgezogen en midden in een nieuwe was gedropt, waar mannen hun vrouwen niet in de steek lieten, maar finaal in elkaar sloegen.

'Elke vrouw die hier woont is gekomen omdat ze buiten niet veilig was,' vertelde mevrouw Holland.

'Geldt dat ook voor de mannen?' vroeg Gino.

'Er zitten hier geen mannen. Zo blijven de vrouwen veilig.'

Gino fronste zijn voorhoofd. 'Wacht eens even, hoeveel mensen wonen hier eigenlijk?'

'Tegen de vierhonderd.'

'En geen een daarvan is een man.'

'Dat klopt: geen enkele man betreedt dit terrein zonder een dagpasje en een geleide.' Ze glimlachte naar Sampson. 'Zelfs politiemannen niet.'

Gino keek naar Magozzi. 'Mag dat überhaupt wel?'

'Vast. Het is immers een privéterrein. In de stad houden we de mannen uit de blijf-van-mijn-lijf-huizen en dat is in wezen ook waar dit op lijkt: één groot, permanent blijf-van-mijn-lijf-huis.'

Maggie schudde haar hoofd. 'Het is geen blijf-van-mijn-lijf-huis, het is een heel dorp dat toevallig superveilig is. Want dat is wat wij allen zo graag wilden, een plaats waar we niet bang hoefden te zijn voor verkrachting, moord, mishandeling van onze kinderen... Het duurde niet lang voor de grondlegsters van Bitterroot wisten dat ze maar één ding konden doen om al die gevaren uit te sluiten: de mannen uitsluiten.'

De mannen uitsluiten? Magozzi's brein bleef maar tegen die drie woordjes op lopen en slipte als een nutteloos loeiende motor. Hij probeerde te bedenken dat zijn echte werk in de Cities lag, waar hij de moordenaar van twee politieagenten moest zien te vinden en dat Kurt Weinbeck daar waarschijnlijk niets mee te maken had; dat hij een baan, een privéleven en een vrouw had, van wie hij hield, hoewel ze niet met hem wilde praten. Maar hij kon zich moeilijk concentreren: hij bleef die drie verontrustende woordjes maar horen, steeds weer opnieuw. En het ergste was nog wel dat hij het idee had dat hij ze (of iets in die trant) eerder had gehoord.

'Dat is wel een heel extreme oplossing,' wist hij uiteindelijk uit te brengen.

Maggie Holland knikte. 'Maar het ís een oplossing. In de zestig jaar dat Bitterroot bestaat, hebben wij nog nooit te maken gehad met een geweldsmisdrijf. Kunt u één ander stadje in dit land op-noemen waarvan men hetzelfde kan beweren?'

Magozzi zweeg.

'En wanneer u er goed over nadenkt, is het ook weer niet zo extreem.' Maggie richtte haar blik op Iris. 'U woont alleen, is het niet, sheriff Rikker?'

Iris knikte.

'Verschilt wat wij hier doen werkelijk zo enorm van wat u doet? U sluit uw auto af, sluit de deuren van uw woning zodra u thuis-komt, sluit de ramen op de begane grond als u naar bed gaat en laat een vreemde waarschijnlijk ook niet zomaar binnen. Allemaal doodgewone, verstandige voorzorgsmaatregelen die alle vrouwen nemen om zichzelf te beschermen. In Bitterroot doen we precies hetzelfde – alleen op grotere, nog betrouwbaarder schaal – omdat onze inwoonsters nu eenmaal een groter risico lopen.'

'Dus u heeft een gevangenis voor uzelf gebouwd en die gevuld met onschuldigen,' merkte Magozzi op, negatiever dan hij had ge-wild.

Maggie glimlachte, zij het niet erg hartelijk. 'We hebben hier mis-schien wel de beveiliging van een gevangenis, rechercheur, maar die is niet bedoeld om de onschuldigen binnen, maar om de monsters buiten te houden. En dat lukt ons wonderwel.'

Geen speld tussen te krijgen, dacht Magozzi. Als in Bitterroot werkelijk in geen zestig jaar een geweldsmisdrijf had plaatsgevon-den, werkte dit concept blijkbaar verbluffend goed om mensen te beschermen waar hij, Gino, Sampson en sheriff Rikker niets voor konden doen. Maar zoiets gaf je als politieagent nu eenmaal niet graag toe. Hij had er dan ook grote moeite mee niet meteen in de verdediging te springen. Het klopte gewoon niet; de wet zou toch voldoende bescherming moeten bieden en moeten voorkomen dat er een massale uittocht plaatsvond naar een zwaar beveiligde in-stelling, waar San Quentin nog niks bij voorstelde.

Zijn gedachten stonden blijkbaar in koeienletters op zijn voor-hoofd, want Maggie Holland keek hem aan en schonk hem zo'n milde glimlach die mensen altijd reserveren voor idioten die het maar niet willen begrijpen. 'Ik geloof dat het tijd is dat u het echte

Bitterroot te zien krijgt,' sprak ze kalm. Magozzi hapte echter niet toe.

'Wij willen Julie Albright spreken. Daarvoor zijn we hier gekomen.'

'Natuurlijk. Maar Julies dochter is verkouden, dus gaan we naar haar toe, in plaats van haar hierheen te roepen. Het is niet ver en zo kunt u onderweg ook nog wat van het dorp zien.' En toen veranderde haar houding abrupt van een en al zakelijkheid in een en al vriendelijkheid en keek ze ieder van hen aan met zo'n beminnelijke, oma-achtige uitdrukking op haar gezicht, waarvan Magozzi zich kon voorstellen dat de Grote Boze Wolf ook zo naar Roodkapje had gekeken. Het leek potdorie wel een goocheltruc!

18

Magozzi, Gino, Sampson en Iris Rikker volgden Maggie Holland door een gang naar buiten en via een zijdeur een binnenplaats op. De enige voertuigen die er geparkeerd stonden, zagen eruit alsof ze door Walt Disney waren bedacht.

'Wat zijn dát nou?' vroeg Gino. 'Het lijken wel golfcarts die groeihormonen hebben geslikt.'

Maggie lachte beleefd. 'Niet eens zo ver ernaast, rechercheur Rolseth! Ze zijn wel elektrisch, maar hebben de grotere banden en bewegingsvrijheid van een jeep. Bovendien natuurlijk gesloten vanwege ons weertype en groot genoeg om aan ons allen plaats te bieden – als u het niet erg vindt om even wat krap te zitten. Het zijn de enige vervoermiddelen die in ons dorp zijn toegestaan.'

Ze opende een van de wagentjes met een sleutelkaart en ging achter het stuur zitten, terwijl de anderen achter haar naar binnen kropen. Er waren drie rijen van twee stoelen, één aan elke kant. Gino en Magozzi zetten zich achterin en begonnen automatisch naar een gordel te zoeken.

'Die zult u niet nodig hebben, heren,' riep Maggie naar achteren. 'De topsnelheid is vijfentwintig kilometer per uur en daar zijn de wegen hier al te kronkelig voor.'

De verwarming begon meteen te gloeien – het enige goeie van elektrische voertuigen, vond Gino, die nerveus toekeek hoe Maggie het hek van de parkeerplaats met een afstandsbediening opende en een smalle asfaltstrook op draaide, die meteen scherp naar rechts ging – en nergens anders heen.

'Dit is de enige route het dorp in,' hoorde hij Maggie uitleggen aan Iris, die naast haar was gaan zitten. Hij voelde zich net een toerist in een touringcar met zo'n babbelzieke gids. 'Dwars door het bedrijfscomplex met al zijn beveiliging via de afgesloten parkeerplaats deze weg op. En zoals u ziet is deze veel te smal voor gewone auto's.'

Gino tuurde met een norse blik naar de dikke rijen hoge bomen langs de weg, die hij overigens eerder een fietspad zou noemen. 'Degenen die hier wonen, kunnen dus niet met hun eigen auto bij hun huis komen?'

'Dat klopt. Deze weg begint en eindigt op de parkeerplaats die we zojuist hebben verlaten en heeft geen enkele aansluiting op het gewone wegennet.'

'Dus je komt uit de stad met een hele berg boodschappen... en dan? Alles door dat bedrijfsgebouw heen sjouwen om bij die karretjes te komen? Klinkt behoorlijk onhandig, als je het mij vraagt.'

Maggie glimlachte naar hem via de achteruitkijkspiegel – een tikje vals, vond hij. 'Bij lange na niet zo onhandig als een gebroken neus.'

Gino hield zijn mond en keek maar weer naar buiten. Ze reden een woonwijk binnen. Het was net een Amerikaans stadje van honderdvijftig jaar geleden, voordat de straten voor het veranderde verkeer waren verbreed. Het was een idyllisch geheel: allemaal eendere, goed onderhouden huizen die zo van de set van *Leave it to Beaver* leken te komen, compleet met keurige struikjes, alleraardigste lantaarnpalen en een cast van lachende kinderen die met rode wangen in de verse sneeuw speelden. Toen ze het karretje zagen komen, stopte letterlijk iedereen met wat hij aan het doen was en begon te wuiven.

Gino gaf Magozzi een por en fluisterde: 'Wanneer heeft er nou voor het laatst een kind op straat naar jou gezwaaid?'

'Vijf jaar terug. Hij smeet een steen tegen mijn achterruit.'

'Als ik het niet dacht! Moet jij niet ook denken aan die ene film, *The Stepford Wives*?'

Magozzi zuchtte en keek naar het aan hem voorbijtrekkende landschap: een open, parkachtig terrein met een muziektent, een paar speelwerktuigen en er vlak naast een vrij groot bakstenen gebouw dat erg veel op een school leek.

'Dat daar ziet eruit als een school,' hoorde hij Iris zijn gedachten uitspreken.

'Is het ook: meerdere klassen en geheel erkend – voor alle kinderen voor wie de buitenwereld een risico kan betekenen. Maar net zoveel van hen gaan naar een gewone school, hoor.'

De school, de huizen en het park bleken nog maar het topje van de ijsberg, besefte Magozzi toen ze verder reden. Er waren ook winkels: een kruidenier, een schoonheidssalon, een cafeetje, een gezondheidscentrum zelfs. Het was een perfecte reproductie van een perfect stadje; een bedaard kiekje van traditioneel Amerika, althans op het eerste oog. Als je wat beter keek, was het allesbehalve traditioneel. Dit stadje werd uitsluitend bewoond door vrouwen. En ergens stemde dat Magozzi heel erg bedroefd.

Julie Albright begroette hen bij de voordeur van haar huisje. Iedereen, behalve natuurlijk Maggie Holland, moest behoorlijk zijn best doen om niet terug te deinzen bij het zien van haar gezicht, dat eruitzag als een haastig gemaakte legpuzzel. Magozzi had zoiets al tientallen malen eerder gezien, maar telkens schokte het hem weer. En deze vrouw was zo tenger en klein – zeker een kop kleiner dan hij – en had waakzame, behoedzame ogen die nog steeds leken te worden gekweld door een restje doodsangst. Hij vroeg zich af of ze die blik ooit zou kwijtraken.

Haar ogen vonden de zijne en bleven daar rusten. Dat was het gekke van mishandelde vrouwen, dacht hij; hoeveel vrouwelijke agenten ze bij een oproep ook meenamen, het slachtoffer zocht uiteindelijk toch troost bij het geslacht dat haar zo vreselijk had toegetakeld.

'Komt u niet liever even in de woonkamer zitten?'

Ze stonden met zijn vijven op een kluitje op de tegelvloer bij de deur, hun schoenen druipend van de smeltende sneeuw.

'Nee, dank u,' zei Magozzi met een glimlach. 'Zoveel van uw tijd willen wij niet nemen. Wij willen enkel persoonlijk van u horen dat u zich bewust bent van de ernst van de situatie en hebt besloten dat u inderdaad liever blijft waar u bent.'

Julie Albrights glimlach was misschien ooit mooi geweest, maar nu in ieder geval niet meer. 'Heeft u de beveiliging gezien?'

'Die is beslist indrukwekkend. Maar mogen wij u erop wijzen dat uw ex nog steeds niet is opgepakt en dat wij ervan uitgaan dat hij zijn reclasseringsbeambte heeft ontvoerd en vermoord, enkel om u te kunnen vinden?'

Julie knikte. 'Dat heeft Maggie me verteld.'

'Heeft zij u ook verteld dat die beambte hier in Dundas County is vermoord, niet zo heel ver van Bitterroot? Hij weet waar hij zoeken moet, mevrouw Albright.'

Een van haar handen kroop omhoog en voelde aan kronkelige litteken bij haar mond. 'Hij is altijd in staat geweest mij te vinden, rechercheur. Hoe ver ik ook vluchtte, hoe goed ik me ook verstopte, hij vond mij altijd. Daar is hij erg goed in.'

Gino keek over een plantenbak heen een knusse woonkamer in. Hij zag speelgoed op de vloer, een babybox in een hoek en in alle muren ramen. Natuurlijk, de voordeur had een nachtslot, maar wat had je daaraan als je in een glazen huis woonde? 'Luister, mevrouw Albright, u moet één ding heel goed begrijpen: uw ex, een moordenaar, kan nog steeds in de buurt zijn. Het kan me niet schelen hoe goed de grenzen van dit terrein worden bewaakt, als hij een manier vindt om dit dorp binnen te dringen, dan zit u hier gewoon op een schietschijf. Als u het mij vraagt, zit u ergens in de Cities met een stel bewakers een stuk veiliger, ver van hier.'

'Hoeveel bewakers?' vroeg ze.

'Pardon?'

'Hoeveel bewakers krijg ik op die plek in de Cities waar u het over heeft?'

'Dat weet ik niet precies; twee misschien. Eentje binnen en eentje buiten, of wat er ook maar nodig is om die plek goed te beveiligen.'

Ze probeerde opnieuw vriendelijk te glimlachen. 'Ik wil u niet beledigen, rechercheur, maar hier word ik door een heel dorp beschermd.'

Nu begon Gino zich te ergeren. 'Ik wil u ook niet beledigen, mevrouw, maar u heeft hier vierhonderd ongetrainde vróúwen en een enorme lap terrein om te bewaken. Hoe goed hun bedoelingen ook zijn: zij kunnen u nooit beschermen zoals een paar goed getrainde politieagenten in een afgesloten verblijf...'

'Daar heb ik de laatste keer anders ook niet veel aan gehad,' onderbrak ze hem kalm.

Gino's mond sloot zich traag.

'Ik weet dat u het goed bedoelt en ik weet dat er prima mannen bestaan, die alles willen doen om dit te voorkomen. Maar ik hád er twee die mijn woning bewaakten, die nacht dat Kurt binnensloop en me aan flarden sneed. Zij bedoelden het ook goed.'

Gino kneep zijn ogen samen. 'Ja, maar waren dat politiemannen?'

Ze keek hem zeker een minuutlang aan, bijna alsof ze medelijden met hem had. Gino begreep niets van die blik, tot ze antwoordde: 'Ja, dat waren ze: zij waren van de politie van Minneapolis.'

En daar hadden ze eenvoudigweg niet van terug. Sheriff Rikker kon Julie Albright alleen nog verzekeren dat zij zou zorgen dat er extra werd gepatrouilleerd in de omgeving van Bitterroot, net zolang tot Weinbeck was gepakt. Magozzi herinnerde haar er vaderlijk aan alle deuren op slot te houden, altijd een telefoon bij zich te dragen en even geen uitstapjes buiten het complex te maken. Julie knikte beleefd, alsof wat ze zeiden ook werkelijk iets voor haar betekende – ook al maakten ze allen deel uit van het systeem dat al eerder niet in staat was gebleken haar te beschermen.

Gino gaf haar bij het afscheid zelfs een hand, voor hem hoogst ongebruikelijk. 'Blijf ongedeerd,' zei hij erbij en je moest blind zijn om niet te zien hoe zeer hij dat meende.

Ze waren alweer halverwege het pad door de voortuin, toen Julie Iris nariep: 'Ach, vergeet ik u helemaal te feliciteren, sheriff Rikker. Ik heb ook op u gestemd – wij allemaal.'

Tijdens de rit van Bitterroot terug naar het sheriffkantoor bleef het lange tijd doodstil. Maar opeens begon Gino zijn woorden uit te spuwen, als een vulkaan waar de kurk vanaf was gesprongen. 'Mijn hemel, Magozzi, de politie van Minneapolis was erbij toen Weinbeck haar gezicht verbouwde! Hoe voel jij je daarbij?'

'Beroerd.'

'Vertel mij wat! Ik zou wel eens een hartig woordje willen wisselen met de brigadier van de twee idioten die daar toen dienst hadden. Zoiets is toch op geen enkele manier goed te praten? Dat monster had van zijn leven niet meer bij haar moeten kunnen komen! En hoe kan het eigenlijk dat wij daar nooit wat over hebben gehoord? Verdomme, daar had Kristin Keller toch bovenop moeten zitten: "Kolossale blunder van de politie van Minneapolis: kan zijn burgers niet langer beschermen" – dat soort onzin. Man, er móét iemand zijn lichaam hebben verkocht of zoiets, anders hadden we zo'n bom nooit kunnen ontwijken.'

'Ach, zulke dingen gebeuren nu eenmaal,' sprak Sampson kalm – Gino's tirade onderbrekend. 'Wát je ook doet, hoe goed je je best ook doet: als iemand over lijken gaat om een ander iets te kunnen aandoen, dan víndt diegene hoe dan ook een manier.'

Magozzi keek naar het deel van Sampsons profiel dat hij vanaf de achterbank zien kon. 'Zeg, spreek jij soms uit persoonlijke ervaring? Ik bedoel, omdat je zei dat je in Bitterroot iemand kende...'

'Ja, mijn zus. Nog zo iemand die het precies deed zoals het hoorde: ze zorgde voor een straatverbod, verbleef in verschillende blijf-van-mijn-lijf-huizen, maar die vuilak bleef maar achter haar aan komen. En ik, toch ook politieagent, kon mijn eigen zus niet eens beschermen – althans, niet zonder voorgoed de bak in te draaien.'

Iris draaide zich om en bestudeerde zijn gezicht. 'Dus jij kende het hier allang.'

'Sinds een paar jaar.'

'Waarom heb je ons dat niet verteld?'

Hij trok zijn schouders op. 'Ik geloof dat ik vond dat jullie het met eigen ogen moesten zien. Ik hád jullie kunnen zeggen dat Julie Albright daar veiliger zit dan waar dan ook. Ik hád jullie kunnen vertellen wat Bitterroot precies is, dat er in zestig jaar tijd nooit iets is gebeurd. Maar dat zegt nog niet zoveel, tot je de beveiliging daar hebt gezien.'

Gino zat met zijn hoofd te schudden. 'Niet te geloven dat deze plek al zolang bestaat terwijl niemand er ooit van heeft gehoord. Waarom is het eigenlijk een geheim?'

'Dat is het niet echt, maar ze maken er ook niet bepaald reclame voor – nóg een vorm van beveiliging.'

'Maar hoe weten die vrouwen dan dat dit bestaat?' vroeg Iris. 'Jouw zus bijvoorbeeld?'

'Er schijnt wel een soort ondergronds netwerk te bestaan en een website waar je op kunt als je de juiste mensen kent.'

'Veel van hun beveiligingsmateriaal is behoorlijk hightech,' zei Magozzi. 'Allemaal spul dat zestig jaar geleden nog lang niet op de markt was, zoals die bewegingsdetectors en al die camera's. Wat deden ze voorheen om de boel te beveiligen?'

Sampson haalde zijn schouders op. 'Ze hebben altijd al wapens gehad. Volgens Maggie zouden we nog vreemd opkijken als we wisten hoeveel van die smeerlappen met hun staart tussen de benen ervandoor gaan bij het zien van een bewapende vrouw die niet bang in een hoekje wegkruipt, zoals zij verwachten.'

Dat verbaasde Magozzi eerlijk gezegd helemaal niets. De meeste mannen die hun vrouw sloegen werden acuut zeer gedwee als ze werden geconfronteerd met iemand die terugvocht. Er waren echter altijd uitzonderingen; zij die zo uitzinnig van woede waren dat zelfs een gewapende politieagent geen belemmering vormde om nog één keer vertwijfeld naar de betreffende vrouw uit te halen.

Toen hij nog patrouilles reed, was hij een paar maal bij dat soort meldingen van huiselijk geweld ter plaatse geweest. Hij kon zich van geen van die mannen voorstellen dat hij er met de staart tussen de benen vandoor ging zodra hij alleen een wapen zag.

19

Het eerste halfuur terug van Dundas County naar The Cities zwegen Magozzi en Gino – precies waar ze allebei behoefte aan hadden. Magozzi vond dat dat eigenlijk (als het mocht van de anti-discriminatiewet) in de reglementen van de politie moest worden opgenomen: dat mannen altijd een man als partner kregen en vrouwen een vrouw.

In zijn begintijd bij de politie was hij gekoppeld aan een bijdehante agente, net zo goed in haar werk als iedereen die hij kende. Ze had alles onder controle: de slechteriken, de hysterische slachtoffers, haar wapen, haar carrière – behalve haar mond. Het was alsof ze stilte iets heel engs vond, dat ze probeerde te ontlopen door constant te blijven praten. Hij kende niemand die hij zijn leven liever toevertrouwde en toch, na een week of twee met haar in één patrouillewagen, begon hij er al over te fantaseren tegen een boom op te rijden – aan haar kant.

Soms had je als man gewoon stilte nodig, om over dingen na te denken of juist om er niet meer aan te denken. Vrouwen snapten dat niet. Het was een van de tien miljoen dingen die hij maar had geaccepteerd en allang niet meer trachtte te begrijpen. De manier waarop de hersenen van mannen en vrouwen werkten verschilde gewoon. En het was niet dat de ene manier beter of slechter was dan de andere, het maakte alleen omgaan met de andere sekse – op het werk of in een relatie – een stuk ingewikkelder.

'Ach, shit!' riep Gino opeens uit. Magozzi glimlachte: een typisch mannelijke gespreksopening.

'Wat is er?'

'Dat rothorloge staat stil! Weet je dat ik deze dingen haat? Als mijn pa's horloge stilstond, draaide hij het gewoon weer op. Tegenwoordig moet je eerst naar de winkel en in de rij gaan staan, om van een kauwgomkauwend joch een batterij te kopen; geduldig wachten tot hij weet welke erin moet, hoe hij dat ding openkrijgt... Stik, waarom doet de klok op het dashboard het ook al niet?'

'Waarschijnlijk omdat niemand tijd heeft gehad om de gebruiks- aanwijzing van tweehonderd pagina's door te nemen.'

'Nieuwe auto's, nieuwe horloges en nóg kunnen we er niet voor zorgen dat dingen het gewoon doen. Deze wereld gaat echt naar de verdommenis!'

'Op meerdere manieren.'

Gino blies lang uit – alsof hij zijn adem wel een halfuur had in- gehouden. 'Ik moet bekennen, Leo, dat dat Bitterroot me wel een beetje van slag heeft gebracht. Ik weet even niet meer wat ik ervan moet denken. Toen ik Julie Albrights gezicht zag, dacht ik: dit is gewoon water naar de zee dragen. Een paar dagen geleden stonden we nog te jubelen omdat we die vrouw uit die kofferbak redden voordat ze het loodje legde en... Shit, ik weet haar naam niet eens meer.'

'Betty Ekman.'

'O ja. En dan ontdekken we dat er een heel dorp vol Betty Ek- mans en Julie Albrights bestaat! Waarom hebben we díe in vredes- naam niet gevonden vóór ze in een kofferbak werden opgesloten of aan flarden werden gesneden?'

Magozzi sloot zijn ogen. 'Wij doen wat we kunnen, Gino.'

'Is dat wel zo? Waarom hebben vierhonderd vrouwen dan een heel dorp gebouwd om zichzelf te beschermen? Verdomme, hoe moet ik dit Angela nu vertellen? Als ik thuis ben, geeft zij me wat te drinken, een bord pasta waar iedereen een moord voor zou doen, een aai over mijn bol omdat ik me rot voel... Maar al die tijd zal ze me ook aankijken met die droevige reeënblik van: "Waarom doe je er niets aan?"'

'Welnee, zo denkt zij helemaal niet; dat weet je best.'

'Misschien niet. Maar het is wel zo dat zodra je je persoonlijk verantwoordelijk voor één vrouw voelt, je datzelfde voor hen alle- maal gaat voelen. En Bitterroot was wel een erg confronterend ge- heugensteuntje aan hoe vreselijk wij tekortschieten.'

'Misschien moet je Bitterroot dan maar overslaan als je Angela over je dag vertelt.'

'Geintje zeker? Denk jij nou echt dat je dat soort dingen in een huwelijk voor je kunt houden?' Gino had meteen spijt van die opmerking. Hij vergat steeds vaker dat Magozzi ooit getrouwd was geweest; Heather had geen klap om zijn werk gegeven. 'Sorry maat, ik vergeet Heather steeds.'

'Ik wou dat ík dat kon.'

Het was pas even na vijven, maar al aardedonker toen ze in Minneapolis weer op het hoofdbureau van politie arriveerden. Het was niet het ergste van de winters van het Middenwesten, maar het kwam er dichtbij: donker als je 's morgens naar je werk ging, donker als je 's avonds thuiskwam. Magozzi vroeg zich af of hij komend voorjaar nog wel wist wat voor kleur zijn huis had.

De afdeling Moordzaken was zo goed als verlaten. Iedereen was een hapje gaan eten, behalve Johnny McLaren, die bijna helemaal verdween achter de torenhoge bergen papierwerk op zijn bureau. Het rook er naar popcorn uit de magnetron en verbrande koffie. De prullenbakken liepen over van de lege frisblikjes en bakjes van allerlei afhaalrestaurants.

'Hebben we een feestje gemist?' vroeg Gino, zoekend naar restjes.

McLaren keek hem wazig aan. Hij zag er bijna net zo slordig uit als zijn bureau, maar leek oprecht blij hen te zien. 'Ja, de dansmeisjes zijn net weg.'

'Gloria vilt je, Johnny, als ze deze zwijnenstal ziet.'

'Daar hoop ik juist op!' Hij duwde zijn stoel weg van het bureau en onderdrukte een gaap. 'En? Zijn jullie al schietend aan komen rijden? Wordt het pand nog belegerd?'

Magozzi stond bij zijn bureau door zijn memo's te bladeren. De ene helft was van de pers; de andere van huis-, tuin- en keukengestoorden die beweerden dat ze vrijdagavond respectievelijk een ruimteschip vol buitenaardse wezens, het monster van Loch Ness, de Verschrikkelijke Sneeuwman of de geest van Karl Marx in het Theodore Wirth-park een sneeuwman hadden zien bouwen. Niets van Grace – niet dat die ooit een briefje voor hem zou achterlaten. 'Nee, we hebben de auto in de ondergrondse parkeergarage gezet en zijn zo binnengeslopen. Er stonden nog wel nieuwsbusjes op

Fourth Avenue; die blijven daar vast tot het tienuurjournaal staan.'

McLaren schudde geërgerd zijn hoofd. 'Ik heb het vroege nieuws gezien. Man, je had al die kletskoppen moeten horen met hun profielschetsjes: ik wist niet of ik moest lachen of kotsen! Ze hebben nu hun zinnen gezet op een duivelse seriemoordenaar, die als kind is mishandeld terwijl hij naar een kersttekenfilm zat te kijken.'

'Klinkt aannemelijk,' zei Gino, terwijl hij een half opgegeten reep bestudeerde.

'Zeiden ze ook nog iets over die sneeuwman in Dundas County?' vroeg Magozzi, terwijl hij een stoel naar McLarens bureau sleurde en erin plofte.

'Nee. Wonderlijk, toch? Ik weet niet wat jullie hebben gedaan om het buiten de publiciteit te houden, maar het werkt wel.'

'Simpel, er woont daar gewoon geen hond,' zei Gino. 'Je kunt daar rustig een atoombom testen, en dan duurt het nog een maand eer het iemand opvalt dat het kraanwater gloeit. Johnny, die magnetronpopcorn moet je niet meer eten, hoor.' Hij wees op een roestvrijstalen kom die tot de rand was gevuld met onnatuurlijk gele bolletjes. 'Daar gebruiken ze van die nepboter voor, die de rest van je leven in je bloed blijft zitten.'

'Meen je dat nou?'

'Ja, dat heb ik eens gehoord. Waar is Tinker eigenlijk?'

McLaren kromp ineen. Hij realiseerde zich opeens dat Magozzi en Gino het volledige verhaal natuurlijk niet hadden meegekregen. 'Die is naar Steve Doyles vrouw, om haar te vertellen wat er is gebeurd. Hij zei er jou aan de telefoon niets van, maar ik geloof dat die twee behoorlijk goed bevriend waren. Dat is ook hoe hij er lucht van kreeg: mevrouw Doyle belde hem vanochtend in paniek thuis.'

Gino's hand bleef boven de kom met gifpopcorn hangen. 'Verdomme! Ik vónd hem al zo raar klinken toen ik zei dat die sneeuwman uit Dundas Steve Doyle heette. Hoe is hij eronder?'

'Hij heeft het er behoorlijk moeilijk mee. En hij is er natuurlijk erg op gebrand die Weinbeck te pakken te krijgen. Het BCA heeft al een vooronderzoekje gedaan in Dundas, maar tot dusver hebben ze niks-noppes-nada voor het gerechtelijk onderzoek. Hetzelfde geldt voor het lichaam: niets dat Weinbeck onomwonden als de dader aanwijst.'

Magozzi fronste zijn voorhoofd. 'O? Ik dacht dat juist alles richting Weinbeck wees: hij had een afspraak met Doyle, er ligt bloed en er zijn tekenen van een worsteling in zijn reclasseringskantoortje...'

'Ja, oké, we hebben zelfs wat materiaal van Weinbeck op de afstandsbediening van de tv gevonden. Maar het enige dat hij hoeft op te lepelen, is dat hij op zijn afspraak is verschenen, dat hij met Doyle heeft gepraat, dat ze nog wat tv hebben gekeken en dat Doyle springlevend was toen hij vertrok. En zoals het er nu voorstaat, kunnen wij hem dan helemaal niks maken.'

'Maar dat dossier dan, met het adres van zijn ex-echtgenote? Dat is er niet meer.'

McLaren trok zijn schouders op. 'Dat heeft Doyle dan meegenomen. Die ging misschien naar Bitterroot om Julie Albright te spreken en werd onderweg overvallen door een verknipte sneeuwmannenseriemoordenaar.'

Gino maakte een laatdunkend geluid. 'Nonsens.'

'Dat weet ik, dat weet jij; maar we hebben gewoon geen bewijzen. Ach man, wij zitten hier met een officier van justitie die indirect bewijs dat iemand door rood is gelopen al genoeg vindt voor de elektrische stoel... en zelfs díe brandt hier zijn vingers liever niet aan.'

'We moeten dus zien te bewijzen dat Weinbeck in Dundas County is geweest.'

'Dat zou wel helpen, ja: Doyles auto vol met Weinbecks vingerafdrukken of zoiets.'

Gino stak zijn hand weer uit naar de popcorn. 'In Dundas kijken ze wel om zich heen. Dat hoop ik althans: die nieuwe sheriff heeft nog minder werkervaring dan mijn zoontje van twee. Zij probeert hem vast in de fuik te laten lopen door ergens een schaal koekjes neer te zetten met een groot net erboven.'

Magozzi trok een pijnlijk gezicht. 'Ai, jij bent hard!'

'Ach kom op, Leo, dat mens heeft geen flauwe notie, dat weet jij net zo goed als ik. Ze zit nu waarschijnlijk thuis oude afleveringen van *NYPD Blue* te kijken, om uit te vinden wat haar volgende stap moet zijn.'

McLaren keek naar Magozzi. 'Is het echt zo erg?'

Magozzi zuchtte. 'Ze is grasgroen: zo van achter de centrale weggeplukt, geen enkele ervaring in het veld. Maar ik weet het niet, misschien doet ze het nog niet eens zo slecht.'

'Nog niet eens zo slecht?' herhaalde Gino, rollend met zijn ogen. 'Eén blik op een knap gezichtje of deze man bezwijkt al.'

Magozzi schonk hem een woeste blik. 'Ik heb helemaal geen knap gezichtje gezien; ik zag een sheriff.'

'Ja hoor!' bromde Gino. 'Maar goed, als je het mij vraagt: ík heb er nogal moeite mee die sneeuwman uit Dundas te koppelen aan die twee in ons park – wat betekent dat het om twee verschillende zaken gaat... en wij dus een hele dag aan de verkeerde hebben verspild. Weet je, zodra het erop begon te lijken dat Kurt Weinbeck Doyle had vermoord, verscheen er een droomscenario in mijn hoofd: we zouden hem daar vinden, besmeurd met Doyles bloed en met Deatons en Myersons wapens op zak. Maar nu moet ik mezelf bekennen dat dat gewoon niet kan kloppen. De sneeuwmannen lijken niet op elkaar, de gebruikte wapens komen niet overeen en het is ook nog eens zo dat lafbekken die hun vrouw mishandelen meestal geen agenten neerknallen. Ik wed dat Weinbeck dat parkgedoe op tv heeft gezien en toen bedacht dat hij ónze moordenaar ervoor op kon laten draaien, door Doyle eveneens in een sneeuwman te verpakken.'

'Kan ik volgen.' Magozzi zat achterover in zijn stoel, zijn armen gevouwen voor zijn borst, zijn ogen gesloten. Hij opende ze niet toen hij het verhaal overnam. 'Twee zaken: Weinbeck heeft Doyle vermoord en daar mag Dundas fijn voor opdraaien; iemand anders heeft Deaton en Myerson vermoord. En daarom kunnen wij nu maar beter gauw in actie komen, anders heeft sheriff Iris Rikker haar zaak nog eerder opgelost dan wij.' Hij trok één oog open en keek Gino ermee aan. 'En wie heeft er dan een huneur om op te schieten?'

'Onzin! Wij hebben haar zaak al voor haar opgelost; we hebben haar immers verteld wie het heeft gedaan. Het enige dat zij nog hoeft te doen, is hem oppakken.'

Zonder op te kijken van het kunstwerk dat hij op een gebruikt papieren servet aan het creëren was, zei McLaren: 'Of misschien is dat droomscenario van jou niet eens zo gek, Gino. Misschien is Kurt Weinbeck wel wat meer dan de doorsnee vrouwenmishandelende lafbek.'

Magozzi's ogen vlogen nu allebei open. 'Weet jij soms meer dan wij?'

McLaren keek wat ongemakkelijk terug. 'Ach, ik weet het ook niet. Ik vind het maar niks dat die Weinbeck twee agenten heeft gedood, maar er komen steeds meer dingen boven borrelen.'

Omdat McLaren maar bleef krabbelen op zijn servet, boog Gino zich naar voren om te zien waar hij toch mee bezig was. Het was een krokodil in een tandartsstoel, wiens kies werd getrokken... Hu, soms vond hij deze collega nog enger dan de lui die ze van de straat af sleurden. Hij zakte terug op zijn stoel om zijn gevoelige maag wat rust te gunnen, terwijl McLaren verder praatte.

'Ik kreeg vanmiddag een telefoontje van de Narcoticabrigade, over een drugsdealer die op het punt stond voor drie pogingen tot moord de bak in te draaien. Het proces is volgende week en de openbare aanklager heeft vier kroongetuigen, waarmee hij hem met gemak achter slot en grendel moet kunnen krijgen. Twee daarvan zijn degenen die hij heeft proberen om te brengen, samen met iemand die nog in coma ligt. Zij hebben een deal gesloten over hun eigen drugsaanklacht, in ruil voor hun getuigenis tegen deze grote jongen. En raad eens wie de andere twee getuigen waren?'

Gino gooide zijn handen in de lucht. Kon die Ier zijn informatie nu nooit eens gewoon vertellen? 'Tjeempie, ik weet het niet, kolonel Mustard en mejuffrouw Scarlett.'

McLaren grijnsde. 'Ik zal je een hint geven: twee jongens in blauwe pakken, die zo snel ter plaatse waren dat ze de dealer betrapten, net toen hij zijn wapen herlaadde voor nog een dodelijk schot en... ze hielden van skiën.'

'Deaton en Myerson?'

'Bingo, jij hebt de ham gewonnen! En nu moet je de bijnaam raden van die gluiperd die volgende week wordt berecht.'

Gino keek hem woest aan. 'Zal ik eens raden hoe lang het duurt om jou te wurgen, als jij niet gauw uitbraakt wat je ons probeert te vertellen?'

McLaren leek totaal niet onder de indruk. 'Op straat noemen ze hem De Sneeuwman.'

Gino en Magozzi staarden hem allebei zeker een minuutlang aan. Johnny voelde zich daar altijd erg ongemakkelijk bij – en zo deden die twee nogal eens als ze hard aan een zaak werkten en iemand iets zei dat hun gedachten ineens een heel andere kant op stuurde.

Eindelijk verplaatste Gino zijn blik. Hij streek woest door zijn blonde borstelhaar, in een poging nog wat meer hersencellen tot leven te wekken. 'Oké, dus die Sneeuwman moet voor de rechter verschijnen en opeens worden twee belangrijke getuigen tégen hem dood gevonden.'

'Verpakt in een sneeuwman,' voegde Johnny eraan toe – alsof je zoiets kon vergeten. 'Afijn, die andere twee hebben hun dealtje dus meteen laten schieten, nadat de chef vandaag de namen van Deaton en Myerson had vrijgegeven. Ze zeiden dat de politie de boodschap van de Sneeuwman best mocht negeren, maar dat zij dat niet deden; ze lieten zich liever de maat nemen voor een gevangenispak dan voor een kist.'

Magozzi deed hard zijn best om niet meteen toe te happen: er zat vast nog ergens een addertje onder het gras. 'Oké, dan gok ik dat De Sneeuwman ergens in een politiecel zit... of er zit ergens een kink in de kabel.'

Johnny knikte traag. 'Een kleintje: hij zát al in Stillwater – vijf jaar voor drugshandel – en nu krijgt hij ook nog dat proces voor die moordpogingen aan zijn broek.'

'Dat noemt hij een kleine kink!'

'Zou niet voor het eerst zijn dat een huurmoord vanuit de lik wordt geregeld.'

'Riskant, hoor. Er is altijd wel íémand die zijn mond voorbijpraat; ze gaan daar om als kegels – tenzij ze buiten een soort van familienetwerk hebben. Hoe belangrijk is die vent?'

'Niet zo heel erg: toen ze hem pakten was hij nog vrij nieuw in het wereldje van Minneapolis. Maar, het is een Rus en die denken vaak dat *The Godfather* een documentaire was en dat het in Amerika een eitje is om iemand te laten omleggen. Dus heb ik, net voordat jullie binnenkwamen, even Stillwater gebeld en gevraagd naar De Sneeuwman en zijn gevangenismaatjes, bezoekers, dat soort dingen. Blijkt dat hij de afgelopen twee jaar dezelfde celmakker heeft gehad: onze goede vriend Kurt Weinbeck.'

Dat beviel Gino maar niks. Maar de sprongen die McLaren maakte net zo min. 'Ik vind de lijnen die jij trekt zo dun als spinrag, McLaren.'

'Tja, je moet wel buiten de geijkte kaders durven denken. Tuurlijk, Weinbeck zal niet direct je eerste keus zijn voor het uitschakelen van een paar agenten, maar dat proces kwam steeds dichterbij en misschien begon De Sneeuwman 'm toch een beetje te knijpen. Dus beloofde hij zijn maatje-de-amateur wat poen, als hij afrekende met zijn getuigen en die anderen een fikse waarschuwing gaf. Weinbeck handelde dit alles keurig af en dwong toen Doyle hem naar Dundas County te rijden, om zijn eigen zaakje af te handelen. Ik weet dat het allemaal flinterdun is, maar je kunt ook niet om de toevalligheden heen en daarom vind ik dat we er toch even naar moeten kijken. Er is maar één ding dat ik niet begrijp en dat is waarom Julie Albright nog steeds leeft. Hij heeft toch tijd genoeg gehad om haar te grazen te nemen, nadat hij met Doyle had afgerekend?'

Gino en Magozzi keken elkaar aan. 'Misschien dat die sneeuwstorm hem wat heeft vertraagd... of anders Bitterroot,' zei Magozzi. 'Hij had natuurlijk niet op al die beveiliging gerekend.'

'Beveiliging?'

Gino stond op. 'Vertel jij het hem maar. Ik ga Dundas bellen om ze wat tips te geven.'

'Pardon?'

'Zij heeft geen idee wat ze moet, Leo, dat weet jij ook. Moeten wij hier dan gaan zitten wachten, terwijl één zaak zeker – misschien twee – in de wacht worden gezet tot zij eruit is?'

'Maar dat kun je toch niet maken, Gino!'

'Ik zal het heel tactvol doen.'

'Nou, dát kun jij zeker niet. Ga zitten: ik bel wel.'

'Ook goed. Zeg maar dat ze Weinbecks portret op elke koe daar plakt...'

Magozzi liep naar zijn bureau en pakte de telefoon.

'...en dat ze elke eenheid op pad moet sturen om Doyles auto te traceren... en dat ze dat ding als ze het vinden absoluut niet mogen aanraken...'

Sheriff Iris Rikker was moe. Dat wist Magozzi omdat ze bij het opnemen slechts één woord gebruikte.

'Hallo sheriff, Leo Magozzi hier. Moet u horen, er is vandaag een aantal dingen aan het licht gekomen aangaande het onderzoek naar die sneeuwmannen uit het Theodore Wirth-park, waarvan wij vonden dat u er ook van moet weten. Het zijn eigenlijk niet meer dan wat toevalligheden, helaas niks stevigs, maar... er is een kleine kans dat Kurt Weinbeck ook bij deze zaak betrokken is.'

'Aha.'

Wauw, slechts één woord op dat hele verhaal – dat geloofde Gino vast niet! 'Even een paar punten. Ten eerste kan Weinbeck wel eens een stuk gevaarlijker zijn dan wij in eerste instantie dachten – voor iedereen, niet alleen voor zijn ex-echtgenote.'

'Hij heeft hoogstwaarschijnlijk al een moord op zijn geweten, is op de vlucht én gewapend; wij vónden hem al behoorlijk gevaarlijk, hoor.'

Magozzi sloot kort zijn ogen. Of híj was dommer dan hij dacht, of zíj scherper dan Gino dacht. 'Weet ik wel, maar ik wilde gewoon even gezegd hebben dat uw mannen extra waakzaam moeten zijn.'

'Dank u.'

'Een ander punt is dat wij die vent dolgraag aan de tand willen voelen over ónze sneeuwmannen, dus wanneer u hem grijpt, zouden wij het op prijs stellen als u wilt voorkomen dat hij daarbij sneuvelt.'

'Vanzelfsprekend.'

Magozzi kroop nog wat dichter bij de telefoon, een diepe rimpel in zijn voorhoofd. Nu kwam het lastige gedeelte. Hoe informeerde je nu tactisch of zij wel alles deed wat je als politieagent moest doen? 'Eh... heeft u Doyles auto al gevonden?'

Er klonk een zacht gegniffel; Magozzi's frons veranderde in een boze blik. Wat was daar zo grappig aan?

'Ik had u heus wel gebeld als we meneer Doyles auto hadden ge-vonden, rechercheur Magozzi. Alle ploegen zijn opgeroepen en de wegen worden kilometer voor kilometer gecontroleerd – en daar hebben we er hier nogal wat van, dus dat duurt nog wel even. Ver-der zijn er kopieën van Kurt Weinbecks politiefoto gemaakt, die op zo'n beetje elk verticaal vlak in de county worden opgehangen – de plaatselijke politiebureaus helpen daarbij een handje. Dan zijn er nog vier eenheden die continu over de weg rond Bitterroot pa-trouilleren en een aantal agenten die een persoonlijk bezoekje bren-gen aan alle eigenaren van de belendende percelen. Is uw vraag zo een beetje beantwoord?'

'Ik vroeg alleen of u die auto al had gevonden.'

'Dat is wat u zei, ja – maar dat is niet de reden dat u me belde.'

Hij hoorde de glimlach in haar stem; het irriteerde hem enorm. En hij voelde zich geweldig stom.

20

Toen Magozzi om negen uur thuiskwam stond er lasagne in de oven en een goed gevulde salade in de koelkast. Hij doorzocht het hele huis zonder zijn wapen te trekken, waarbij hij zich hoopvol voorstelde hoe Grace zich ergens voor hem verstopt hield, gekleed in haar zwartflanellen pyjama.

Ze nam haar mobieltje al na één keer op. 'Magozzi, het werd onderhand tijd dat jij eens thuiskwam!'

'Waar zit jij? Je hebt eten voor me klaargezet, maar ik dacht dat dat ook betekende dat je met me naar bed wilde.'

Grace lachte nooit hardop, maar hij hoorde haar glimlachen toen ze zei: 'Ik heb je de hele dag proberen te bereiken en heb uiteindelijk maar naar je werk gebeld. Toen hoorde ik van McLaren dat je onderweg was én dat je er weer een sneeuwman bij had. Dus bedacht ik dat je wel iets positiefs kon gebruiken.'

'Het is het liefste wat je ooit voor me hebt gedaan – niks voor jou.'

'Het zijn maar kliekjes, hoor. Wij hebben er hier ook van gegeten. Maar Magozzi...'

'Voor ik het weet, zit jij me hier bij de voordeur op te wachten met een martini en een sexy pakje aan.'

'Magozzi, luister nou, dit is belangrijk! Wij hebben misschien iets gevonden over die sneeuwmannen in het park.'

Hij zette zijn bord neer en was meteen weer ernstig. 'Ik luister.'

'We hebben een zin uit een chatroom geplukt: "Sneeuwmannen Minneapolis: vermoord ze nu het nog kan, stop ze in een sneeuwman." Gepost drie uur voordat jullie de lichamen ontdekten.'

'Mijn hemel.' Magozzi pakte een stoel en plofte erop neer. 'Daar zou onze moordenaar wel eens achter kunnen zitten. Hebben jullie dat lijntje nagetrokken?'

'We komen die hele chatroom niet in! Op zulke zware beveiliging zijn wij nog nooit gestuit. We proberen het al de hele dag en dat blíjven we ook doen. Desnoods werken we de hele nacht door, hier bij Harley. Dus ik moet nu ook gauw terug. Maar laat je mobieltje vannacht en morgen overdag aanstaan; ik bel je zodra we iets hebben.'

Magozzi kon net één hap lasagne nemen, toen er alweer werd gebeld: Gino.

'Een verhaaltje voor het slapengaan, Leo,' zei hij zonder enige inleiding. 'Ik sprak net McLaren. In Pittsburgh hebben ze nu ook al een lijk in een sneeuwman, precies zo een als die van ons.'

Magozzi stopte met kauwen en slikte. Heerlijke lasagne, maar een beetje lastig weg te krijgen. 'Shit! En wat denken ze daar?'

'Zij denken eerder aan een na-aper. Ze belden vooral vanwege alle aandacht rond ónze jongens.'

Toen vertelde Magozzi hem wat het Monkeewrench-team op internet had gevonden.

'Verdomme, Leo, ik wíst dat dat zou gebeuren toen de media er zo bovenop sprongen. Je zult zien dat we nu in het hele land lijken in sneeuwpoppen krijgen. Ga maar gauw slapies-doen; morgen wordt een nachtmerrie.'

Toen hij had opgehangen, liet Gino zich tegen de rugleuning van de bank vallen, waarna de stilte van het slapende huis zich als een warme deken om hem heen wikkelde. De kerstboom was al ruim een week geleden afgebroken, maar Angela kwam met de stofzuiger nog steeds naalden tegen en de geur van dennennaalden hing ook nog in huis.

Hij glimlachte toen een krakende traptrede Helens komst verklikte, een tel later gevolgd door het zachte geluid van zijn dochters sluipende voeten. Het was een ritueel waar ze een paar jaar geleden mee was begonnen, vlak na de geboorte van Het Ongelukje, alias haar broertje. Altijd wanneer hij, als de rest van het huis al in diepe rust was, 's nachts beneden zat – omdat hij had overgewerkt, een zaak hem maar niet met rust wilde laten of gewoon door slapeloosheid – glipte Helen de trap af, om stiekem wat tijd met hem alleen door te brengen. Wat Gino aanging kwam dat zo'n beetje neer op een Oscar voor goed ouderschap: als een vijftienjarige dochter nog steeds graag bij haar ouwe vader zat, dan had die waarschijnlijk tóch wat goed gedaan.

Daar verscheen ze al onder aan de trap, in haar warme winterbadjas. Ze schonk hem een blozende-wangen-met-kuiltjes-glimlach. 'Hoi, pappie.' Toen plofte ze naast hem op de bank en gaf hem een kus op de wang.

'Hoi, liefje. Ik dacht al dat ik jou vanavond niet meer zou zien: toen ik thuiskwam zei je moeder dat je lag te slapen als een roos en te snurken als een os.'

Ze gaf een speelse stomp tegen zijn arm. 'Ik snurk helemaal niet! Maar eh, heb jij je moordenaar al gevonden?'

Helen had nooit veel tijd aan inleidend gebabbel besteed, toch schrok Gino altijd even van haar directheid. Al zou die karaktertrek hem natuurlijk niet moeten verbazen. Zijn dochter had – gelukkig – haar uiterlijk van haar moeder, maar haar innerlijk van hem – zowel de goede als de minder goede eigenschappen. 'Nee, nog niet.'

'Heb je wel aanwijzingen?'

'Daar wordt nog aan gewerkt.'

'Ik wed dat het een seriemoordenaar is,' zei ze stellig. 'Die scheppen altijd graag op met hun trofeeën, weet je.'

Gino kneep zijn ogen dicht en wreef erdoor. Er zwierf tegenwoordig overal zoveel informatie rond: op tv, op internet... Elk kind kon daar maar op stuiten – lang voordat het de gruwelijke betekenis ervan kon plaatsen. Hij wou dat zijn werk zijn dochter niet zo fascineerde en was als de dood dat zij op een dag in zijn voetstappen wilde treden.

'Wat heeft hij nou gebruikt om ze aan die wegwijzers vast te binden?'

'Hoe weet jij dat eigenlijk?'

Helen rolde met haar ogen – het klassieke pubersignaal voor: 'Doe niet zo stom!'

'Ach pappie, dat zeiden ze toch op de tv!'

'Vijftienjarigen moeten helemaal geen tv kijken.'

Ze schonk hem een ondeugende glimlach. 'De hele school heeft jou en oom Leo gisteren op het nieuws gezien. En Ashley vindt oom Leo een lekker ding.'

Gino huiverde. Ze was nog veel te jong voor dit soort gedachten.

'Jij zag er ook goed uit, hoor, pappie.'

'Mm, dank je. Zeg maar tegen Ashley dat Leo haar opa wel had kunnen zijn.'

'Niet waar!'

'Haar vader dan.'

Met haar hoofd schuin bestudeerde ze hem even – zo'n griezelig wijze-vrouwen-lachje rond haar mond, dat hij de laatste tijd steeds vaker bij haar zag. 'Vrouwen van onze leeftijd worden altijd aangetrokken door oudere mannen, pappie. Wist je dat niet?'

O, nee! Gino keek naar dat merkwaardige, prachtige wezen naast hem, in haar pluizige, rode badjas vol dartele, witte rendieren. Kinderbadjas en vrouwengezicht, hij kon het gewoon niet bijhouden.

21

Het was al bijna acht uur, toen Sampson die avond zonder iets te zeggen Iris' kantoor binnenliep en een piepschuimen bakje op haar bureau zette. Iets in de manier waarop hij dat deed, liet haar denken aan haar kat Pucks gloriedagen als jager, toen deze nog midden in de nacht presentjes in de vorm van dode knaagdieren op haar hoofdkussen had gedeponeerd.

'Het is toch geen muis, hè?' vroeg ze, met haar pen in het bakje prikkend.

Sampson keek haar niet-begrijpend aan. 'Nee: de beste kwarktaart van de stad, van Trapper's aan Highway 8. Maar als u liever een muis heeft: die zag ik net nog, beneden in de archiefruimte.'

Iris had zichzelf al de hele dag lopen dwingen tot beleefde nepglimlachjes en schrok even toen ze voelde dat ze oprecht moest lachen, voor het eerst sinds ze die ochtend uit bed was gestapt. 'Dank u, inspecteur Sampson.'

'Graag gedaan, sheriff.'

'En ook bedankt voor... nou ja, dat u me vandaag niet het gevoel hebt gegeven dat ik een volslagen idioot ben.'

'U gedroeg zich ook niet als een idioot, anders had ik u dat heus wel laten weten. Maar waarom bent u hier eigenlijk nog steeds? Het wás al een verschrikkelijk lange dag.'

'Ik ben de boel aan het afronden. Ik heb iedereen die heeft aangegeven extra diensten te willen draaien tot we Weinbeck hebben, officieel overuren toegekend. Dat mag ik toch doen, is het niet?'

'Ach, sheriff Bulardo kende zelfs overuren toe voor een laat spelletje poker, dus dat zit wel snor, zou ik zeggen.'

'Deed hij dat echt?'

'Zeker weten. Bulardo en zijn gabbers deden een hoop buiten het boekje om, maar waren er ook erg goed in om hun sporen uit te wissen. O, en even voor de goede orde: ik heb nooit aan dat soort dingen meegedaan.' Hij plofte weer in de leunstoel en gooide zijn voeten omhoog. Dat was toch echt een slechte gewoonte waar Iris heel gauw iets van moest zeggen – kwarktaart of niet. 'Nu we het er toch over hebben, kan ik u net zo goed iets vertellen waarvan ik vind dat u het moet weten.'

Dat klonk niet erg veelbelovend. Het was echt zo'n mededeling die voorafging aan slecht nieuws, zoals: *Iris, er is iets dat ik vind dat je moet weten: Mark heeft de afgelopen maand steeds twee uur met zijn secretaresse geluncht.* 'O ja, wat dan?'

'Nou ja... Ik weet zeker dat het geen nieuws voor u is dat Bulardo behoorlijk nijdig is dat hij zijn plek is kwijtgeraakt. Maar hij is zelfs nog nijdiger omdat hij er door een vrouw vanaf is geduwd. Dat is voor een man zoals hij een nog veel ergere vernedering.'

Iris trok een grimas. 'Ja, zoiets had ik al gedacht: zo'n ouwe-jongens-krentenbrood-type.'

Sampson knikte. 'Klopt, met een heel netwerk van dat soort krentenbroodjongens. En veel daarvan zitten nog steeds bij de politie.'

Iris dacht aan haar ontmoeting met die lompe hulpsheriff op de plaats delict bij Lake Kittering. 'Ik geloof dat ik een van hen al heb ontmoet.'

'Inderdaad. En er zijn er nog veel meer. Bulardo heeft nog steeds een hoop vrienden. U zult er langzaam achter moeten komen wie dat precies zijn en dan een beetje met de bezem erdoorheen. In de tussentijd kunt u maar beter goed uitkijken.'

Iris kreeg opeens het ongemakkelijke gevoel dat Sampson iets voor haar achterhield; dat hij haar alleen vertelde wat hij dacht dat ze moest horen, maar niet alles wat ze moest weten. 'Hoe bedoelt u dat precies? Is Bulardo gevaarlijk?'

'Hangt ervan af wat u onder gevaarlijk verstaat.'

'Gevaarlijk is een boze, verbitterde en vernederde ex-sheriff, die plannen smeedt om zijn opvolger af te maken.'

Sampson moest daar even over nadenken, wat Iris pas echt de stuipen op het lijf joeg. 'Ik geloof niet dat hij zó ver zal gaan. Maar hij kan en zál uw leven tot een hel maken, als u hem daarvoor ook maar een millimeter de ruimte geeft.'

Iris zakte onderuit in haar grote stoel – in Bulardo's grote stoel, een krijgertje van het vorige regime, uitgekozen voor een lichaam van één meter vijfennegentig en honderdvijftien kilo. En nu bleek Bulardo's schaduw dus nog vele malen groter en vlak boven haar hoofd te hangen. 'Fijn! En ik maar denken dat criminelen de enigen waren waar ik me zorgen over hoefde te maken.'

'Bazen zijn soms de ergste criminelen die er zijn – huidig gezelschap uitgezonderd.'

Iris schonk hem een vaag glimlachje en besloot maar gauw van onderwerp te veranderen – voordat ze iets verstandigs deed, zoals haar ontslag indienen.

'Ik ben gebeld door rechercheur Magozzi. Volgens hem bestaat er wellicht een kans dat er een link is tussen Kurt Weinbeck en die sneeuwmannen in Minneapolis.'

'Dan moet daarbij "wellicht" toch het sleutelwoord zijn, anders liep allang de halve politiemacht van Minneapolis door onze county te stampen.'

'Zij willen Weinbeck zo graag spreken dat ze zelfs checken hoe wij het hier aanpakken.'

Sampsons ogen vernauwden zich. 'Heeft hij daar echt naar gevraagd?'

'Niet met zoveel woorden, maar hij wilde graag een telefoontje zodra er hier iets gebeurt.'

Sampson vouwde zuchtend zijn armen achter zijn hoofd. 'Als ik die Weinbeck was, zat ik nu allang honderden kilometers hiervandaan. Maar zelfs als die vent niet zo denkt, dan nóg hebben wij de hele county onder controle. Wij kunnen vannacht rustig slapen, hoor.'

'U misschien, maar ík kom Steve Doyles gezicht nog zeker tien jaar in mijn nachtmerries tegen.'

'Kan ik inkomen,' zei hij zacht. En hij draaide zich om en keek door het raam naar de lichtjes van de vishutten op het meer beneden hen. 'Weet u, toen ik net begon, dacht ik dat plaatsen delict, dode mensen en geweld dingen waren waar je op den duur wel aan wende, omdat ze nu eenmaal bij je werk hoorden, en dat je zou doordraaien als je dat niet voor elkaar kreeg.'

Iris volgde zijn blik naar buiten en dacht aan Steve Doyle, die ze nooit had gekend en die daar op Lake Kittering was gestorven, enkele honderden meters van waar zij nu zat. 'Ben je er ooit aan gewend geraakt?'

'Sommigen lukt dat wel, denk ik, maar mij niet.' Hij draaide zijn hoofd weg van het raam en keek naar de stapel papier op haar bureau. 'Veldverslagen?'

'Nee, die heb ik allemaal al gezien. Ik zat het logboek van de centrale van gisteravond en vandaag te bekijken, om me ervan te verzekeren dat we niets over het hoofd hebben gezien.'

Sampson trok zijn wenkbrauwen licht omhoog en knikte toen.

In mannentaal, dacht Iris, was dat waarschijnlijk een pluimpje omdat ze blijk gaf geen enkele mogelijkheid over te slaan, dus schonk ze hem een piepklein glimlachje terug. 'Maar het voelt nu eenmaal niet goed om naar huis te gaan, terwijl daarbuiten nog een moordenaar rondloopt.'

'Er loopt daarbuiten altijd wel een moordenaar rond.'

En dat ene zinnetje raakte Iris dieper dan alles wat ze vandaag had gezien of gehoord, tot in het diepst van haar ziel. Toch was dat waarschijnlijk hoe je als politieagent nu eenmaal moest denken – een treurige, uitzichtloze realiteit, waar je als lerares Engels nooit bij stilstond als je 's avonds je hoofd op je kussen legde.

Met een vermoeide zucht duwde Sampson zich uit de leunstoel omhoog. 'Er schijnt straks nog ijzel te komen. Blijf maar niet te lang.'

'Nee, hoor.'

Hij liep al naar de deur, toen Iris zich plots realiseerde dat ze helemaal niet wílde dat hij ging. Het voelde goed om niet alleen te zijn. En het voelde vast nog beter om deze dag langzaam af te bouwen en los te laten samen met iemand die wist hoe het was. En daarbij: ze was er echt nog niet aan toe om terug te keren naar haar donkere, lege huis.

'Wil je dit stuk kwarktaart misschien met me delen?' flapte ze eruit – vast veel te zielig en wanhopig, als een schoolkind waar niemand mee wilde spelen.

'Nee, bedankt. Ik heb al een stuk op.' Hij stond stil bij de deur, draaide zich naar haar om en trok toen zijn schouders op. 'Maar een kop koffie zou ik wel lusten, als je die hebt.'

Wellicht was het iets in haar blik dat hij had herkend of misschien was het gewoon uit medelijden, maar zijn reden om te blijven kon Iris niet zoveel schelen. Zij voelde zich op dit moment even niet te goed voor het aannemen van liefdadigheid. 'Een halfuur geleden gezet, is dat goed genoeg?'

'Voor mij wel.' Sampson gooide er wat poedermelk en meerdere zakjes suiker in en nam zijn plekje op de leunstoel weer in. 'En wat vindt het stadsmeisje er eigenlijk van om op zo'n oude boerderij te wonen?'

'Nou... het kraakt er, het tocht er, het dak lekt en ik heb net een brief gekregen van de dienst Milieubeheer dat ik mijn septisch systeem vóór september moet hebben gemoderniseerd à raison van zo'n vijftienduizend dollar. Maar buiten dat: heerlijk!'

'Ja, dat pand heeft een paar jaar leeggestaan voor jullie het kochten. Er gebeurt een hoop met een huis dat niet wordt bewoond.'

'Ik vind het zo raar dat het zolang heeft geduurd eer het werd verkocht. Het is een prachtig perceel en de prijs was perfect. Het enige dat het nodig heeft is een beetje liefde en aandacht.'

Sampson keek haar met een schuin hoofd aan. 'Veel mensen zijn hier nog erg bijgelovig. Die staan echt niet te trappelen om een spookhuis te kopen.'

Iris rolde met haar ogen.

'Hé, daar moet je niet mee spotten! Wij waren vroeger als kind als de dood voor dat huis.'

Iris trok een frons in haar voorhoofd. 'Als kind? Maar die mevrouw is toch pas een paar jaar geleden overleden?'

Sampson grinnikte. 'Niet Emily is je geest, maar haar echtgenoot, Lars. Die spookt daar al bijna dertig jaar rond.'

'Hoe is die dan aan zijn eind gekomen?'

Sampson haalde zijn schouders op. 'Dat weet niemand precies. Maar de oudjes hier zeggen dat hij een gemene, luie, dronken rotzak was... en nog een hoereerder ook.'

Iris fronste nogmaals, terwijl ze zich probeerde te herinneren of dat nu een pooier of een hoerenloper was. Wie gebruikte er in deze eeuw nog dat soort woorden?

'Zijn koeien verhongerden en de paar gewassen die hij plantte rotten weg op het veld,' ging Sampson verder. 'En steeds verkocht hij stukjes land, om zijn slechte gewoonten te financieren – terwijl het Emily's landgoed was, niet het zijne. Op een dag was hij gewoon verdwenen. Sommigen denken dat hij op een avond dronken het woud in is gedwaald en door een of andere stommiteit is omgekomen; anderen denken dat Emily het eindelijk zat is geworden, hem heeft vermoord en ergens heeft begraven. Afijn, vanaf dat moment begonnen dus die spookverhalen.'

Iris schonk hem een meesmuilende blik. 'Hij heeft haar gewoon verlaten; dat doen mannen soms.' Ze kleurde een beetje toen ze dit had gezegd. Dit was tenslotte maar een kleine stad en Sampson kende háár verhaal natuurlijk ook.

Hij keek haar zeer indringend aan. 'Niet alle mannen.'

'Hmm, spreek voor jezelf.'

Hij glimlachte vaag en stond toen op. 'Dat doe ik altijd, sheriff.

Toen Iris een halfuur later naar buiten liep, was een gemene combinatie van natte en gewone sneeuw al begonnen een laklaag op de wegen te leggen. Veel van de dik besneeuwde takken hingen gevaarlijk door onder het gewicht van de nieuwe ijslast. Op deze manier was Dundas County tegen zonsopgang één grote ijsbaan. Sampson had niet overdreven.

Tegen de tijd dat Iris de kronkelweg naar haar huis op draaide, sloeg haar snelheidsmeter amper meer uit en waren haar handpalmen onder haar handschoenen kletsnat van het zweet. Ze had al zeker een kwartier geen koplampen meer gezien en kreeg het gevoel te worden opgeslokt door de diepe duisternis die zo kenmerkend was voor deze buitenaardse, straatverlichtingloze wereld. Op dit soort eenzame ritten vroeg ze zich altijd af of ze ooit aan het plattelandsleven zou wennen.

Haar enige vriendin was geschokt geweest toen ze had verteld dat ze zo ver naar het noorden ging verhuizen, of – zoals zij het had verwoord: 'Naar het middelpunt van culturele leegte en verder van alle hulp dan je in noodgevallen kunt zitten. Ik ben wel eens op het platteland geweest en ik kan je zeggen: het is er donker, gevaarlijk en er woont geen hond.'

Ze glimlachte bij de herinnering – tot deze werd verdrongen door de gedachte wat een schaap ze toen was geweest, om die al spoedig ontrouwe echtgenoot te volgen, met zijn kinderlijke dromen, die heel wat groter waren geweest dan sommige van zijn lichaamsdelen, waaronder zijn hersenen. En haar vriendin had in veel dingen gelijk gekregen, met name wat dat donker betrof.

De eerste weken nadat haar man was vertrokken, had het haar telkens angst ingeboezemd als ze 's avonds haar oprijlaan op reed en die enge oude schuur in het donker zag opdoemen, en de schaduwen van al die bomen en struiken waarin zich wel een heel leger van indringers met kwade bedoelingen kon schuilhouden. Het had een hele poos geduurd eer ze zichzelf ervan had overtuigd dat zich hier in de regel juist geen indringers ophielden; dat het platteland een stuk veiliger was voor een vrouw alleen dan de beste buurt van de Twin Cities met zijn geweldige straatverlichting. Maar ondanks al die kloeke logica kon ze doodgewone dingen – zoals een openstaande schuurdeur – nog steeds zien als een licht onheilspellend voorteken.

Eindelijk reed ze dan over haar door bomen omzoomde oprijlaan langs die dreigende kolos van een schuur – met zijn gelukkig nog steeds dichte deur – naar haar woning. Ze slaakte een diepe zucht, raapte haar spullen bijeen en bedacht opgelucht dat ze vandaag maar liefst twee noodlot-tartende ritten had gemaakt zonder ook maar één keer in een greppel te belanden.

Ze was al halverwege het huis toen ze de voetafdrukken zag. Ze waren deels alweer opgevuld met verse sneeuw, maar ontegenzeglijk van een mens en maar liefst twee paar. Het ene spoor liep richting het huis, de veranda op; het andere liep er weer vandaan, richting de oprijlaan.

22

Iris kon haar voeten er maar niet toe krijgen zich in beweging te zetten. Ze vroeg zich af of je zelfs al na een paar seconden van bewegingloosheid kon vastvriezen. Toch bleef ze daar maar staan, terwijl de ijzel afketste op de capuchon van haar parka. Ze staarde naar de sporen in de gelige gloed van het verandalicht.

De vorm ervan was al flink aangetast, maar ze waren duidelijk groter dan die van haar. Fors groter: mannenvoeten.

Ze sloot haar ogen en haalde diep adem. *Flink zo, Iris: vanochtend was je bang voor het donker, nu ben je bang voor voetstappen. Da's toch stom?*

Nou ja, zó stom misschien ook weer niet, besloot ze. Ze had vandaag immers een bloederig lijk in een sneeuwman gezien, een spookverhaal gehoord én ze had ontdekt dat er een moordenaar in haar county ronddwaalde. Dat soort dingetjes maakten voetsporen in de sneeuw rond je huis toch best wel dreigend.

Ze opende haar ogen weer, rechtte haar schouders en haalde snel en diep adem, alsof ze de moed als zuurstof opsnoof.

Een slimme politieagent belt om assistentie; een stomme politie-agent gaat eraan. Die mantra had haar leraar Procedures wekenlang in haar hoofd gestampt. Voor iemand die plotseling alleen was komen te staan had ze het vreemd geruststellend gevonden dat ze in haar werk nooit alleen zou hoeven zijn. Het lastige was alleen te weten wanneer je deze les precies moest toepassen. *Hallo, met sheriff Iris Rikker. Ik heb hier wat voetstappen gevonden, dus stuur gauw assistentie.*

Ze giechelde even in zichzelf en trok haar eerdere plan alweer in. Verdorie, ze deed toch stom; haast paranoïde zelfs. Goed, er stonden een paar voetstappen op haar erf. Nou en? Natuurlijk, deze boerderij lag behoorlijk buiten elke route en er was het hele jaar nog niemand aan de deur geweest, maar dat betekende nog niet dat

dat nooit gebeurde. Misschien had er gewoon iemand de weg willen vragen; misschien was Mark langs geweest om wat van de winterspullen mee te nemen die hij in de kelder had opgeslagen (en had zij de kans gemist hem met haar nieuwe blaffer neer te schieten); misschien waren er Jehova's getuigen die zelfs midden in een sneeuwstorm nog op pad gingen om te bekeren...

Ze begon het koud te krijgen. Genoeg bang gebibber. Wat zouden haar kiezers wel niet denken als ze hoorden dat hun nieuwe sheriff bij het zien van een paar voetstappen panisch van angst was geraakt? Ze had nooit gedacht dat ze deze baan werkelijk zou krijgen, maar nu ze er eenmaal aan vastzat, werd het tijd dat ze ging denken en handelen als een echte politieagent, in plaats van als een bescheiden, bedeesde vrouw die al nerveus werd als ze in het donker naar huis moest rijden.

Dus haalde ze haar zaklamp tevoorschijn en zette haar voeten eindelijk in beweging, in de richting van het spoor dat van de veranda naar de zijkant van het huis liep.

Het was doodstil, op het getikkel van de neerslag na. Zo nu en dan knarsten takken onder het gewicht van de steeds dikker wordende laag ijs. Om de paar stappen stopte Iris. Dan scheen ze even met de lichtbundel over het erf achter haar. Het besneeuwde oppervlak bleef echter maagdelijk, op de voetstappen.

Toen kwam de lelijke, kogelvormige propaantank van tweeduizend liter in zicht: het licht kaatste terug van zijn metalen flanken. Rond de tank veranderde het keurige spoor plots in een wirwar van voeten.

'Ach...' mompelde Iris en ze voelde hoe haar schouders een paar centimeter zakten toen alle spanning eruit wegvloeide.

De propaanman! Hij was haar enige vaste bezoeker en nu was ze hem helemaal vergeten – een grote, aardige teddybeer van een vent, met enorme voeten, een bulderende lach en het magische talent precies te weten wanneer haar tank bijna leeg was en moest worden bijgevuld. Hij was voor een levering gekomen, was even naar het huis gelopen om zoals altijd gedag te zeggen en weer verder gereden toen hij had gemerkt dat ze niet thuis was.

Hoofdschuddend om haar eigen dwaasheid draaide ze zich om

en slofte terug naar de veranda. *Goed zo, Iris! Bijna had je voor de propaanman de politie gebeld.*

Maar wat Iris over het hoofd had gezien, waren de voetstappen náást de tank, vlak bij het huis. Ook was haar niet opgevallen dat het smalle kelderraam zo goed als dicht zat, maar net niet helemaal.

Ondanks de miserabele geiser, de zwoegende verwarmingsketel en de ramen waardoor alle warme lucht als door een zeef wegsijpelde, gebeurde er altijd iets magisch wanneer Iris haar huis betrad. Hoe rot haar dag ook was geweest, zodra ze haar knusse keuken binnenkwam, viel alle spanning van haar af – bijna alsof dit huis nare dingen weigerde toe te laten. Ze wist niet waardoor het kwam – misschien door de ingebakken gezelligheid van ouderwets houtsnijwerk, ronde deuropeningen en grote open haarden – maar ze wist wel dat ze zoiets bij een huis nooit eerder had gevoeld.

Puck zat voor de koelkast en kneep als begroeting zwijgend met haar grote groene ogen. Nog voor ze haar jas had uitgetrokken pakte Iris het dier op, streelde de zijdezachte zwarte vacht en drukte haar tegen haar wang om het gespin in haar binnenste te voelen zoemen. Het was maar een heel klein warm lichaampje dat thuis op haar wachtte, maar voor vandaag was het genoeg. Puck miauwde klaaglijk toen ze haar weer neerzette. Iris wist precies wat ze bedoelde; elk levend wezen had zo nu en dan een knuffel nodig.

Ze schudde haar jas uit en hing haar autosleutels op het handgemaakte sleutelbord, dat eruitzag alsof hier een huisbewaarder woonde. Het had vijf haakjes, allemaal met zware sleutelbossen eraan, waarvan de meeste er al hadden gehangen toen ze het huis kochten. Minstens honderd sleutels en Iris had geen idee waar ze voor waren. Maar ze durfde ze ook niet weg te gooien, want wie weet vond ze ooit de geheime deuren waar ze op pasten...

Jazeker, ze had braaf die enge voetstappen gevolgd tot ze haar hadden laten zien hoe dom ze was geweest, maar toch voelde ze zich verplicht ook binnen de boel te controleren. Dus knipte ze alle lichten aan, tot het huis gloeide als de verjaarstaart van een honderdjarige. Pas toen ze had vastgesteld dat zij en Puck de enige levende wezens in huis waren, zette ze de kat een bord tonijn voor en schonk ze zichzelf een glas wijn in. 'Proost, Puck!'

Puck snuffelde aan het bord, schrokte een groot brok vis naar binnen en keek toen knipperend op naar haar bazin, alsof ze verrast was door dit zeldzame geschenk – mensenvoedsel!

'We vieren de eerste dag van mijn nieuwe baan, dus krijg jij witte tonijn en ik chardonnay.'

Dat antwoord leek Puck voldoende; ze keerde gretig terug naar haar bordje.

Wat thuiskomen in dit huis was begonnen, maakte de wijn af: rond de derde slok voelde Iris de laatste spanning uit haar lichaam wegsijpelen. De ruimte werd ogenblikkelijk ingenomen door vermoeidheid. Alleen al het afsluiten van haar achterdeur leek ineens een gigantische klus. Dat antieke nachtslot draaide zo stroef. En wat was het uitputtend om je hele huis te moeten doorlopen, overal lichten uit te knippen, je te concentreren op de raamsluitingen en proberen je te herinneren of die naar links of naar rechts moesten.

Fijn, dacht ze, ben ik ook nog een goedkope zuiplap. Drie slokken wijn en ik verkeer al in de zevende hemel.

Ze dwong haar vermoeide benen de trap op naar haar slaapkamer. Het voelde alsof ze de Mount Everest had bedwongen (maar zonder vlag om op de top te planten). Het verwonderde haar dat ze onder de douche niet verdronk, ze dacht er nog net aan dat ze haar tanden moest poetsen en haar holster aan de bedstijl moest hangen... en daarna herinnerde ze zich niets meer; ze had de dekens tot aan haar kin opgetrokken.

Een goede nacht, herinnerde ze zich Sampsons woorden toen ze haar ogen sloot.

Maar een ander paar ogen had in de kelder opgekeken naar de krakende planken toen Iris door het huis liep. Zij wachtten geduldig tot de vloeren eindelijk zwegen.

23

Iris wist nooit precies waar ze 's nachts wakker van werd, althans niet in dit huis. Eekhoorns die op zolder met hun wintervoorraad nootjes aan het slepen waren; muizen in de muren die knabbelden aan wat er nog over was van de honderd jaar oude kranten die ze vroeger als isolatie waren gebruikt; langs de gevel schurende takken van een uit de kluiten gewassen boom; en één keer zelfs een zwarte beer die zijn winterslaap had afgebroken om bij haar barbecue rond te snuffelen, op zoek naar restjes uit de zomer. Ze wist het nooit.

En vannacht deed ze in haar dromen haar dag nog eens dunnetjes over, vanaf het trage gerasp van haar bijna-lege accu's ochtends tot de krakende sneeuw onder haar voeten bij het volgen van de voetstappen van de propaanman 's avonds. En wéér zag ze Steve Doyles dode en Julie Albrights geruïneerde gezicht – ook niet echt fijn voor een goede nachtrust.

Ze draaide haar hoofd naar rechts om op de digitale klok te kijken: drie uur. Nog tijd genoeg voor een paar uur diep onder het donzen dekbed, voordat ze met haar blote voeten op de koude vloer een nieuwe dag moest openen. Ze sloot haar ogen en dommelde alweer weg, terwijl ze bedacht dat ze 's nachts de verwarming niet meer zo laag moest zetten, want o, wat was het koud...

Sommige geluiden verstoorden je slaap; andere trokken je uit het stikdonker omhoog als een vis aan de haak, waarna je met bonzend hart je ogen opende. Had je echt iets gehoord of had je het maar gedroomd? Omdat je dat nooit zeker wist, lag je vervolgens met ingehouden adem te luisteren, wachtend en vrezend dat het opnieuw zou komen. En het geluid dat Iris had gewekt, had een beetje geklonken als de kreet van een wild beest.

Ze merkte dat ze heel snel ademhaalde, veel te snel, omdat haar adem haar hart probeerde bij te houden. Ze was al bij vijftien toen ze het geluid opnieuw hoorde. Ze zat meteen rechtop in bed.

Was het Puck? Het leek er wel een beetje op, maar ook weer niet. Het was een vreselijk hard, lang en klaaglijk gejank dat haar koude rillingen bezorgde. En Puck, die mauwde 's nachts niet eens. De enige keer dat ze haar een dergelijk geluid had horen maken, was toen Mark per ongeluk de deur had dichtgegooid toen haar staart ertussen zat...

Een seconde later was ze al uit bed. Ze rende de trap af en knipte onderweg overal de lichten aan. Haar gedachten gingen nog sneller dan haar voeten en haar hart: wat was er voor afschuwelijks met haar arme oude kat gebeurd; had ze het noodnummer van de dierenarts wel ergens genoteerd; kreeg ze die rotauto wel aan de praat om naar de praktijk te rijden, voor Puck bezweek aan een vreselijke wond... En toen was ze bij de keuken, waar ze abrupt bleef staan.

De achterdeur stond wagenwijd open, een ijskoude wind blies door de hordeur het hele huis vol winter, en Puck zat buiten op de veranda te kermen als een geest.

Nu bleek dat Iris meer katteneigenaar was dan politieagent, want ze had de hordeur al opengetrokken om Puck binnen te laten, voor ze zelfs maar had bedacht dat er vingerafdrukken op de klink konden zitten. Dit drong pas tot haar door nadat de flits van zwart bont verontwaardigd de keuken in was gestoven en was verdwenen naar een warm plekje. Wat die gedachte precies inhield, drong weer een tel later tot haar door.

Er is hier iemand geweest: in mijn huis. En die is er misschien nog steeds.

Ze bedacht dat ze vandaag al aardig wat keren bang was geweest – voor het donker, voor die schuur, voor die voetstappen – maar hoe kleinzielig leken al die angstjes, nu ze oog in oog met echte doodsangst stond. Wat er op dit moment in haar lichaam gebeurde had ze nooit eerder ervaren en het ging allemaal zo snel, dat ze amper alles wist te benoemen: spieren die zich spanden om weg te rennen of te vechten, adrenaline die door haar aderen kolkte en haar doorstroomde met warmte, terwijl de scherven van duizenden gedachten door haar hersenen kaatsten. *Waar is het veilig, buiten of*

*binnen, ik moet mijn wapen halen, moet ik het huis doorzoeken,
stond dit ook in het handboek, hoeveel elektriciens heb je nodig om
een peertje te verwisselen, moet adrenaline er niet juist voor zorgen
dat je je beter kunt concentreren?*

Ze haalde een paar maal diep adem; ze dwong haar hart tot kalm-
te en haar knieën tot stevigheid. Ze wilde al die hinderlijke, haar
hele hoofd overhoop gooiende adrenaline weer afbreken tot zijn
oorspronkelijke, veel mildere bestanddelen, en haar rust hervinden.
Zij was duidelijk niet het sensatiebeluste type dat opbloeide van en-
dorfinen.

Fijne loopbaankeuze, Rikker.

Eindeloze seconden lang stond ze daar – verstijfd als een konijn
in een lichtbundel – te wensen dat ze één zou worden met het landschap, zodat de grote boze wolf haar niet zou zien. Maar als de
grote boze wolf zich in haar huis of net daarbuiten bevond, zou hij
haar juist uitstekend kunnen zien, met al dat licht dat zij had gemaakt.

Nu, Iris: dit is het moment om assistentie te bellen. Nu!

Vijf minuten later bulderde er een patrouillewagen de oprijlaan op,
met loeiende sirene, een flitsende lichtbalk en spots die druk haar
erf afzochten. Vlak achter haar suv kwam hij abrupt tot stilstand,
waarna inspecteur Sampson eruit sprong en op het huis af rende.

'Binnen of buiten?' fluisterde hij gejaagd. Hij was ongeschoren,
slordig gekleed, met losse schoenveters en een openhangend jack,
maar zijn ogen keken scherp om zich heen.

'Weet ik niet,' hijgde ze. Ze voelde zich nu waarschijnlijk net als
iedereen die in de problemen zat: wanneer de politie eindelijk
kwam en de boel overnam was ze gered, beschermd en dankbaar.
Toen vroeg ze zich af hoe het was om aan de andere kant te staan
– en realiseerde zich voor het eerst dat dat precies was waarom politiemensen kozen voor dit vak... en dat dit absoluut, zonder enige
twijfel ook was wat zíj met haar leven wilde.

Hij keek naar haar, weggekropen in een hoek: een kleine vrouw
in pyjama, op blote voeten en met een groot slagersmes in haar
hand. 'Waar is je wapen?'

'Boven.'

'Shit!'

Hij liet haar vlak achter hem lopen, zodat zijn lichaam het hare beschermde. Terwijl hij haar slaapkamer en kleerkast checkte, trok zij een spijkerbroek en trui over haar pyjama, bond haar holster om en trok haar wapen. Toen doorzochten ze samen de rest van het huis, van boven naar beneden. Het open raampje in de kelder vonden ze helemaal op het laatst.

Sampson knikte. 'Hier naar binnen; naar buiten via de deur die jij open aantrof.'

Iris stond te kijken naar de rommelige verzameling dozen bij de oude verwarmingsketel en de losse kledingstukken op de betonnen vloer.

Sampson volgde haar blik. 'Link, hoor. Veel te dicht bij die waakvlam.'

'Zo was het eerst ook niet; die dozen stonden netjes tegen de muur, en ze waren dichtgeplakt.'

'Mis je iets, zo op het eerste gezicht?'

'Moeilijk te zeggen. Dit zijn spullen die mijn ex heeft achtergelaten, voornamelijk gereedschap en winterkleren.'

Sampson richtte zijn zaklamp op de rommel, fronste toen en begon met zijn voet tegen de kleren te duwen. 'Het lijkt erop dat je ex zijn portemonnee heeft verloren.'

Iris keek naar het leren vierkant in zijn gehandschoende hand. 'Nee hoor, die is niet van Mark.'

Sampson opende de portemonnee, keek naar het rijbewijs achter het plastic raampje en schonk Iris toen een merkwaardige blik. 'Stephen P. Doyle. Verdomme, Iris! Kurt Weinbeck is hierbinnen geweest!'

24

Terwijl ze de keldertrap op denderden, verzocht Sampson via zijn schouderradio om assistentie.

Snel, dacht Iris, het gaat allemaal zo razendsnel. Er gebeurt iets en dan is er geen enkele tijd om na te denken, nee: je moet maar gewoon dóén en hopen dat je hoofd je kan bijhouden.

Ze griste haar parka van de keukenstoel en trok haar schoenen aan, terwijl Sampson nog steeds praatte: 'Het huis is veilig. Wij zijn buiten, met zijn tweeën. Zeg de jongens dat ze niet op ons schieten.'

Strak plan: niet vergeten je agenten te zeggen dat ze niet op jou mogen schieten. Maar hoe zat het ook alweer met die assistentie? 'Je vraagt om assistentie en dan – even goed opletten, dames en heren – dan verroer je je niet en wacht tot die hulp is gearriveerd. Want wie zich eerder verroert, gaat eraan!' Waarom wachtte Sampson dan niet? Omdat hij al assistentie hééft, suffie: jijzelf!

Het besef trof haar als een bliksemstraal; ze zakte bijna door haar knieën. Verantwoordelijk zijn voor haar eigen leven was één soort angst – die ze had gevoeld toen ze al die lange minuten in dat hoekje met het slagersmes had zitten wachten; maar verantwoordelijk zijn voor het leven van een ander was vele malen erger.

Ze sloot haar ogen – gedurende die ene fractie van een seconde die ze zich kon veroorloven, voordat ze naar buiten moest om Kurt Weinbeck te zoeken. Toen ze ze weer opende, keek ze naar het bord met de rijen sleutels: een van de haakjes was leeg.

'Sampson!' Haar stem weerhield hem er net van de deur open te rukken. 'Mijn sleutels zijn weg.'

'Misschien heb je ze in de auto laten liggen?'

'Nee.'

'Dat kan toch? Zware dag, veel aan je hoofd; dan vergeet je soms...'

'Nee.'

Hij hoorde hoe zeker ze van haar zaak was en hield zich onmiddellijk stil. Zijn ogen gleden langzaam naar het raam, naar de SUV, die als een donker blok op de oprit stond. Hij knikte eenmaal naar haar, nog steeds doodstil, en opende toen heel voorzichtig de deur.

Behoedzaam stapten ze de veranda op, hun ogen, wapens én zaklampen gericht op haar auto. Ze waren licht in het voordeel omdat de veranda iets hoger was dan de SUV. Daardoor konden ze een deel van het interieur zien. Maar er waren nog genoeg donkere plekken waar ze met hun lichten niet bij konden; heel wat mogelijkheden voor Weinbeck om zich te verstoppen.

Het enige geluid was het gespetter en getik van de ijzel op het huis, de ramen en de bevroren bomen. Iris dacht een zwaar beproefde tak te horen kreunen onder het gewicht van al dat ijs. Maar meer was er niet, zelfs geen zuchtje wind.

Ze zag één voetstappenspoor van de veranda naar haar SUV. Het was moeilijk te zeggen hoe vers het was, maar het was al bedekt met ijzel en bleef daardoor voorlopig keurig bewaard. Dat vond ze een troostrijke gedachte: áls Kurt Weinbeck uit haar eigen wagen tevoorschijn sprong en hen neerschoot, had het BCA een paar perfecte afdrukken waarmee ze hem voorgoed achter de tralies konden krijgen. De media zouden het verhaal natuurlijk oppikken, waarna *Crime Scene Investigation* er een aflevering aan zou wijden, als postuum eerbetoon aan inspecteur Sampson en zijn partner Iris Rikker – eendags-sheriff.

Tergend langzaam liepen ze het trapje af en begonnen aan de afstand van de veranda naar haar auto, die op Iris kolossaler overkwam dan ooit. En niet alleen haar ruimtelijk inzicht, maar al haar zintuiglijke waarnemingen waren vervormd; het licht uit haar zaklamp leek onwezenlijk fel, het geknars van bevroren sneeuw onder haar schoenen leek haast oorverdovend en de wol van haar trui was als schuurpapier tegen haar huid.

Ze waren nu heel dichtbij en liepen van voor naar achter om het voertuig heen, terwijl ze met hun wapens hoog hun lichten door het interieur lieten dwalen. Voor het allereerst vroeg Iris zich af hoe het zou voelen als een kogel met de snelheid van het geluid haar borst zou raken. En toen bescheen haar lamp de sleutelbos die aan het contactslot hing te bungelen. Voor het overige was de suv helemaal leeg.

'Hij zit er niet in,' zei Iris.

'Had ik ook niet verwacht.'

'O, dat had je me dan wel eens eerder kunnen vertellen. Ik heb twee minuten in doodsangst verkeerd.'

Hij trok één van zijn schouders een heel klein eindje omhoog. 'Ik dacht dat je dat wel wist. Als hij de sleutels én de auto had gehad, was hij allang weggeweest. Weet je echt zeker dat je ze niet in het contact hebt laten zitten?'

'Sampson!' Ze wees met haar zaklamp naar de voetstappen waar ze expres niet doorheen was gelopen. 'Die zijn niet van mij en ook niet van jou.'

'Oké, maar waarom staat die auto er dan nog?'

Iris herinnerde zich haar warrige dromen, waarin ze de suv probeerde te starten en de accu net zolang uitmolk tot hij helemaal leeg was. Ze opende de deur aan de chauffeurskant en draaide de sleutel om. Stilte.

Sampson schoot bijna in de lach. 'Tjonge-jonge, geweldig! Weinbeck breekt in, steelt je sleutels, denkt dat hij er is... en dan krijg ik de auto niet aan de praat. Schitterend gewoon!' Zwaaiend met zijn lamp vond hij aan de andere kant nog een spoor, dat van de chauffeurskant weg van de auto leidde. 'Als dit zo doorgaat, zijn die voetstappen heel rap weer gevuld. We moeten opschieten.'

Nu pas zag Iris dat de ijzel was veranderd in dikke sneeuwvlokken. Gek, waar je hoofd zich allemaal voor afsloot als je maar gericht was op één ding – zoals in leven proberen te blijven.

Ze volgden de voetstappen over de oprit tot bijna bij de schuur, waar Sampson stilhield. Met zijn lichtbundel volgde hij het spoor tot aan de deur en scheen toen van boven naar beneden over het enorme bouwwerk. 'Wat is daarbinnen?'

Iris wist exact wat hij weten wilde. 'Lege ruimte; een hoop plekken om je te verstoppen.'

Halverwege Sampsons knikje maakte de oude schuur een van

zijn gebruikelijke oudeschuurgeluiden. Sampson verstijfde onmiddellijk, als een jachthond die de prooi had ontdekt, waarna hij allerlei houterige gebaren begon te maken. Iris schrok zich kapot: één lesuur, nog een uur voor het bestuderen van de plaatjes en toen had ze alle signalen wel in haar hoofd gehad. Maar die zagen er heel anders uit als ze werden gemaakt door een echte politieman, in plaats van door een stripfiguurtje in een lesboek.

Maar eh, zij moest rechtsom om de schuur heen, hij ging linksom. En geen enkel geluid maken.

Iris stond maar even niet stil bij wat ze deden; dat durfde ze niet. Ze kwam gewoon in beweging zoals haar was geleerd. Al na de eerste stap door de kniehoog tegen de muur gewaaide bevroren sneeuw leken haar hersenen de poort te sluiten voor alles wat niet via haar zintuigen binnenkwam. Deze dierlijke concentratie duurde nog twee stappen en toen hoorde ze sirenes. Op de verweerde gevelplaten zag ze de weerkaatsing van de rode en blauwe lichten van de patrouillewagens die op de oprit stopten.

'Vooruit!' riep Sampson. Nu de sirenes het voordeel van de stilte hadden weggenomen, moesten ze snel handelen.

Tegen de tijd dat ze elkaar aan de achterkant van de schuur weer ontmoetten, zwoegden er nog vijf agenten zo snel als ze konden door de hoge sneeuw, om zich bij hen te voegen.

Sampson en Iris beschenen met hun zaklamp een merkwaardig uitziend spoor, dat begon bij een van de achterdeuren en dwars door het besneeuwde veld de nacht in liep.

'Waar is dat nou van?' vroeg iemand.

'Sneeuwschoenen,' zei Iris. Ze dacht aan Marks stelling dat een echte plattelander alle wintersporten beoefende. Afgelopen november had hij dat idee al na vijf minuten op die met netten bespannen peddels opgegeven – bijna net zo snel als hij zijn huwelijk had opgegeven. 'Mijn ex had een paar in de schuur hangen.'

Hulpsheriff Neville, de blauwogige babyface die bij Steve Doyles lichaam had gestaan en haar een goedemorgen had gewenst, kwam naast Iris staan en liet zijn zaklamp dwalen over het golvende veld, dat 's zomers maïs droeg en 's winters sneeuw. 'Wat ligt er aan de andere kant?'

'Het Sarley Wildreservaat,' zei Iris. 'Tweeduizend hectare bomen en moeras.'

Sampson stond ingespannen in het niets te turen. Hij bestudeerde de kaart van Dundas County in zijn hoofd. 'Aan de andere kant van dat reservaat ligt Lake Kittering, met aan de oostkant het sheriffkantoor en Bitterroot aan de westkant. Hij kan zo doorlopen en heeft nog een vette voorsprong ook.' Zijn hoofd ging met een ruk naar Iris. 'Heb je toevallig een slee?'

Ze schudde haar hoofd.

'Kendall, pak de telefoon en zorg dat we hier snel een paar sneeuwmobielen krijgen – zoveel als ze er hebben. De rest van jullie gaat op weg naar Bitterroot, waar de patrouilles langs de buitengrens van het terrein moeten worden verdubbeld. Neville, jij blijft hier. We zullen een kijkje in die schuur moeten nemen, voor het geval dat...' Hij keek naar beneden: Iris zat onder zijn jas te wroeten, ergens bij zijn riem.

'Mobieltje!' zei ze en griste het uit zijn handen zodra hij het uit de holster had gehaald. Terwijl hij bevelen bleef uitdelen, belde zij de centrale, om te zorgen dat de patrouillewagens strak langs Lake Kittering en het wildreservaat gingen rijden. Daarna belde ze Maggie Holland op Bitterroot uit bed. Toen ze klaar was, pleegde Sampson nog één telefoontje: naar rechercheur Magozzi's mobiele nummer.

Shit, wat was het koud – zelfs nog met al die dikke winterspullen die hij in de kelder had gevonden. Maar als hij dat gelukje niet had gehad, lag hij nu waarschijnlijk al zo dood als een pier ergens in het veld, waar hij langzaam zelf een sneeuwman werd. Dat zou pas ironisch zijn.

Die sneeuwschoenen waren nóg zo'n bof. Je moest er even aan wennen en het liep waardeloos – er bleef steeds sneeuw op liggen, zodat je om de paar honderd meter moest stoppen – maar zonder die dingen had hij er beslist veel langer over gedaan om zo ver te komen.

Nu hij erover nadacht, had dat gedoe in die kelder wel eens heel verkeerd kunnen uitpakken: als de bewoner van dat huis had besloten zijn vuilnisbak te legen of een lading vuile was in de machine te gooien, terwijl hij daar naast de verwarmingsketel lag te snurken...

Maar ja, zo was het niet gegaan. Kurt Weinbeck begon langzaam te geloven dat het geluk hem voor het eerst in zijn leven misschien eens toelachte. Alles had immers een reden en misschien was dat hele plan van hem wel voorbestemd; stonden het lot, de goden of wie-de-touwtjes-ook-maar-in-handen-had aan zijn kant en keken glimlachend op hem neer, om te zorgen dat hij de kans kreeg de boel recht te trekken.

Het probleem was alleen dat hij er nog steeds niet uit was hoe hij wilde dat zijn plan eindigde of hoe hij de boel precies recht moest trekken. Een deel van hem – zijn zwakke kant – wilde Julie nog een kans geven: met haar en het kind naar Mexico gaan en daar opnieuw beginnen. Samen een heel nieuw leven opbouwen: een huisje aan het strand misschien, een bootje en dan een bedrijfje opzetten, met vistochtjes of zoiets. Hij was bij lange na niet rijk, maar had het ook niet slecht gedaan met het verkopen van verzekeringen, zijn parttimebaantje als barkeeper... Piepend kwamen zijn gedachten tot stilstand.

Nee, hij hád het niet slecht gedaan. Verleden tijd! Hij had het best goed voor elkaar gehád... tot die smerige trut hem de bak in had gestuurd! Hij wist gewoon niet of hij nog wel met haar wilde samenleven. Zij kon zich in de verste verte niet voorstellen wat een kwelling hij dankzij haar had moeten doorstaan; hoe het was om dag in, dag uit in de hel te moeten leven – maand na maand, jaar na jaar – wetend dat je al die herinneringen nooit-nooit-nooit meer zult kunnen uitwissen, hoe hard je je best ook doet. Nee, zo'n pijn had zij van haar leven niet gevoeld.

Hij voelde hoe een withete woede zich diep binnen in hem opbouwde en begon te borrelen, terwijl hij bedacht hoe oneerlijk het allemaal was. En die woede – puur en perfect – gaf hem precies dat moment van helderheid waarnaar hij zocht, zoals altijd. Opeens wist hij precies wat hij doen moest: hij moest zorgen dat zij die pijn ook voelde, zodat ze begreep wat ze hem had aangedaan. Het was de enige manier waarop het recht kon zegevieren. Tijd om haar terug te pakken!

Daarna zou hij haar waarschijnlijk moeten vermoorden, want die hele rit naar het zuiden overleefde ze vast niet, wanneer hij eenmaal klaar was met zijn lesje.

De sneeuw kwam nu in dikke vlokken naar beneden en het zicht was zo slecht dat hij bijna tegen het hoge hekwerk op botste. Na wat zachte aandrang was Steve Doyle zo vriendelijk geweest hem te waarschuwen voor de beveiliging van Bitterroot. Kurt was voorbereid op dit hek; met de betonschaar die hij op de gereedschapstafel in die kelder had gevonden zou hij er korte metten mee maken.

Hij bestudeerde het hek nog wat beter en zocht naar de beveiligingscamera's waar Doyle hem over had verteld. Boven op een metalen paal, ongeveer een meter rechts van hem, zat iets dat best een camera zou kunnen zijn. De lens zat echter zo vol ijs en sneeuw dat hij met geen mogelijkheid meer dan wit kon registreren. Jazeker, het geluk stond vandaag aan zijn kant!

Hij zakte op zijn knieën en ging met de betonschaar aan het werk.

25

Er hing een hele rij lampen in de nok van het negen meter hoge dak, maar zij verlichtten de binnenkant van de schuur lang niet goed genoeg. En ook al geloofden ze geen van allen dat Weinbeck hier nog zat, toch joeg deze plek hun de stuipen op het lijf – of zich nu een gewapende moordenaar achter een balk of een hooibaal schuilhield of niet. De oude schuur kraakte en knarste, kreunde en klaagde alsof ze ieder moment kon gaan instorten (maar in werkelijkheid klonk ze altijd zo, zelfs in doodstille nachten).

'Mooi bed,' zei Sampson toen zijn licht het hemelbed bescheen. 'Slaap je hier wel eens in?'

Iris zag dat de dikke bovenlaag ervanaf was getrokken en in een stapel op de aarden vloer lag; in de oude kapokmatras was duidelijk de indruk van een lichaam te zien. Met een schok herinnerde ze zich hoe ze die ochtend met haar handen over het bovenkleed was gegleden. Had hij daar toen onder gelegen? *Welnee*, wilde ze zeggen, maar haar stem werkte niet meer en haar benen waren ineens van rubber. *Wie heeft er in mijn bedje geslapen?* schoot er door haar hoofd.

Neville was naar de andere kant van de schuur gelopen. Met zijn halsdoek tegen zijn neus en mond gedrukt begon hij zich door een doolhof van slordig opgestapelde hooibalen heen te persen en woelde tientallen jaren oude schimmels los. 'Hier ook alles in orde!' riep hij. Hij kroop terug door de hooivoorraad. Maar toen hoorde Iris hem opeens mompelen. Er klonken een bons en een hartgrondige vloek.

Een paar tellen later kwam hij tevoorschijn, trok de doek van zijn gezicht en hoestte luid. 'Wat zit er onder dat valluik?'

Iris fronste. 'Welk valluik?'

'Bent u daarachter nooit geweest?'

'Ik niet! Mark was allergisch voor hooi en ik bleef er ook liever bij uit de buurt: het stinkt en stikt van de schimmels.'

'Vertel mij wat,' zei Neville. Toen haalde hij zijn schouders op en bond de doek voor zijn gezicht. 'Maar we moeten er toch maar even naar kijken, dunkt me.'

Dus trokken Iris en Sampson de kraag van hun parka over de onderste helft van hun gezicht, probeerden zo min mogelijk in te ademen en volgden hulpsheriff Neville door het doolhof. De schimmels, die de hooibalen in de loop der jaren zo'n beetje als bakstenen aan elkaar gemetseld hadden, roken eigenlijk niet eens zo onaangenaam; maar zodra ze het fijne stof in hun longen voelden, wisten ze dat ze niet bepaald gezond bezig waren.

Buiten had het geleken alsof de balen lukraak op elkaar waren gezet, maar hoe dieper ze erin doordrongen, hoe doelbewuster er leek te zijn gebouwd – als een doolhof van buxussen in een botanische tuin.

Het valluik bevond zich helemaal achterin in de planken vloer, vlak bij de buitenmuur. Hun lampen beschenen de metalen ring waar Neville over was gestruikeld – hij stak nu door een dikke laag hooistof omhoog – en daarna de lange, zware schuif die diep in een roestige beugel rustte en zo het luik afsloot. Het kostte nog aardig wat moeite om het slot los te krijgen; de schuif was duidelijk al heel lang niet meer van zijn plaats geweest.

Neville tilde het luik op en richtte zijn zaklamp in het gat. 'Diep,' zei hij. 'Drie, misschien wel vier meter.' Hij ging op zijn knieën zitten, legde zich op zijn buik, stak zijn hoofd in de ruimte en begon deze toen met zijn zaklamp af te tasten. Opeens bleef de lichtbundel hangen en hoorde Iris haar hulpsheriff prevelen: 'Nee toch...' Toen hij overeind was gekrabbeld, waren zijn blauwe ogen nóg groter in een nu wel heel erg wit gezicht.

'Weinbeck?' fluisterde Sampson.

'O nee!'

Na even zoeken met zijn zaklamp vond Sampson wat hij zocht: een handgemaakte houten ladder, vlakbij verstopt onder wat los hooi.

'Hoe wist je dat die daar lag?' vroeg Iris, terwijl hij ermee naar het luik liep en hem samen met Neville door het gat begon te duwen. Ze zei het enkel om maar iets te zeggen te hebben – en niet te hoeven denken aan wat Neville had gezegd dat hij in die ruimte onder haar schuurvloer had gezien.

'Veel van dit soort oude schuren hebben zo'n opslagkelder, zo diep dat hij onder de vorstlijn ligt. En daar moesten ze natuurlijk ook in en uit kunnen klimmen.'

Ze gingen een voor een naar beneden, Iris als laatste. Het verbaasde haar dat ze niet erg bang was; ze kroop in een donker gat in de grond om naar iets afgrijselijks te gaan kijken, en het enige dat ze eigenlijk voelde was tegenzin.

Overal hing spinrag naar beneden, zo dik dat het haast gordijnen leken. Zo lang hadden de spinnen hier ongestoord hun gang kunnen gaan. Iris zag dat er witte bolletjes in hingen, die ook op de vloer onder haar voeten knarsten. 'Wat is dat toch?' vroeg ze zich hardop af.

'Piepschuim.' Neville wees naar de muren en duwde met zijn voet de hoek van een stuk tapijt omhoog. 'Platen op de grond, tegen de muren en het plafond. In geval van nood best goede isolatie, maar je moet het wel bijhouden; het spul vergaat nogal snel.' Toen wees hij met zijn lamp naar wat hij van bovenaf had gezien – het lag op een oud ijzeren bed met een rottend matras. Iris hield haar adem in.

Er was niet veel meer over van wie dit ooit was geweest. Spierwit weerkaatsten de glanzende botten in het licht van hun zaklamp, met nog slechts hier en daar wat flarden kleding. Iris zag dunne plukjes haar boven op een schedel en iets dat eruitzag als gedroogd vlees, dat de ratten en insecten blijkbaar hadden gemist. Het leek allemaal nog het meest op een griezelattribuut uit het spookhuis op de kermis.

Ze sloot haar ogen en probeerde het voor zichzelf helder te krijgen. Ze zochten een moordenaar en vonden een lijk in haar eigen schuur. Dat klopte niet, sloeg nergens op. Het was alsof je in een la naar je autosleutels zocht en een olifant vond. Eigenaardig, dat zeker – maar met die olifant kreeg je van zijn leven je auto niet aan de praat.

'Lars,' zei Sampson.

Neville keek hem aan. 'Denkt u?'

'Misschien.' Sampson veegde wat spinnenwebben opzij en beende door de ruimte, die misschien iets groter was dan Iris' keuken. In een hoek stond een ouderwetse kachel, er was een plank met vergane boeken waar de ratten een rommeltje van hadden gemaakt en – nog vreemder – zelfs een gootsteen en een spoeltoilet. 'Nog sanitair ook,' mompelde hij.

'En elektriciteit.' Iris wees met haar zaklamp op een gloeilamp achter een rooster in het plafond. Ze keek om zich heen in de raamloze ruimte, naar de wc, de roestige gootsteen, de armzalige overblijfselen op het bed, de enige uitgang die zonder ladder met geen mogelijkheid kon worden bereikt... en begreep opeens dat dit een gevangenis was geweest.

Ze wist niet wat zich in deze ruimte had afgespeeld of waarom; ze wist alleen dat ze hier geen minuut langer wilde blijven. Ze beklom de ladder een stuk sneller dan ze hem zojuist had afgedaald.

Hoe was je dag, Iris? Nou, puik hoor: eerst was er een bloederig lijk in een sneeuwman, toen een moordenaar die zich in mijn huis verstopte TERWIJL IK BOVEN LAG TE SLAPEN en toen – verrassing – de halfvergane restanten van een mens in mijn schuur...

Sampson en Neville waren haar naar boven gevolgd. Ze hadden het valluik weer gesloten. Nu stond Sampson te bellen met zijn mobieltje. Toen hij het dichtklapte, zei hij: 'Er is een gat in het hek van Bitterroot geconstateerd en ze weten niet wanneer dat is ontstaan. Het schijnt dat de ijzel hun camera's en bewegingsdetectors tijdelijk heeft uitgeschakeld. We gaan eropaf!'

26

Iris Rikker belde Magozzi onderweg naar Bitterroot opnieuw, ditmaal om hem op de hoogte te brengen van het gat in het hek en de bevroren camera's. Tegen die tijd koersten hij en Gino al lang en breed in noordelijke richting.

'Da's toch niet te geloven, wat een lef die smeerlap heeft!' zei Gino hoofdschuddend toen zijn partner het gesprek had beëindigd. 'Hij wéét dat elke politieagent in de hele county achter hem aan zit en wat doet meneer? Die blijft gewoon een beetje rondhangen en dringt binnen op de plek waar ze het hardst naar hem zoeken.'

'Da's geen lef,' gromde Magozzi, 'maar stomme, blinde woede.'

'Ook goed. Tjonge-jonge, niet te geloven: halfzes 's ochtends en wij zijn alweer op weg naar Koeienvlaaiendam!' Gino zat op de passagiersstoel koffie uit een enorme reismok te slurpen, terwijl Magozzi zich op de weg concentreerde. De snelwegen waren nu goed geveegd en bestrooid, zodat Dundas gestaag dichterbij kwam, al werd zijn zicht wel nogal bemoeilijkt door de enorme wallen onder zijn ogen.

'Laten we nu maar gewoon hopen dat Kurt Weinbeck ook werkelijk het eind van de route is, dan kunnen we deze zaak afronden en tegen de middag weer in bed liggen.'

'Man, heb jij thuis zo'n new age-cassette beluisterd of zo? Zo makkelijk gaat het nooit, dat weet je best. Niemand van ons gelooft werkelijk dat Weinbeck Deaton en Myerson heeft omgebracht. Zoals ik het zie, zijn wij nu enkel uit bed getrommeld om door een besneeuwd niemandsland te stampen, onze oren eraf te laten vriezen en lang genoeg met die griezel te kletsen om hem voorgoed van onze verdachtenlijst af te voeren. Ondertussen vangt Iris Rikker op haar eerste dag in functie al een moordenaar en krijgen jij en ik op onze kop voor het maken van uitstapjes voor de zaak van een ander, terwijl onze politiemoordenaar uit Minneapolis nog vrij rondloopt. Nee hoor, dit wordt geen happy end.'

'Zal ik dan maar meteen omdraaien?'

'Nee joh. Die schoft heeft Doyle in ieder geval wél vermoord: misschien boffen we en kunnen we hem in de bossen een beetje opjagen en in het nauw drijven, gewoon voor de gein. Zou mij wel een beter gevoel geven. Is er trouwens nog nieuws over die sneeuwman in Pittsburgh?'

Magozzi maakte er gauw gebruik van dat Gino even niet oplette en drukte het gaspedaal nog wat verder in. 'Ik heb ze gebeld voordat ik thuis vertrok. Iemand van de nachtploeg zei dat zij nog steeds aan een na-aper denken.'

Gino knikte. 'Ik ook. Onze zaak heeft gewoon elke psychopaat in alle achtenveertig andere staten, inclusief Alaska, een nieuwe coole manier van lijken etaleren geleerd. Let op mijn woorden: er gaan overal sneeuwmannen opduiken, iemand schrijft er een boek over en dan krijg je de tv-film van de week: "Minneapolis: *Ground Zero* voor elke gek in het land". Zal de chef fijn vinden: die stumper is nog steeds niet bijgekomen van de bijnaam "Murderapolis" en die is al van ruim tien jaar geleden.' Gino zuchtte en tuurde toen ingespannen in de lichtbundels van de koplampen. 'Shit, is dat sneeuw?'

De meest zuidelijke punt van het regenfront leek inderdaad exact gelijk te lopen met de grens van Dundas County. Zodra ze de snelweg hadden verlaten, werden de wegen slechter. In de greppels lag een verontrustend hoog aantal auto's voor zo'n dunbevolkt gebied.

'Shit,' mompelde Gino. 'Het lijkt hier wel een sloopterrein.'

Magozzi wees hem op de zwaar doorhangende, zilver blinkende stroomdraden. 'Het ziet ernaar uit dat ze hier ijzel hebben gehad.'

'Ja, ik zie het. Hou jij je ogen nu maar op de weg! Man, dat paadje naar Bitterroot wordt een ramp.'

Maggie verliet haar huis 's nachts niet vaak, en zeker niet in haar eentje, ook al was zij al heel lang directrice van Bitterroot en wist ze beter dan wie ook dat haar complex zo veilig was als maar kon, dankzij een uitgekiende combinatie van techniek, voorzichtigheid en menselijk vernuft. Er bestond waarschijnlijk geen plaats op aarde waar het voor een vrouw alleen na het donker veiliger was. Dat wist het logisch denkende deel van haar hersenen. Het was het andere gedeelte – daar waar de herinnering was opgeslagen die ze nu al vijftien jaar trachtte te vergeten – dat haar na zonsondergang binnen hield.

De achtervolging had lang geduurd en was begonnen in het huis, waar een ware ravage van meubelstukken ontstond doordat Maggie van de ene schuilplek naar de andere sprong, tot ze eindelijk bij de deur was en gillend, bloedend en huilend de voortuin in rende. Ze wist dat de buren haar daar zouden horen, maar ze wist ook dat het te laat was: Roy zat haar op de hielen, maaiend met zijn breekijzer. Tegen die tijd léék hij al niet eens meer op haar echtgenoot. Hij was eerder een horrorfilmvariant van blinde razernij, enkel omdat zij iets ondenkbaars had gedaan: omdat ze voor het eerst in haar leven had geprobeerd terug te vechten. Er was geen maan geweest; alleen de sterren tekenden een kantachtig patroon in de donkere, stikdonkere lucht. Zelfs in haar doodsangst was haar dat nog opgevallen – vlak voordat het breekijzer voor de laatste keer neerkwam... op de achterkant van haar schedel.

Er zat nog steeds een duidelijk voelbare deuk waar het botweefsel uiteindelijk weer aan elkaar was gegroeid; of eigenlijk meer een richel – als een soort achterstevoren Neanderthaler – die ze camoufleerde door haar haar er zoveel mogelijk overheen te kammen. Slechts enkelen wisten ervan, waaronder Laura. Bij haar wilde Maggie dan ook zijn als ze het moeilijk had. Als slachtoffer van misbruik had Laura zestig jaar geleden, samen met haar zus Ruth, Bitterroot opgericht. Sindsdien had ze al haar tijd gewijd aan het scheppen van een toevluchtsoord waar vrouwen zonder angst konden leven. In Maggies ogen had de oude vrouw dan ook het leven van elke inwoonster van Bitterroot gered – inclusief het hare – en het was precies die overtuiging die haar nu de kracht gaf haar nachtdemonen te trotseren en zich door weer en wind naar Laura's oude boerderij te begeven, meteen nadat ze door Iris Rikker was gebeld.

Niet dat ze geloofde dat Kurt Weinbeck of een andere man werkelijk ongenood op het terrein zou kunnen komen. De camera's zouden hem immers oppikken zodra hij het hek aanraakte, waarop de monitors de omheiningsbewaking alarmeerden en een heel team van uitstekend getrainde en bewapende vrouwen ter plekke was, nog voor hij aan de andere kant was. Niemand kwam voorbij de omheiningsbewaking – niet meer.

De boerderij lag niet erg ver van het belangrijkste cluster huizen, maar afgelegen genoeg om de korte wandeling tot een beangstigende ervaring te maken voor iemand die zich liever niet meer na het donker buiten waagde. Maggie was dan ook extreem trots op zichzelf dat ze dit aandurfde; misschien dat het na al die jaren eindelijk eens wat beter met haar begon te gaan!

Ze had Laura in haar lievelingsstoel bij de open haard aangetroffen, in een versleten badjas die veel te groot was voor haar tengere postuur. Het ding was vreselijk verwassen en zo rafelig langs de manchetten dat er niets meer van te maken viel, maar hij was nog van haar zus Ruth geweest – die jaren geleden was overleden – en Laura weigerde er afstand van te doen. Het had Maggie niet verbaasd dat ze de oude vrouw op dit uur niet in haar bed vond: zij haalde de laatste tijd dag en nacht steeds vaker door elkaar.

'We moeten vannacht de deuren sluiten, Laura,' had Maggie gezegd, waarop Laura haar ogen tot spleetjes had geknepen en een heldere blik had gekregen. Maggie herkende plots de onverzettelijke, intelligente vrouw die zij was geweest voordat haar hersenen begonnen te haperen.

'Wat is er dan gebeurd?'

'Julie Albrights ex is onderweg. Volgens de sheriff wil hij haar pakken.'

Iets van het oude vuur flitste door Laura's ogen. 'Laat hij dat maar eens proberen: hij komt toch nooit voorbij het hek.'

Minder dan een halfuur later kreeg Maggie echter een telefoontje van de beveiliging, die haar vertelde dat de camera's en bewegingsdetectors door bevriezing tijdelijk buiten gebruik waren en dat er een gat in het hekwerk was geknipt. Ze dacht dat dit bericht Laura zou ruïneren en razendsnel zou terugsleuren in dat grijze gat van geesteloosheid, zoals altijd als ze moe of gestrest raakte, maar de oude vrouw verbaasde haar.

'Waar is Julie?' wilde ze weten, zo alert en helder als Maggie haar in geen tijden had gezien.

'Gewoon thuis, mét bewaking: onze eigen mensen en een aantal hulpsheriffs. We móésten de poorten wel voor hen openstellen, Laura. Ze komen in groten getale het hele terrein afzoeken en zullen van deur tot deur bij iedereen controleren.'

Laura sloot haar ogen en leek haast te verschrompelen. 'Mijn arme meisjes,' fluisterde ze. 'Vreemde mannen op het terrein, gebons op de deur... Wat zúllen ze bang zijn.'

'Via het belsysteem brengen we iedereen zo snel mogelijk op de hoogte. Iedereen zal weten dat deze politiemannen hier zijn om ons te helpen. En er zitten ook vrouwen bij, hoor.'

Laura schudde haar hoofd. Ze wist dat dat geen enkel verschil zou maken. De muren waren geschonden, de vreemdelingen waren binnen, het gevoel van veiligheid zou vervliegen zodra de eerste man zonder begeleidster hun straat binnenliep. 'Zestig jaar, Maggie: een leven lang hebben we aan deze plek gebouwd en alles gedaan om het hier veilig te maken. En nu is dat allemaal in één beweging weggevaagd.'

'Nee, Laura, dat is niet waar,' zei Maggie. 'Jij hebt hier een utopia gesticht en ons leven gered – van ieder van ons.'

'Dus wij bouwen een utopia en het enige dat ervoor nodig is om dat alles weer te vernietigen is één doorgedraaide man? Dat klopt toch niet?' Laura keerk op. Maggie zag haar ogen vertroebelen, afdwalen en dat grillige pad inslaan dat alles in haar hoofd verstrooid en wazig maakte. 'Heb jij mijn thee opgedronken? Ik kan hem nergens meer vinden. Iemand heeft mijn thee meegenomen. Heb jij hem soms in je zak?'

Maggie keek snel de andere kant op en wreef in haar ogen. Het brak haar hart altijd om te zien hoe snel Laura kon omslaan van helderheid naar verwarring – als een oude gloeilamp die opeens uitsprong. 'Och, die zal ik per ongeluk hebben meegenomen naar de keuken. Ik zet wel even nieuwe, Laura. En dan neem ik gelijk een koekje voor je mee.'

'Echt? Dat zou ik fijn vinden."

Maggie liep naar de keuken en zette de fluitketel op het vuur. Ze stond net een citroen in schijfjes te snijden, toen ze op de achter-veranda een zachte plof hoorde. Haar hart stond stil.

Hou op, Maggie. Gewoon een brok sneeuw die van het dak valt, meer niet. Je hebt je tot nu toe zo goed gehouden; ga nu niet door-draaien vanwege een beetje herrie. Toe vooruit, blijf daar niet staan als een bang konijn. Snij die citroen, zet het dienblad klaar, pak de koektrommel, want er is niks daarbuiten, hoogstens een hulpsheriff, weet je nog? Kijk, voel je je nu niet een beetje dom? Ja, het is ge-woon een van die hulpsheriffs op het trapje. Je hoeft je alleen maar om te draaien, te kijken en dan is alles weer helemaal goed.

Maar Maggie kon zich niet meer omdraaien. Haar hoofd was vijftien jaar terug in de tijd gegaan, naar het moment dat ze in die donkere tuin rondstommelde. Ook toen had ze donders goed ge-weten dat Roy haar te pakken zou krijgen als ze niet snel was. Hij zou haar met dat breekijzer de hersens inslaan. Ook toen had de doodsangst haar compleet verlamd. Er rolde een traan over haar wang.

Nog net zo stom als toen, zei Maggie tegen zichzelf – precies op het moment dat de ruit in de deur achter haar aan diggelen ging.

Tegen de tijd dat ze bij het hoofdgebouw aankwamen, kwam de sneeuw met bakken naar beneden. Elke lamp op het hele terrein brandde en de hele parkeerplaats was gevuld met wagens van Dun-das County.

Iris Rikker stond in een kring van pas gearriveerde hulpsheriffs. En hoewel ze met haar bolle parka en kleine moonboots niet erg op een sheriff leek, gedroeg ze zich zeer zeker wel zo.

Toen Gino en Magozzi op haar af liepen, hoorden ze haar streng, kort en snel instructies uitdelen. Ze zei geen woord te veel. Als een echte politieagent dirigeerde ze de agenten in tweetallen precies naar waar ze nodig waren. Gino zei niets, maar trok zijn wenk-brauwen omhoog en vroeg zich af hoe ze dat in vredesnaam in één dag onder de knie had gekregen.

'Waar wilt u ons hebben?' vroeg hij haar, zoals hij aan iedere lei-dinggevende zou hebben gevraagd. Magozzi vroeg zich af of zij wist wat voor een compliment dat was.

'Het hek was aan de achterkant van het terrein stukgeknipt. Ik heb een stel mannen het spoor vanaf die plek laten volgen, maar dat zijn ze na ongeveer een kilometer kwijtgeraakt: sneeuwschoensporen vullen zich erg snel. Dus nu zoeken ze gewoon in het wilde weg. Verder heb ik een ploeg rond Julie Albrights huis neergezet. De anderen gaan alle deuren langs, maar dat zijn er nogal wat.'

'Wijs ons maar waar we heen moeten,' zei Magozzi.

'Ik wilde ook net teruggaan.'

Ze leidde hen om het hoofdgebouw heen in plaats van erdoorheen. Er liep geen officieel pad, maar de hulpsheriffs voor hen hadden er een in de sneeuw platgetrapt.

'Hij is op sneeuwschoenen,' zei ze terwijl ze zich voorthaastten. 'Op zich makkelijk te volgen, maar we weten niet hoeveel voorsprong hij heeft. De ijzel heeft alle camera's bevroren, zodat de bewegingsdetectors ook geen zin meer hebben en het communicatiecentrum totaal in het donker tast. Hij kan overal zijn.'

'Hoe goed wordt Julie Albright bewaakt?'

'Vier man buiten, twee binnen. En zij en haar dochter zitten in een inpandig vertrek.'

Alleen al het horen van Julie Albrights naam was een schok voor Iris. Ze was meteen van haar apropos, al aarzelden haar voeten geen moment. Wat deed ze toch allemaal, hoe kwam ze zo arrogant? Ze had zich in de strijd geworpen tegen de zittende sheriff (met een beweegreden die in de verste verte niet nobel te noemen was) – een man die wél wist hoe je zulke klussen klaarde – en nu zaten een zwaar beschadigde vrouw en een prachtig kind bij elkaar gekropen in een huis hier vlakbij, en of die twee de nacht al dan niet haalden hing af van deze zogenaamde sheriff en de kwaliteit van haar aanpak.

Ze draaide haar hoofd naar Magozzi en Gino. 'Wat nog meer?' vroeg ze. Ze wist dat het klonk als een smeekbede. 'Wat moet er nog meer gebeuren; ben ik nog iets vergeten? Sampson moest kijken of alles goed is met zijn zus...'

Ze keek doodsbenauwd – totaal niet de zelfverzekerde vrouw die hij net heel professioneel haar hulpsheriffs zag aansturen. Nu snapte Magozzi het: Sampson was de hele dag haar steunpilaar geweest, haar leraar misschien zelfs, maar toen het menens werd, was hij er niet. Ze had alles in haar eentje gedaan en vroeg zich nu af of het wel voldoende was. Pas na jaren in dit vak zou ze zich realiseren dat je altijd het gevoel hield dat je niet genoeg had gedaan.

'Klinkt goed,' zei hij, want zo was het nu eenmaal. Schouderklopjes uitdelen was niet zijn sterkste punt.

'Zo doen wij het in de stad ook,' voegde Gino eraan toe. 'Als je een van die jongens buiten Julies huis maar een stukje verderop hebt gezet, zodat hij overzicht heeft. Soms raken ze bij het bewaken van een pand zo overgeconcentreerd, dat ze vergeten om zich heen te kijken.'

Ze wachtte niet eens tot hij was uitgepraat, maar begon meteen in de schouderradio onder haar jas te roepen. 'Bedankt,' zei ze toen. 'Ik wist niet dat het zo moest.'

Gino trok zijn schouders op. 'Weet je dat vast voor de volgende keer.'

Bij daglicht had het dorpje er nog idyllisch uitgezien, maar 's nachts was het een soort kerstkaart die niet helemaal klopte. Bij veel huizen hing nog kerstverlichting, de kleuren zacht en wollig door de sneeuw, en rond elke boomtak glinsterde een gloednieuw laagje ijs, maar er marcheerden gewapende mannen en vrouwen door de straat, die als boosaardige kinderen bij al die vrolijke voordeuren om snoep gingen vragen, en zo nu en dan verscheen er een bang gezicht voor een verlicht raam.

'Je moet zorgen dat ze bij de ramen wegblijven,' zei Magozzi.

Iris knikte. 'We zijn net bij dit blok begonnen. Ik laat ze eerst de huizen doen die grenzen aan open land en in een rechte lijn vanaf dat gat in het hek liggen.'

'Laten we maar eens aan het werk gaan dan.'

Ze gingen uit elkaar en werkten snel. Tien minuten en vier huizen later had Magozzi er al schoon genoeg van. Mijn hemel, elk gezicht achter elke deur had dat paar opgejaagde ogen.

Hij en Gino waren tegelijk klaar met de laatste huizen van het blok. Ze ontmoetten elkaar op de smalle straat. Sheriff Rikker stond iets verderop onder een straatlantaarn aantekeningen te maken op een vochtig, kreukelig stukje papier, terwijl de sneeuw zich op haar hoofd en schouders verzamelde.

'Als die nog langer blijft staan, moeten we haar straks uitgraven,' merkte Gino op toen ze op haar af liepen.

De rust keerde weer in het blok; alle huizen waren gecontroleerd. Een paar agenten bleven achter. Ze patrouilleerden door de straat, maar de sneeuw dempte al hun geluid. Het enige dat Gino en Magozzi hoorden, was het sussende geluid van hun eigen schoenen door het witte goedje en het gekras van Iris' pen op het papier – meer niet.

'Zo, nu dit blok.' Iris legde haar vinger op een plattegrond van het dorp en begon te lopen.

Ze hadden zich amper in beweging gezet of ze hoorden een schot – ergens aan hun linkerhand, daar waar de straat richting het open veld draaide.

Ook al hadden zij het geluid omfloerst gehoord, dacht Magozzi terwijl ze begonnen te rennen, hij wíst gewoon dat het heftig was begonnen – misschien wel zo heftig als van het wapen dat Kurt Weinbeck had gebruikt om dat gat in Steve Doyles borstkas te blazen.

27

Het was stil in het landhuis, op het regelmatige getik van Grace op haar toetsenbord na. Harley, Annie en Roadrunner lagen een uiltje te knappen, nadat ze bijna de hele nacht hadden doorgewerkt. Grace was zelf ook helemaal kapot. Soms, als ze zat te wachten op een nieuwe programmeerregel, voelde ze haar ogen dichtvallen. Maar dan dacht ze weer aan wat Magozzi had gezegd over die moordenaar aan het eind van de chatroomlijn en was ze meteen weer klaarwakker. Ze hadden al drie doden in een sneeuwman: misschien dat zij ervoor konden zorgen dat er geen vierde kwam.

De firewalls werden steeds lastiger te kraken. Na de eerste waren ze op een tweede gestuit en toen volgde zelfs een derde. Grace begon zich langzaam af te vragen hoeveel er nog waren en hoeveel tijd zij eigenlijk nog hadden.

Ze duwde haar stoel weg van het bureau en staarde van een afstandje naar haar monitor. 'Ik blijf niet aan de gang!' zei ze hardop en realiseerde zich toen pas hoe waar dat was. Natuurlijk kon ze niet aan de gang blijven – maar dat hoefde ook niet. Het was net zoiets als toen ze Charlies brokken nog steeds onder die ene overhangende plank in de voorraadkast zette, gewoon omdat ze dat zo gewend was. Elke ochtend bukte ze zich om die zak te pakken en stond dan vaak te snel weer op, vergat die plank en stootte haar hoofd. Hoe vaak had ze zich moeten stoten, voor ze bedacht dat ze dat hondenvoer natuurlijk ook ergens anders kon neerzetten? Hoe slim je ook was, soms maakten bepaalde gewoontes je blind voor de meest voor de hand liggende oplossing.

Ze hoorde Harleys voetstappen de trap op komen, net toen ze naar beneden wilde gaan om hem wakker te maken. Zijn verschijning werd voorafgegaan door een onappetijtelijke moerasdamp. Grace herkende de geur van zijn nieuwste obsessie meteen: een walgelijk soort kruidenthee die hij elke ochtend brouwde en ook hun probeerde op te dringen. Ze wist niet wat er allemaal in zat, maar hopelijk niets illegaals.

'Ik ga dat echt niet drinken, hoor,' zei ze zonder zich om te draaien.

'Jij zou meer groen op je menu moeten zetten.'

'Niet in vloeibare vorm.'

Harley zette toch een mok op haar bureau. 'Ik had de tv aan toen ik hiermee bezig was; ze hebben alweer een sneeuwman gevonden.'

Grace sloot haar ogen. Ze waren te laat!

'Kijk niet zo, Grace. Niet hier, maar in Pittsburgh. Onze moordenaar zou de staat wel eens kunnen hebben verlaten; misschien is hij op tournee of zo. Of misschien gaat het daar wel om een na-aper: ze weten nog niet zoveel. Hoe dan ook, wij móéten in die chatroom zien te komen.'

'Ik wilde je net komen halen. Ik wil iets nieuws uitproberen, maar daar heb ik jou en Roadrunner bij nodig.'

'En Annie?'

'Nou, eigenlijk kunnen we haar wel laten slapen. Jij en Roadrunner kunnen het alleen wel af.'

'Dat meen je toch zeker niet? Als we haar niet wakker maken en we kraken dat ding, rijgt ze me aan het spit. Zo terug!'

Vijf minuten later stommelde Roadrunner achter Harley binnen, als een kind met zijn vuisten door zijn ogen wrijvend. Hij sjokte naar de koffieautomaat, drukte op de knop met zijn favoriete *Jamaican Blue* en bleef toen staan kijken hoe de vloeistof in het kopje druppelde. Het had geen enkele zin om iets tegen hem te zeggen voor hij zijn eerste koffie achter de kiezen had, eerder drong er niets tot hem door.

Roadrunner was gekleed in een gloednieuwe Lycra-outfit: helemaal in het lila. Grace kon haar ogen bijna niet van hem afhouden; ze had hem nog nooit in pastel gezien. Hij was net een uitgerekt paasei.

Annie had niet de moeite genomen zich aan te kleden: zij droeg een zijden kimono en sloffen met pluizige bolletjes. 'Je wordt bedankt, Grace!' gromde ze terwijl ze dichterbij schuifelde.

Grace glimlachte. 'Harley heeft je slaapkamerdeur zeker zowat ingetrapt?'

'Welnee, dat zou nog vriendelijk zijn geweest: die rotzak is juist naar binnen geslópen. Mag jij raden hoe het is om nietsvermoedend wakker te worden, terwijl er zo'n logge bruut boven je hangt te gluren!'

Harley zuchtte. 'Je was net de Schone Slaapster. Ik dacht werkelijk dat mijn hart even stilstond.'

'Zwijn!' In een wolk van opwaaiende veertjes plofte Annie achter haar computer.

'Nou zeg: Gracie denkt dat we dat ding eindelijk kunnen openbreken. Zíj wilde jou laten slapen, maar ik dacht dat je daar graag bij wilde zijn.'

'Bedankt, Harley, erg attent van je. En toch ben je een zwijn.' Toen draaide ze zich naar Grace toe. 'Dus in Pittsburgh is nu ook al een sneeuwman gevonden. Er is iets heel akeligs gaande, Grace. Vertel maar eens over dat nieuwe plan van jou.'

'We hebben het tot nu toe helemaal verkeerd aangepakt. Dus heb ik bedacht dat we eens moeten ophouden met proberen de stalen deur in te trappen, en in plaats daarvan gewoon door het open raam naar binnen moeten klimmen.'

'O liefje, nu geen metaforen alsjeblieft. De zon is nog niet eens op.'

Grace draaide haar stoel om en keek iedereen aan. 'We hebben steeds getracht een chatroom binnen te komen met de beste beveiliging die wij ooit zijn tegengekomen. Dat zal ons uiteindelijk heus wel lukken, maar zoveel tijd hebben we nu gewoon niet. En dus bedacht ik... dat we ook dat virus van Harley en Roadrunner op dat ene zinnetje kunnen loslaten, waarna het virus ons die lijn kan binnenleiden, of misschien zelfs de site zelf.'

'Bingo,' mompelde Harley, meteen gevolgd door het gekraak van knokkels toen hij zijn vingers boven het toetsenbord strekte. 'Dit gaat werken, jongens.'

'Waarom heb jíj het dan niet bedacht, slimmerik? Het is nota bene jóúw virus,' beet Annie hem toe.

'Omdat, Schone Slaapster, ik een grote sterke vent ben. Kraken, binnenstormen, slopen – dat is mijn stijl. Dat subtiele gedoe is voor meiden.'

'Maar wel slimme meiden.'

'Dat moet ik toegeven.' Hij schoof de disk met het virusprogramma in zijn diskdrive.

'Goed werk, Grace,' zei Roadrunner met een slaperige glimlach, terwijl hij een mok *Jamaican Blue* op haar bureau zette. 'En behoorlijk buiten het boekje voor iemand die niet wilde dat we dat virus gebruikten voor iets anders dan het blokkeren van kinderpornosites.'

Grace knikte. 'Virussen zijn slecht,' herhaalde ze hun eigen mantra. Toen schonk ze hem een grijns. 'Behalve wanneer ze goeddoen.'

'Het is anders ook behoorlijk goed in het blokkeren van pornosites.'

'En afgelopen zomer in Wisconsin in het redden van wel duizend levens.'

Roadrunners glimlach werd nog breder toen hij daaraan terugdacht. 'Hoe vind je mijn nieuwe pak eigenlijk?'

'Geweldig.'

'Roadrunner, kom eens hier met dat magere lijf van je: ik krijg dat stomme ding niet gelanceerd.'

Het duurde slechts tien minuten eer Roadrunner de complete chatlijn op zijn monitor had staan. 'Ik geloof dat ik hem heb!'

De anderen stonden meteen achter hem en lazen zwijgend over zijn schouder mee.

Ten slotte kwam Harley weer rechtop en sprak somber: 'O man, dit is niet best.'

'En treurig ook nog,' voegde Annie eraan toe.

Grace' ogen vlogen druk heen en weer terwijl de tekst voorbijrolde. Toen deze eindelijk stilstond, keek ze naar de bovenkant van de monitor en trok een diepe frons in haar voorhoofd. 'Moet je deze onderwerpsregel eens zien.'

Harley kneep zijn ogen tot spleetjes. 'Bitterroot! Wauw, da's al de tweede keer in twee dagen dat die naam komt bovenborrelen. Maf, hoor. Wat zou dat toch te betekenen hebben?'

28

Het was een oud huis – zo'n massief, vierkant gevaarte waarvan er op het platteland in het prille begin van de staat veel waren neergezet, toen echtparen nog baden om veel zonen die hen konden helpen bij het bewerken van het land. Waarschijnlijk de oorspronkelijke boerenhoeve, dacht Magozzi, waar iemand behoorlijk zijn best op had gedaan: de verf was nog vrij vers, de grote veranda aan de voorkant was nieuw en aan één kant tegen de gevel stond tussen de struiken een moderne airconditioner. Grappig wat je allemaal zag als je dacht dat je niet eens keek.

Ze hadden niet eens zo ver gerend vanaf de huizen van het dorp – een paar honderd meter misschien – maar ze hijgden allemaal stevig en Magozzi voelde zijn bovenbenen branden van het hoog optillen in de diepe sneeuw. Ze zaten gehurkt achter het laatste bosje bomen vlak bij het huis, met hun wapens getrokken en al hun zintuigen gespannen, op adem te komen voordat ze verder gingen.

Plotseling vloog de voordeur wijd open; een vrouwenfiguur baadde in het licht. Magozzi kneep zijn ogen half dicht tegen de striemende sneeuw, maar kon niet met zekerheid zeggen dat er niemand achter haar stond.

'Agenten?' riep de vrouw luid. Magozzi herkende Maggie Hollands stem. 'Agenten, zijn jullie daar? Dit is Maggie Holland. Jullie kunnen rustig binnenkomen, hoor.'

Iris, Magozzi en Gino wisselden een paar behoedzame blikken, waarna Gino op Iris wees.

Zij knikte en riep: 'Mevrouw Holland, hier spreekt sheriff Rikker. Bent u alleen daarbinnen?'

'Niet echt. Dit is Laura's huis. Zij is er ook, en Julie Albrights echtgenoot... maar die is dood.'

Gino en Magozzi keken elkaar even aan, waarna ze richting het huis begonnen te rennen. Ineengedoken sprongen ze van de ene karige boomstam naar de andere, alsof Kurt Weinbeck nog leefde en achter die deur Maggie Holland onder schot hield. Je wist het maar nooit.

Iris probeerde hen na te doen, maar met haar korte benen kwam ze lang niet zo snel door de sneeuw vooruit. Nadat ze tweemaal was onderuitgaan keek ze nog eens goed naar Maggie Holland, die glimlachend en geduldig in de deuropening stond te wachten. Ze slaakte een zucht, zei: 'Ach, stik ook maar,' en liep toen kalm recht-op naar de veranda toe.

'Rikker, verdomme. Naar beneden!' siste Gino haar toe, maar ze was al bij het huis en nog steeds niet dood. Ze stak haar hoofd om de deur, draaide zich om en gebaarde hen binnen te komen.

Het was alsof ze een soort Freddy Krueger in Disneyland binnen-nenstapten: in de open haard knapperde een vuur, er waren knusse armstoelen en oude foto's, in een schommelstoel zat zelfs een frêle, witharige dame met een breiwerkje op schoot, die hen glimlachend begroette alsof ze haar een prettige kerst kwamen wensen. Het enige dat er niet bij paste, was dat lichaam dat op het verbleekte karpet lag leeg te bloeden. Sheriff Iris Rikker stond erbij te kijken als een kind dat per ongeluk het verkeerde huis was binnengelopen.

Gino bukte zich naast de restanten van Kurt Weinbeck, checkte diens halsslagader, staarde naar het enorme gat in zijn borstkas en keek toen hoofdschuddend op naar Magozzi.

'Dit is Laura.' Maggie Holland sloot de deur en wees op de vrouw in de schommelstoel.

Zij was oud maar nog ongelooflijk kwiek. Ze sprong op uit haar stoel en stak hun een knokige, door de tijd getekende hand toe. Ma-gozzi, die nog steeds met gebogen knieën en zijn wapen in de aan-slag stond, voelde zich opeens nogal idioot. Hij strekte zijn rug, pakte het wapen over met zijn linkerhand en nam het koele vlees van de oude vrouw in zijn rechter.

'Rechercheur Magozzi, politie van Minneapolis.'

Hij zag nieuwe tanden in een gezicht dat leek op zijn overhem-den als ze net uit de droger kwamen – te nieuw, te Hollywood-wit. Bij een jonge vrouw was die glimlach waarschijnlijk adembene-mend geweest; bij haar was het een nogal bizar gezicht.

'Ik weet al wie u bent, rechercheur. Maggie heeft me over u verteld en natuurlijk zie ik u af en toe ook op de televisie.' Ze vouwde haar handen onder haar platte boezem en keek voor het eerst wat verward om zich heen. 'Sorry voor de rommel.'

Magozzi had het gevoel dat hij zich in de *Twilight Zone* bevond. Deze oude dame was zojuist getuige geweest van een moord; er lag een hevig bloedende man op het karpet in haar woonkamer. Ze zou met afschuw vervuld moeten zijn, geschrokken, trillend, in shock.

'Maar ziet u, hij hield Maggie onder schot. Ik had echt geen andere keus.' Haar blauwe ogen keken hem recht aan. Magozzi zag dat ze verbleekt waren als een bijna verdwenen oude foto. 'U ziet er slecht uit, rechercheur. U heeft vast een vreselijke tijd doorgemaakt; jullie allemaal. Misschien moet u even bij het vuur gaan zitten, dan brengt Maggie u wat thee...'

Maggie Holland probeerde haar dit idee uit het hoofd te praten. Ze zei dat de oude vrouw beter naar bed kon gaan (niet geheel onverstandig voor iemand met zo'n avond achter de rug), maar daar wilde Laura niets van weten. Terwijl ze tot op dit moment opvallend scherp en beheerst was overgekomen – bijna niet normaal, gezien de omstandigheden – herkende Magozzi nu in haar halsstarrig hoofdschudden de eerste nukkigheid. Eerst dacht hij nog even aan een shock, maar omdat de rest van de tekenen ontbraken, leek het hem waarschijnlijker dat ze langzaam terugleed in dat kinderlijke gedrag dat veel ouderen vertonen wanneer ze vergeetachtig worden.

'Ik laat me niet als een kind naar bed sturen!' riep ze uit, zo plots dat ze er allemaal van schrokken. 'En nu ga ik deze agenten een kopje thee inschenken en al hun vragen beantwoorden.' Zo fel en onverwacht als haar uitbarsting was geweest, zo lief was de glimlach die ze Iris Rikker meteen erna schonk, alsof er niets was gebeurd. 'U hééft toch vragen voor mij, is het niet, sheriff Rikker? Ik ben dol op bezoek.'

Gewoon eng, vond Magozzi. Stapelgek, of het in rap tempo aan het worden.

Iris glimlachte terug, wat Magozzi als een pluspuntje zag. Ze was snel van begrip en beschikte over een prima intuïtie. 'Ik zou best even met u willen babbelen – als u tenminste niet te moe bent.'

Laura stak haar hand uit en gaf Iris een klopje op haar arm. 'Niet in het minst, mijn kind.'

'Ze is erg oud,' fluisterde Maggie Holland tegen Gino toen hij haar naar de keuken volgde. Ze schoof de ketel op het vuur en zett een paar porseleinen kopjes op het dienblad, die rammelden toen ze ze met haar trillende handen neerzette. 'En haar geheugen holt achteruit. Ze begint dingen door elkaar te halen, herinnert zich alleen hoe ze wíl dat de dingen lopen, niet hoe ze in werkelijkheid zijn gegaan.'

'O ja?'

'Ja.'

Gino tuitte zijn lippen en knikte toen. 'Ze is anders nog behoorlijk snel met de trekker voor een verwarde oude dame.'

Maggie schonk hem een kille blik. 'Het was niet de eerste keer dat ik een wapen tegen mijn hoofd gedrukt kreeg, rechercheur. Ik geloof dat ik heel goed weet of degene die het vasthoudt ook bereid is het te gebruiken. Laura heeft daarnet mijn leven gered.'

Diep vanbinnen vond Gino het rot voor haar, maar dat betekende nog niet dat hij zijn gevoelens ook liet merken. Hier klopte iets niet, en die gedachte bleef maar aan hem knagen.

'Ach, ze heeft soms wat sterke verhalen, maar het is een lief mens. Zij is degene die, samen met haar zuster, Bitterroot heeft opgericht, meer dan een halve eeuw geleden. Dit was hun landgoed, dus dit is haar dorp.'

'Ik begrijp het. Maar wie heeft Weinbeck nu neergeschoten?'

Maggie Holland perste haar lippen zo stijf opeen dat alle kleur eruit wegtrok. 'Ze dacht dat hij mij ging vermoorden. En dat had hij ook gedaan. Hij viel hier als een waanzinnige binnen, compleet door het lint.'

'Mm-mm. Zal ik dat mee naar binnen nemen?'

'Als u wilt.' Ze haastte zich achter hem aan en posteerde zich achter Laura's stoel, waar ze stokstijf in een beschermende houding bleef staan, als een soort bodyguard – wat Gino nogal merkwaardig vond, aangezien de oude dame zojuist háár het leven had gered.

Iris en Magozzi zaten op een bank tegenover de schommelstoel, beiden met een notitieblok op hun knie, toen Gino als een ober het dienblad binnendroeg en het op de koffietafel tussen hen in neerzette.

'Dus hij brak hier in, greep Maggie, hield een pistool tegen haar hoofd en vroeg waar Julie was. Is dat ongeveer hoe het is gegaan?'

Laura zat heftig te knikken. 'Zo ging het precies! Dus speelde ik het arme oude vrouwtje, zei dat ik even een plattegrond ging pakken en waggelde naar de keuken.' Ze keek Iris aan en glimlachte. 'Anders waggel ik niet, hoor. Ik doe elke ochtend rekoefeningen om lenig te blijven. Ik deed maar alsof.'

Iris glimlachte terug. 'Heel slim.'

'Zou ik ook zeggen! En ik heb echt een kaart van het dorp in de keukenla liggen... maar daar ligt ook mijn wapen.'

'Aha.' Iris knikte. 'De .357 op die tafel daar.'

Gino zette zich in een van de armstoelen en begon thee in te schenken. Het werd almaar gekker.

'Inderdaad. Volgens Maggie mocht ik hem niet terugleggen in de la, hoewel hij daar wel thuishoort. Zij zei dat ik hem daar moest laten liggen, zodat jullie ernaar konden kijken. Ik weet niet precies waarom.'

'Ach, zo horen die dingen, miss Laura.'

Wat goed dat ze precies weet hoe ze haar moet aanspreken, dacht Gino.

'Dus toen kwam u terug in de woonkamer... en wat toen? Hield u uw wapen verstopt onder de kaart?'

Laura keek haar stralend aan. 'Alweer zo slim! Dat is precies wat ik deed. Ik waggelde weer naar binnen, deed net alsof ik de kaart bestudeerde en toen hij zijn hand uitstak, schoot ik hem neer.' Ze keek hoofdschuddend naar Kurt Weinbecks lichaam. 'Ik haat dat soort dingen.'

Magozzi voelde een rilling over zijn rug lopen. 'U haat het om mensen te moeten neerschieten?' vroeg hij licht ironisch.

'Maar natuurlijk, rechercheur. U niet dan?'

'O, jawel.'

'Nou, dan begrijpt u precies wat ik bedoel. Het is vreselijk onaangenaam, maar ja... We doen wat we moeten doen: wij zorgen voor onze mensen. Niet dat ik er zoveel heb gedood, hoor – niet persoonlijk althans.'

Niet zoveel? Niet persoonlijk? Pardon?

Hij wierp een blik op Maggie Holland. Haar gezicht leek ineens geheel verlamd. Maar toen ze zijn blik voelde, rolde ze met haar ogen en tikte voorzichtig met haar wijsvinger tegen haar voorhoofd.

Iris zat nog steeds over haar notitieblok gebogen en schreef door alsof Laura niets ongewoons had gezegd. Magozzi moest op zijn tong bijten om niet allerlei vragen af te vuren. Kierewiet of niet, zo'n uitlating kon je niet laten passeren zonder er op zijn minst een vraag over te stellen.

Een seconde later hield Iris op met schrijven en keek Laura aan, een poeslieve uitdrukking op haar gezicht. 'Hoeveel denkt u dat het er zijn geweest?' vroeg ze.

Goed zo, Iris Rikker!

De oude vrouw knipperde even met haar ogen; toen dwaalde haar blik af terwijl ze haar geheugen in dook. 'Och hemeltje... Alles bij elkaar?'

'Heel graag.'

'Tjonge... ik denk... Ik weet het niet helemaal zeker, maar...' Haar ogen gingen nog wat sneller knipperen; ze werden vochtig. 'Nou ja... dan denk ik dat we eens in het meer zouden moeten kijken. Is het erg belangrijk?' Maggie Hollands ogen sloten zich.

'Nee hoor, niet echt,' zei Iris. 'U bedoelt Lake Kittering?'

'Precies. Daar woon jij toch, is het niet, liefje?'

Iris stopte met schrijven, maar bleef naar haar notitieblok staren. 'Ja, er vlakbij. Maar hoe weet u dat?'

Laura grinnikte. 'Tuurlijk weet ik dat; dat weten we allemaal. Jij bent degene die Emily's huis heeft gekocht.'

'Dat klopt, ja.'

'Nou, dat u het maar weet: Edgar ligt níét in het meer.'

Iris begon weer te schrijven, maar haar handschrift was nogal beverig. 'Hij niet?'

'Nee, hem hebben we begraven. Maar toen waren we natuurlijk

ook nog een stuk jonger. Ruth – dat was mijn zuster, had ik dat al verteld? – nou ja, zij was zelfs nog jonger dan ik en Emily was nog maar een piepklein bolletje in haar buik...' Haar ogen draaiden weg en ze leek zelf ook helemaal weg te dwalen – tot ze Maggie's blik ontmoette. 'O, Maggie... hallo, lieverd.'

Gino en Magozzi keken elkaar veelbetekenend aan. Dit ging niet lang meer goed. De oude vrouw begon de draad kwijt te raken, als ze die al ooit had beetgehad.

'Komen Alice en Bill nog?'

Magozzi's hersenen werden even geprikkeld bij het horen van die namen, maar dat vergat hij meteen weer toen Maggie antwoordde: 'Ze zijn onderweg. Ik heb ze gebeld, net voordat deze agenten kwamen, weet je nog?'

'O. Zal ik dan nu maar even naar het toilet gaan?'

'Als je dat wilt.'

'Ja, heel graag.'

Ditmaal kostte het haar nogal wat tijd om uit de schommelstoel omhoog te komen – alsof ze door de warboel in haar hoofd dat nog soepele lichaam niet zo goed meer kon bedienen.

Zodra ze de badkamerdeur hoorden dichtgaan, keek Iris Maggie Holland aan. 'Wie was die Edgar, Maggie, degene die ze hebben begraven?'

Maggie keek geërgerd. 'Doe niet zo gek. Niemand heeft wie dan ook begraven.'

'Dan liggen er zeker ook geen lijken in het meer?'

'Natuurlijk niet.'

Het was gek, maar om de een of andere reden geloofde Magozzi haar.

'Vertel op; voor ze terugkomt,' zei Iris.

Maggie zuchtte. 'Edgar was Laura's echtgenoot. Dat weet ik via Laura's achternicht – de vrouw die nu onderweg hierheen is. En zij kan het weten, want zij is door Laura en haar zus opgevoed, hier op Bitterroot. Hij schijnt een afschuwelijke lomperik te zijn geweest, die die twee zussen zo'n beetje gevangenhield op de oorspronkelijke boerderij – waartoe destijds ook uw land hoorde, sheriff. Hij sloeg ze, behandelde ze als slaven, maakte Laura's zus zwanger... en verdween toen opeens. Niemand weet waar hij gebleven is.'

Net als Lars, dacht Iris, maar ze zei niets.

'In die tijd bestond er nog geen officiële hulp voor mishandelde vrouwen. Niet dat dat tegenwoordig erg veel voorstelt,' voegde ze er bitter aan toe, terwijl ze aan het litteken in haar hals voelde. 'Laura en Ruth hebben daardoor vreselijk geleden, dus toen Edgar eenmaal weg was, waren ze vastbesloten een veilig toevluchtsoord voor vrouwen op te richten. Dat was het prille begin van Bitterroot.'

'Maar ze hebben dus niemand vermoord?' zei Gino.

Maggie schonk hem een boze blik. 'U begrijpt er niets van, rechercheur. Dat kun je simpelweg niet. Als je lang genoeg wordt misbruikt, fantaseer je heus wel eens over het vermoorden van degene die zoveel ellende bezorgt. Maar je voert je ideeën nooit uit, want ze gaan regelrecht tegen je aard in. Jij hóúdt juist van je beul – of althans: daar heb je jezelf van overtuigd. Op die paar gevallen na die allemaal het landelijke nieuws hebben gehaald, is je mishandelaar vermoorden echt volslagen onbestaanbaar.'

Gino knikte met tegenzin. Die waarheid had hij helaas al tientallen keren aanschouwd.

'Maar je droomt er wel over – zeker achteraf. En misschien, als je heel oud bent en je hoofd schemerig begint te worden, dat je dromen dan waarheid worden en de waarheid een droom. Dat is precies het stadium waar Laura nu in zit; ik had u al gewaarschuwd dat ze niet helemaal...' Ze zweeg abrupt toen Laura weer binnenkwam. Zij leek verrast bij het zien van zoveel vreemdelingen.

'Hebben we bezoek?' vroeg ze met een bedeesd, iel stemmetje. 'Op dit uur van de dag?'

Gino schraapte zijn keel. 'Wij wilden alleen maar even gebruikmaken van uw telefoon, mevrouw, als dat mag.'

'O ja. Zeg, Maggie, ik denk dat ik nu wel naar bed wil.' En ze verliet de kamer weer, zonder nog te kijken naar de man die ze had vermoord en die op haar karpet had gebloed.

Iris tikte Magozzi op zijn schouder toen hij wilde opstaan. 'Ik moet blijven tot de anderen er zijn.'

'Hebben jullie dan een speciale misdaadeenheid?'

Iris trok haar schouders op. 'Soort van. Toen ik binnenkwam heb ik inspecteur Sampson via de radio opgeroepen. Hij zal het verder afhandelen.' Ze gebaarde in de richting van Kurt Weinbecks lichaam. 'Dit hier lijkt me gesneden koek. Ik geloof niet dat we daar het BCA nog bij nodig hebben.'

'Waarschijnlijk niet.'

'Maar ik heb wel nog iets anders waarover ik advies wil. Zouden jullie op me willen wachten?'

Magozzi knikte. 'Geen probleem. Wij zitten in de auto.'

29

Hoofdschuddend en klakkend met zijn tong liep Gino terug naar de auto. 'Man, dat was maf, toch? Dat huisje binnenlopen, die oude dame horen over mensen neerschieten en rustig thee inschenken terwijl Kurt Weinbeck op de woonkamervloer stijf ligt te worden... Tjonge-jonge, ik kreeg het gevoel dat ik aan de andere kant van de spiegel was terechtgekomen of in dat konijnenhol was gevallen of zoiets.'

'Het was best maf, ja.'

'Best maf? Geintje, zeker! Ik voel me alsof ik net LSD heb gebruikt of zoiets.'

Glimlachend ploegde Magozzi verder door de razendsnel ophopende sneeuw. 'LSD is uit, Gino.'

'Zal wel. Ik hoop dat die Rikker een beetje opschiet. Ik wil hier als de donder vandaan en nooit meer terugkomen; ik vind het hier doodeng.'

'Dus jij denkt dat er wel een kern van waarheid in zit?'

'Waarin?'

'In dat verhaal van die "lichamen in het meer".'

'Ach, ik weet het niet. Dat ouwetje heeft zich vanavond wel van haar beste kant laten zien. Ik zie haar zo haar echtgenoot neerknallen, zeker nadat hij haar eigen zus met kind heeft geschopt, maar het is geen gewoonte geworden. Hoe dan ook, dat is ook niet ons probleem. Wij hebben onze eigen zaak om ons druk over te maken, en dit hele gedoe heeft al veel te veel tijd gekost.'

Toen ze bij de parkeerplaats kwamen, vertrokken daar net een paar auto's van Dundas County. De meeste stonden er echter nog; de hulpsheriffs die op de locatie niets te zoeken hadden, stonden er in groepjes bij – te niksen, het verhaal nog maar eens op te rakelen en te verfraaien en al die andere dingen die agenten nu eenmaal doen terwijl ze staan wachten tot de laatste adrenaline uit hun lijf is. Er draaide een ambulance de parkeerplaats op; een van de agenten maakte zich los uit zijn groepje en wees de chauffeur hoe hij moest rijden.

Bij hun eigen suv aangekomen klapte Gino zijn mobieltje open. 'Ik praat McLaren even bij; en misschien heeft hij ook nog wel nieuws. Het zal in ieder geval Tinkers dag helemaal goedmaken als hij hoort dat Weinbeck is omgelegd door een negentigjarige dame, met exact hetzelfde kaliber als híj heeft gebruikt voor Steve Doyle.'

Daar zat beslist iets van gerechtigheid in, dacht Magozzi droevig, alleen jammer dat Doyle het niet meer kon waarderen. Hij klom in de auto, startte de motor en draaide de verwarming voluit. Gino ijsbeerde buiten door de verse sneeuw: hij haatte kou, maar had nog een nog grotere hekel aan zittend telefoneren.

'En?' vroeg Magozzi toen Gino eindelijk op de stoel naast hem kwam zitten.

Gino zuchtte. 'De droom is uit. Er is onvervalst bewijs dat wij anderhalve dag hebben lopen verprutsen in de zoektocht naar de moordenaar van Deaton en Myerson. McLaren kreeg net een bevestiging van Weinbecks alibi voor die vrijdagavond; hij kan het nooit gedaan hebben.'

Magozzi zuchtte. 'Tja, dat dachten we eigenlijk de hele tijd al. Is het waterdicht?'

'Helemaal. Zijn zus en zo'n veertig van zijn vriendjes hadden een feestje voor hem georganiseerd.'

Magozzi fronste. 'Waarom is hij daar niet meteen mee gekomen?'

'O, gewoon: klassiek gevalletje paniekvoetbal,' bromde Gino, in zijn handen wrijvend voor een van de verwarmingsroostertjes. 'Ze hebben Weinbeck opgehaald bij de gevangenis, hem regelrecht een bar in gesleurd en hem strontlazarus gevoerd. Na sluitingstijd zijn ze naar die zus d'r huis gegaan, waar ze de hele nacht hebben doorgezopen. Enorme schending van Weinbecks voorwaardelijke vrijlating natuurlijk, dat wist zij ook wel. Dus toen McLaren haar belde om informatie over haar broer los te peuteren, werd zij enorm achterdochtig en deed wat dat soort lui altijd al doen: ze speelde dat ze van niks wist. Haar loyaliteit duurde echter niet lang, namelijk tot McLaren haar dreigde te arresteren als medeplichtige voor de moord op Deaton en Myerson. Toen kwam het hele verhaal eruit. Balen, hè? Meestal werken dat soort stommiteiten juist in ons voordeel – kun je nagaan.'

'Shit.' Magozzi zuchtte en sloeg gefrustreerd op het stuur. Hij voelde zich plots claustrofobisch in deze auto, hier, in deze county. 'En nu? Naar Stillwater en De Sneeuwman de duimschroeven aandraaien?'

Gino trok één schouder op. 'Lijkt me een logische volgende stap. Dat hij Weinbeck niet heeft ingehuurd om Deaton en Myerson om te brengen, wil nog niet zeggen dat hij niet iemand anders heeft ingehuurd, nietwaar?'

'Waar.'

'Het is het sterkste aanknopingspunt dat we hebben.'

'Het is het enige aanknopingspunt dat we hebben.'

Ze zwegen allebei lang. 'Waarom vinden we het allebei dan maar niks?' vroeg Magozzi uiteindelijk.

'Ik weet het niet; het is maar een gevoel – een beetje als cola light.'

Magozzi trok één wenkbrauw op en zette zich schrap voor nog meer typische Gino-taal. 'Cola light?'

'Ja, je weet wel. Je neemt een slok en het smaakt heerlijk, net als het echte spul. Maar een paar tellen later begint het wat slap te smaken en proef je de kunstmatige zoetstof erdoorheen. Het zit gewoon niet helemaal lekker, maar het is ook erg lastig te zeggen waar het 'm nou in zit.'

'We zullen er toch naar moeten kijken.'

'Weet ik.' Gino begon ongeduldig met zijn been te wiebelen. 'Waar blijft Rikker nou?'

Enkele minuten later parkeerde er een zwarte sedan op de lege plek schuin tegenover hen, onder een van de grote natriumlampen. Magozzi en Gino keken hoe een man en een vrouw uitstapten. En toen viel bij beiden de mond wijd open.

'Shit, Leo, zie jij wat ik zie? Dat zijn Mary Deatons ouders!'

Magozzi knikte. Hij begreep ineens waarom zijn hersenen even hadden gehaperd toen hij Laura had horen vragen of Alice en Bill nog kwamen. 'Alice en Bill Warner. Dus Alice is het achternichtje dat Laura en haar zus hier hebben opgevoed.'

Gino knipperde een paar maal met zijn ogen om deze overdaad toevalligheden te verwerken. 'Verdomme Leo, nu tast ik echt weer helemaal in het duister. Ik snap er niks meer van. Ik bedoel, wij hadden toch net geconcludeerd dat het om twee totaal verschillende zaken gaat? En toch wijst elke aanwijzing in beide zaken telkens weer naar Bitterroot. Hoe kan dat?'

Magozzi was alleen in staat om met zijn hoofd te schudden, in een poging het zo leeg te krijgen dat hij zich kon concentreren. *Bitterroot.* Gino had gelijk: deze plek leek centraal te staan in beide zaken – die naam bleef maar opduiken – maar als je de boel van dichterbij bestudeerde, was er geen enkele link naar de moord op Deaton en Myerson. Behalve dan die twee mensen die zich nu door de sneeuw haastten, om het hoofdgebouw heen naar het dorpje erachter. 'Ik weet het niet, Gino, maar het kán gewoon niets betekenen. Weinbeck was hier voor zijn vrouw; hij zag het nieuws over Deaton en Myerson en stopte Doyle in een sneeuwman, enkel om wat tijd te winnen. En Alice Warner is toevallig familie van iemand die hier woont. Op een bevolking van vierhonderd en zes generaties ertussen is dat misschien ook weer niet zó'n enorm toeval.'

Gino drukte beide handen tegen zijn voorhoofd. 'Weet jij wat een *smoothie* is? Je gooit een hele hoop soorten fruit in een blender en zet hem op de hoogste stand. Dat is zo'n beetje hoe mijn hersenen op dit moment aanvoelen: als een grote roze-met-grijze smoothie. En ik krijg ook weer last van dat cola light-gevoel.'

Magozzi's ogen volgden Alice en Bill Warner tot ze om de hoek verdwenen, waardoor hij niet zag dat Iris intussen op hun auto af kwam.

'Hè hè, gelukkig!' Gino sprong uit de auto om de achterdeur voor haar te openen. Hij wilde hier zo snel mogelijk vandaan. 'Het is koud, sheriff; spring erin.'

Ze knikte dankbaar en kroop op de achterbank – een ijskoude windvlaag en een vleugje sinaasappelgeur kwamen met haar mee de auto in.

Zeep, shampoo, keelpastille? Magozzi was tuk op een mysterie dat hij misschien wél zou kunnen oplossen voor hij onder de zoden lag.

'Bedankt voor het wachten. Jullie zullen wel staan te popelen om weer aan jullie eigen zaak te kunnen werken. Bestaat de kans nog dat Weinbeck ook jullie moordenaar is?'

'Niet meer,' zei Magozzi. 'We hebben zojuist gehoord dat hij een alibi heeft.'

'Dan hebben we jullie tijd hier dus verprutst. Dat spijt me vreselijk. Maar ik ben jullie ook vreselijk dankbaar voor wat jullie hier vanavond hebben gedaan.'

Nu hij bijna terug naar huis kon, werd Gino ineens grootmoedig. 'Je hebt het zelf anders ook behoorlijk goed gedaan. Niet slecht voor een eerste dag, Iris Rikker.'

Ze schonk hem een grimmig lachje. 'Gisteren zou ik me nog in een kast hebben verstopt, om in razende vaart het handboek door te lezen en te proberen niet over te geven. Het is verbluffend wat je als mens in één dag tijd kunt leren door goede politiemensen aan het werk te zien.'

Dat was een moedige uitspraak en Magozzi voelde voor het eerst wat sympathie voor haar.

'Luister, ik wil jullie niet te lang meer ophouden, maar ik heb echt wat advies nodig en zou jullie professionele mening zeer op prijs stellen.'

Naast goed eten en seks – niet per se in die volgorde – was dat de beste manier om een plaatsje in Gino's hart te veroveren (of dat van welke man dan ook): hem prijzen om zijn professionaliteit. Magozzi vroeg zich af of Iris haar woorden expres zo had gekozen. Het leek soms wel of alle vrouwen bij hun geboorte een speciaal stukje DNA meekregen, waardoor ze instinctief wisten hoe ze mannen moeiteloos konden bespelen.

Gino schonk haar een vaderlijke glimlach. 'Wij helpen graag, sheriff, vraag maar op.'

Iris haalde diep adem en zei: 'Nou... Hoeveel waarde zouden jullie hechten aan wat Laura zei?'

Magozzi en Gino keken elkaar aan. 'Er kán een kern van waarheid in zitten.'

'Zouden jullie van het voorjaar in het meer laten dreggen?'

'Dat kunt u alleen beslissen, sheriff.'

'Godzijdank wel,' voegde Gino er tactloos aan toe. 'Daar zou ík me voor geen goud over willen buigen.'

Iris leek ietwat teleurgesteld, maar de raderen in haar hoofd stonden nog niet stil. 'Onder normale omstandigheden zou ik waarschijnlijk geen moment meer over Laura's uitspraken piekeren, gezien haar duidelijk verminderde toerekeningsvatbaarheid, maar die botten zitten me toch niet lekker.'

'Welke botten?' vroeg Magozzi.

Iris keek verbaasd. 'Heeft Sampson jullie dat niet verteld?'

'Sampson? Die heb ik niet meer gesproken sinds hij me vanochtend uit bed belde. Het enige dat hij toen zei, was dat jullie Weinbeck vanaf jouw huis naar Bitterroot gingen volgen en dat we snel moesten komen als we erbij wilden zijn. Ik kreeg de indruk dat het bij jullie toen nogal een gespannen toestand was.'

Iris knikte. 'Er gebeurde van alles tegelijk. Maar Weinbeck bleek niet het enige in mijn schuur te zijn. In een afgesloten ruimte onder de vloer ontdekten we menselijke overblijfselen, eigenlijk niet veel meer dan een skelet. Volgens Sampson zou het om Emily's echtgenoot gaan, die tientallen jaren geleden is verdwenen.'

Magozzi's wenkbrauwen vlogen omhoog. 'Vermoord?'

Toen Iris haar hoofd schudde, rook Magozzi weer sinaasappel. *Shampoo dus.* 'We hadden op dat moment echt geen tijd om daarnaar te kijken. Weinbeck was immers nog op de vlucht. Het BCA komt er vanochtend een kijkje nemen.'

Gino had een merkwaardige uitdrukking op zijn gezicht. 'Een kamer met een slot?'

'Erger nog: eerder een ondergrondse cel – geen ramen en alleen een onbereikbaar luik in het plafond.'

'Man, daar krijg je toch kippenvel van! Jakkes, wat eng.'

Iris knikte. 'Maar het is de samenhang die mij pas echt de kriebels bezorgt. Ik woon dus in een huis waar een vrouw haar echtgenoot mogelijk gevangen heeft gehouden, misschien zelfs vermoord. En zij blijkt "toevallig" het nichtje van de vrouw die ik zojuist heb ondervraagd omdat zij vanavond eveneens een man heeft vermoord én beweert er nog meer op haar geweten te hebben. Dus vraag ik mij toch af: wat leren deze vrouwen hun dochters in vredesnaam?'

Magozzi draaide zich naar haar om en toen zag hij het voor het eerst. Gino had gelijk: Iris Rikker was een schoonheid. 'Wat denk jij? De een of andere familietic?'

Iris wreef over haar gezicht; het voelde alsof ze zich al jaren niet meer had gewassen. 'Ik weet het niet. Maar ik vraag me echt af wat er op de bodem van Lake Kittering ligt.'

Magozzi en Gino zwegen allebei even. Toen haalde Gino zijn schouders op. 'Waarom ga je dan niet gewoon dreggen?'

'Het is een groot meer, Gino,' bracht Magozzi in herinnering.

'Een enorm meer,' verbeterde Iris. 'Het strekt zich uit van het sheriffkantoor naar de achterkant van het Bitterroot-terrein en dan helemaal naar het land dat achter dat van mij ligt. De kosten zouden astronomisch zijn. Maar nog veel erger vind ik dat de mensen dan zullen dénken dat er inderdaad iets vreselijks is gebeurd – wat de uitkomst ook zal zijn. Vinden we iets, dan is dat heel akelig; vinden we niets, dan zeggen ze dat we niet op de juiste plaats hebben gezocht. Maar velen zullen blijven geloven dat er ergens in dat meer lichamen zijn gedumpt, en zij vinden vast wel een manier om Bitterroot voorgoed te sluiten.'

Gino zuchtte zo hard dat zijn haar er bijna van opwaaide. 'Lastig, hoor! En wat ga je doen?'

'Ik hoopte eigenlijk dat als ik het netjes vroeg, jullie me de oplossing zouden geven.'

Magozzi glimlachte kort, maar trok meteen weer een serieus gezicht. Dit werk riep zoveel gewetensvragen op! Het grootste deel van de tijd wist je aan welke kant van de lijn je moest blijven, maar soms leek het pad aan de ene kant net zo kronkelig als aan de andere.

'Shit,' gromde Gino toen Iris uitstapte, om samen met Sampson bij haar thuis op het bca te gaan wachten. 'Ik hoop dat niemand ons ooit meer om advies vraagt.'

'Mijn idee!' Magozzi zette de auto in de vooruit. De sneeuw kraakte onder de banden. Hij was nu pas echt goed terneergeslagen. Toen Iris net uit de auto kroop had hij even goed aan haar haar kunnen ruiken: fris en luchtig, geen sinaasappel, dus geen shampoo – nóg een onopgeloste zaak.

30

Magozzi trok zijn mobieltje uit zijn zak en klapte het open: 'Magozzi.'

Gino trok zijn wenkbrauwen op toen zijn partner naar de berm stuurde en het alarmlicht aanzette. Hij vond dit geen goed idee, zeker niet op zo'n smalle weg met aan beide kanten torenhoge sneeuwbanken. Hij wist niet eens of ze nu wel in de berm stonden of dat deze weg wel een berm hád. Bovendien was dit niks voor Magozzi.

'Oké, Grace: knal maar los.'

O – Grace, dat verklaarde alles. Gino zakte onderuit en probeerde zich te ontspannen. Ten eerste hoorde hij zijn partner niet graag 'knal maar los' zeggen tegen een vrouw die altijd en overal bewapend was; ten tweede zat zijn portier tegen zo'n stomme sneeuwbank geperst en kon hij er met geen mogelijkheid uit als ze werden geraakt door de een of andere boerenkinkel met een sneeuwruimer, een tractor of wat dan ook.

'Verdorie, Leo, rij eerst even naar een veiliger plek en bel dan terug, wil je?'

Maar Magozzi zat ingespannen te luisteren en stak een hand omhoog om zijn partner tot zwijgen te brengen.

Dus sloot Gino zijn ogen en wachtte tot hij zou sterven. *Tjongejonge!* Soms deden mannen zo stom, dat hij zich schaamde dat hij er ook een was. Magozzi zou er zonder nadenken vóór springen als iemand Gino onder schot hield, maar zodra Grace MacBride belde kon hij het schudden: weg verstand.

'Blijf even hangen, Grace. Ik zit samen met Gino in de auto, dus ik ga je op de speaker zetten... oké? Begin maar opnieuw.'

Alsof Grace ooit op verzoek ergens mee zou ophouden. Ze zat dan ook midden in een zin: '...dus vanmorgen lukte het ons eindelijk om die hele chatlijn af te wikkelen, je weet wel: die waarin werd gesproken van sneeuwmannen in Minneapolis. Dit moet je echt zien. Hoe ver zijn jullie nu van Harleys huis?'

'Nou, daar zit 'm dus de crux: zo'n honderd kilometer... in Dundas County.'

Het bleef even stil. Toen zei ze: 'Dundas County? Waar die andere sneeuwman is gevonden?'

'Precies. En degene die daar verantwoordelijk voor bleek te zijn, is net neergeknald door een oude dame in Bitterroot. En dat is weer een van jouw klantjes, toch, Grace?'

'Klopt. Afgelopen najaar hebben we wat beveiligingssoftware voor hen ontworpen. Hoe weet je dat?'

'We zagen jullie logo onder een van die programma's staan. Weet jij wat Bitterroot voor iets is?'

'Ja, een soort postorderbedrijf. Hoezo?'

'Ben je er niet rondgeleid dan?'

'Wij kwamen er om te werken, Magozzi. En ook nog alleen in het weekend, als het bedrijf gesloten was. We hebben er maar een paar mensen ontmoet en de computerruimte gezien, meer niet.'

'Achter dat bedrijfsgebouw ligt een heel dorp, Grace: een reusachtig blijf-van-mijn-lijf-huis voor mishandelde vrouwen.'

'O, nee toch.' Het was niet meer dan een gefluister. Hij hoorde dat ze haar hand even over de telefoon legde en iets zei, waarschijnlijk tegen de rest van het Monkeewrench-team. Toen ze weer tegen hem sprak, klonk haar stem gespannen. 'Magozzi... Bitterroot was ook de onderwerpsregel van die chat! Daar begrepen we net nog niets van, maar de puzzelstukken beginnen nu op een hele nare manier op hun plek te vallen. Ik ben bang dat ze daar vrouwenmishandelaars om het leven brengen.'

Gino vergat even dat hij het gevaar liep te sneuvelen onder een sneeuwruimer en boog zich naar voren. 'Wíé brengt er vrouwenmishandelaars om het leven?' wilde hij weten.

'Dat weten we niet. Nog niet.'

Magozzi sloot zijn ogen. 'Lees maar eens voor wat je hebt, Grace.'

Ze haalde diep adem; ze klonk gebroken. 'Oké dan. Het komt uit een privé-chatroom op een zeer vertrouwelijke site – die we overi-

212

gens nog niet hebben kunnen kraken, maar dit stukje is toch waar het ons om ging. De lijn gaat enkele maanden terug: twee lui hebben heel lang heen en weer gepraat over het feit dat de wet vrouwen niet kan beschermen tegen de mannen die hen mishandelen. Voor het grootste deel gefrustreerd gewauwel... nee, dat ook weer niet, want het is bedroevend, maar o zo waar. Voor jou vooral interessant zijn een paar van de laatste inzendingen. Zoals deze: "Doe het precies zoals ik je heb verteld en stop het lijk dan in een sneeuwman. Zo hebben wij het hier gedaan, dus kun jij het ook. Op die manier zullen ze gaan zoeken naar een seriemoordenaar."'

Gino en Magozzi keken elkaar aan.

'Ben je daar nog, Magozzi? Heb je dat gehoord?'

'Jazeker, maar ik snap niet precies waar het naartoe gaat...'

Grace stormde door: 'Een van de schrijvers zit hier in Minneapolis; zijn pseudoniem is alleen maar een reeks cijfers, maar degene die steeds antwoordt noemt zichzelf "Pittsburgh".'

'O nee,' mompelde Gino. 'De sneeuwman van Pittsburgh.'

'Dus hebben wij de politierapporten van Pittsburgh er eens bij gehaald...'

'Erbij gehaald?'

Grace zuchtte geërgerd. 'Ze zetten daar alles in de computer, Magozzi, en het wordt nog aardig goed bijgehouden ook. Maar iemand daar heeft toch zitten slapen, want óf ze hebben het slachtoffer nooit goed gecheckt óf ze hebben het bewust buiten de verslagen gehouden: die vent had een enorm strafblad en elke aanklacht was vanwege huiselijk geweld. Hij bleef maar proberen zijn vrouw te vermoorden.'

'Staat er nog meer op die website dat wij moeten lezen?'

'Alleen het antwoord op wat ik je net heb voorgelezen. Het enige wat daarin staat is: "We doen wat we moeten doen: wij zorgen voor onze mensen."'

Magozzi en Gino keken elkaar geschokt aan. Ze dachten allebei aan hoe Laura, nog geen uur geleden, exact die woorden had gebruikt. Het leek wel een soort motto.

Magozzi sloot zijn ogen en ademde diep in. Hij durfde bijna niet verder te vragen – ook al wist hij niet precies waarom; het was maar een gevoel, een akelig rotgevoel. 'Blijf speuren, wil je, Grace? Wij hebben een naam nodig, en een adres.'

'Wordt aan gewerkt. Ik bel je zodra we iets hebben.'

'Bel Iris Rikker,' zei hij tegen Gino, terwijl hij de weg weer op draaide, 'en vraag haar hoe we bij haar huis komen.'

'Ho ho, partner, heel even, hoor. Denk eens goed na. Grace stuit op een paar enge zinnetjes en jij besluit pardoes dat Bitterroot een enclave vol geheime moordenaars is, die overal vrouwenmishandelaars lopen neer te knallen?'

'Ach Gino, doe nou niet alsof het allemaal zo stom en simpel is, want dat is het niet. Er wijzen toch al de hele tijd allerlei vingers richting Bitterroot? Maar wij blijven maar wegrennen. Nou, ditmaal gaan we niet weg tot we een paar goede antwoorden hebben.'

Gino trok een boos gezicht. Hij baalde stevig: er was daar niet eens een fatsoenlijk hotel!

Hij stopte pas met mokken toen Magozzi hard op de rem trapte, het stuur omgooide en ze midden op de weg een schuiver van honderdtachtig graden maakten.

31

Lang, lang geleden – nog voordat er lijken in sneeuwmannen, woonkamers en misschien zelfs meren lagen – had Iris kippensoep gemaakt en ingevroren. Ze pakte een portie, zette hem vijf minuten in de magnetron, sneed ondertussen verse groenten, pakte wat noedels, deed toen alles in een grote pan en zette deze op het vuur.

Ze hoorde Sampsons zware tred: hij ijsbeerde door de kamer alsof hij zijn problemen vóór probeerde te blijven. Hij had uit zichzelf aangeboden alle vereiste telefoontjes te plegen, wat Iris prima had gevonden; ze stierf van de honger.

Toen hij weer in de keuken verscheen, had hij Puck in zijn armen – die dat overigens helemaal niet vervelend leek te vinden.

'Hou je van katten?'

'Niet echt.' Hij plofte neer aan de keukentafel, met de spinnende zwarte massa op schoot. 'Maar deze hier bleef maar om mijn benen draaien bij elke stap die ik verzette. Ik ben wel tienmaal bijna over d'r gestruikeld. Dus leek het me veiliger om haar maar te pakken en mee te nemen.'

Glimlachend schepte Iris twee kommen vol. 'We eten soep als ontbijt.'

'Dank je, ruikt heerlijk.' Hij begon met één hand te eten, terwijl hij met de andere Puck aaide. 'Het ziekenhuis heeft erin toegestemd Weinbecks lichaam vandaag in de koeling te bewaren. Neville heeft er een mannetje bij gezet, dus dat zit wel goed. Het BCA kan hier op zijn vroegst pas na de middag zijn: dan doen ze eerst jouw schuur, waarna ze Weinbeck op de terugweg naar de stad oppikken.'

'En hoe gaat het op de sneeuwmanlocatie?'

'Daar zijn ze nog steeds vingerafdrukken en andere aanwijzingen aan het verzamelen. Neville blijft erbij tot ze klaar zijn.'

'Dus hebben wij nu wat tijd.'

'Meer dan we in lange tijd hebben gehad.'

Ze zaten allebei net achter hun tweede kom soep toen Gino belde voor een routebeschrijving naar Iris' huis.

'Komen ze terug?' vroeg Sampson.

'Blijkbaar. Hij zei niet waarom; alleen dat ze er over een paar minuten zijn en of wij even op ze willen wachten.'

'Hm, waar zou dat nu weer over gaan?' Hij leunde achterover, keek naar de kat op zijn schoot en vroeg zich af waarom het zo fijn voelde om zo'n dom oud nutteloos beest te aaien. Hij was nooit erg dol op katten geweest, of op kippensoep – maar om de een of andere reden voelde het ene best lekker aan de binnenkant van zijn buik en leek het andere zich ook niet echt rot te voelen aan de buitenkant. Nee, het was wat er door zijn hoofd maalde dat aan hem vrat. 'Jij zou mij eigenlijk grandioos moeten afzeiken, weet je dat?'

'Pardon?'

Sampson perste zijn lippen opeen en keek de keuken rond. 'Erg gezellig hier.'

'Dank je, vind ik ook. Maar waarom moet ik jou "afzeiken"?'

'Omdat ik je daarachter lelijk in de steek heb gelaten. Ik ben er gewoon tussenuit geknepen; heb jou alles in je eentje laten afhandelen.'

Met een zucht duwde Iris haar kom van zich af. 'Jij moest voor je zus zorgen, Sampson. Ik zou in jouw positie exact hetzelfde hebben gedaan.'

Sampson keek haar recht in de ogen. 'Dat moet je niet doen: excuses verzinnen voor een politieman die zijn partner heeft laten zitten – nooit. Als een van hen dat ooit doet, schop je hem eruit: dat is nu jouw taak.'

Iris zette de lege kommen in de gootsteen, draaide zich om en leunde tegen het aanrecht, haar armen gevouwen voor haar borst. 'Er werkten er wel meer alleen: er was gewoon te veel terrein om het in koppels te doen. Trouwens, Magozzi, Gino en nog zo'n honderd agenten waren erbij: dat kun je toch niet echt "in je eentje" noemen.'

Hij zat haar alleen maar hoofdschuddend aan te kijken.

'Het is niet mijn taak op jou te passen, Sampson.'

Daar moest hij toch even om glimlachen. 'Nou, dat heb je dus mis: dat was precies mijn taak. Ik had namelijk wat afgesproken.'

'Met wie?'

'Met Bitterroot.'

Ze dacht er even over na, maar kwam er niet uit. Ze ging tegenover hem zitten en wachtte tot zijn blik de hare ontmoette. 'Wat bedoel je nou toch?'

'Sheriff Bulardo wilde alle wapenvergunningen van Bitterroot intrekken.'

'Waarom, in vredesnaam? Je zei zelf dat daar nog nooit iets is gebeurd waar de politie bij moest komen.'

'Uit woede; zijn vrouw heeft zich afgelopen zomer bij Bitterroot gemeld.'

Iris voelde dat haar mond openviel – ze kon het gewoon niet helpen. 'Dat meen je niet!'

'Maar niemand durfde zich tegen hem te verzetten. De jongens van hier die zich best als tegenkandidaat hadden willen opgeven, wisten donders goed dat als ze hem níét versloegen, ze hun baan meteen vaarwel konden zeggen. En hem verslaan was bijna onmogelijk: in deze county zou men nooit een hulpsheriff boven de zittende sheriff kiezen, als die sheriff zijn werk goed leek te doen. Maar toen zette opeens een gloednieuwe, totaal onbekende hulpsheriff van de centrale haar naam op de lijst.' Hij grijnsde. 'Dat was me nog eens een David-en-Goliath-truc! Waarom deed je dat eigenlijk? Je moet hebben geweten dat je je hele carrière daarmee om zeep hielp. De meesten van ons zagen je als een soort eigenwijze actievoerder, zo'n martelaarstype.'

Iris schudde haar hoofd. 'Zo nobel was het helemaal niet. Tijdens mijn tweede nacht op de centrale trof Bulardo me in een van de voorraadruimtes, waar hij zich op een behoorlijk walgelijke manier aan me opdrong. Dus gaf ik hem een klap – en niet zo'n kleintje ook. Dát was pas funest voor mijn carrière.'

'Jij hebt sheriff Bulardo een klap gegeven?' Sampson kon het niet helpen, hij schoot in de lach.

'Jazeker. En toen vond hij het nodig om mij te garanderen dat ik zolang hij sheriff was, niet achter het bureau van de centrale vandaan zou komen. Zie je wel: niks nobels – ik had gewoon niets te verliezen met mijn kandidatuur. Ik deed het ook nog eens om heel verkeerde redenen: ik wilde gewoon mijn tong uitsteken naar degene die me had gekwetst. Ik had echt nooit verwacht dat ik nog zou worden gekozen ook.'

Sampson had nog steeds een grijns op zijn gezicht. 'Tja, dat was puur geluk. De meeste mensen deden allang geen moeite meer om te gaan stemmen. Maar ditmaal stemde heel Bitterroot. Allemaal kwamen ze die dag naar de stembus – velen van hen verlieten het complex voor het eerst sinds hun aankomst! Een hele gebeurtenis dus... en net genoeg om het tij te keren.'

Iris sloot haar ogen. 'Fijn: Bitterroot heeft mij dus gekozen om zichzelf te redden en nu ben ik degene die moet beslissen of er een onderzoek moet worden gestart, dat misschien hun sluiting tot gevolg zal hebben.'

'Ja, dat had ik ook niet zien aankomen.'

'Wat moet ik doen, Sampson?'

Hij hield zijn hoofd schuin en keek haar lang aan. 'Het enige juiste.'

'Maar ik weet niet wat dat is.'

'Daar kom je vanzelf achter.

Magozzi stopte op Iris' halfronde oprijlaan tussen een grote, verweerde schuur en een ouderwetse veranda met een witte balustrade, die op een warme zomerdag vast een heerlijke plek was om limonade te drinken en voor je uit te dromen – hoe lastig dat vanochtend ook voor te stellen was.

Hij zette de auto in de parkeerstand, maar liet de motor lopen. Hij legde zijn polsen over het stuur en staarde door de voorruit, zoals altijd wanneer hij diep nadacht. Gekleurde blokken, iets anders zag hij niet. Want de duivel mocht dan in kleine dingen zitten, als je zo nu en dan niet in de verte tuurde, miste je het grote geheel. En dat was dus exact wat er was gebeurd.

Vervolgens focusten Magozzi's ogen en hoofd zich weer op dichterbij. Hij tikte tegen de voorruit en wees naar de vallende sneeuw. 'Sneeuwblind,' zei hij tegen Gino. 'Dat zijn we geweest.'

'Hoe bedoel je?'

'Ik bedoel dat wij maar achter die Weinbeck-connectie zijn aangelopen, omdat het de makkelijkste weg was: de weg van de minste weerstand...'

'Ho even, Leo, dat moet je ons niet aanrekenen. Er was een derde sneeuwman gevonden! We hadden geen andere keus; we móésten Weinbeck wel natrekken. En een tijdlang zag die connectie er ook verdomde goed uit.'

'Ja, maar dat was meteen ook het enige waar we naar keken. Waar we vanaf het allereerste begin op hadden moeten letten, waren de slachtoffers en hun familie. Dat doen we altijd, maar ditmaal hebben we dat overgeslagen omdat die Weinbeck ineens het toneel bestormde. In Pittsburgh hebben ze precies dezelfde fout gemaakt, waarschijnlijk omdat zij ervan uitgingen dat het om een na-aper ging.'

Gino snapte er echt niets meer van. 'Waar heb jij het toch allemaal over?'

'Ik heb het over de gemiddelde moord. Meestal hoef je niet zo ver te zoeken om de moordenaar te vinden. Je weet toch hoe zelden het voorkomt dat iemand door een volslagen onbekende wordt vermoord?'

'Tuurlijk. Maar Deaton en Myerson waren toch geen doorsneemoorden...'

'De manier waarop ze zijn gestorven was niet doorsnee, maar het motief wel. We zijn niet eens in dat bos gaan kijken, Gino, nog niet eens in de buurt ervan.' Hij keek zijn partner aan. 'Bel McLaren en laat hem alle alarmtelefoontjes en EHBO-rapporten van de plaatselijke ziekenhuizen checken op de naam Mary Deaton.'

Gino's blik werd langzaam weer wat helderder, toen hem begon te dagen wat Magozzi hem probeerde duidelijk te maken. 'Shit, Mary Deaton... die neuscorrectie.'

Magozzi knikte grimmig. 'Die wellicht geen neuscorrectie was.'

Gino schudde ongelukkig zijn hoofd. 'Verdomme, Leo. Deaton was politieman.'

'Het komt in alle kringen voor, Gino. En vaak ook nog. Dat weet je heel goed.'

Gino dacht even na. 'Nee, Mary Deaton kan hier met geen mogelijkheid iets mee te maken hebben. Ze heeft er om te beginnen het postuur niet voor én ze heeft vast zo'n typische misbruikte-vrouwen-houding, anders had ze hem allang de bak in laten draaien.'

'Ik dacht ook niet aan Mary zelf.'

Gino keek hem even aan, klapte toen zijn telefoontje open en belde het bureau.

Zo zaten ze een poos te zwijgen op Iris Rikkers oprijlaan, wachtend tot McLaren zou terugbellen. Dat duurde gelukkig niet lang. Gino luisterde enkele minuten, knikte zo nu en dan, maar deed geen moeite om aantekeningen te maken. 'Bedankt, Johnny,' zei hij ten slotte. 'Volg het maar, waar het ook naartoe leidt.'

Toen hing hij op en keek Magozzi aan. 'Mary Deaton is twee nachten voor de moord op haar echtgenoot naar de EHBO van het Hennepin County geweest, met een gebroken neus. Het was de eerste keer dat ze haar daar zagen. Omdat ze haar bij de alarmcentrale ook niet kenden, kreeg McLaren een ideetje. Hij begon een paar andere EHBO -afdelingen te bellen. Ze bleek overal een dossier te hebben, met telkens één bezoekje erin. Bij de vijfde EHBO heeft hij ons teruggebeld, maar hij gaat nog even door met checken. Weet jij hoeveel ziekenhuizen er in en rond de Twin Cities liggen? En nóg een interessant weetje: raad eens wie ze steeds bij zich had?'

'Haar man, Tommy Deaton?'

'Nee: zijn partner, Toby Myerson. Verdomme, die schoft moet hebben geweten wat er aan de hand was.'

'En hij niet alleen.' Magozzi draaide zich om en keek hem recht in de ogen. 'Wat zou jij doen als het jouw kind was, Gino; als het om Helen ging?'

Gino antwoordde niet.

Terwijl Magozzi en Gino eindelijk uitstapten en naar Iris' veranda liepen, deed een zwakke zon al zijn best de groezelige, met sneeuw bespikkelde lucht te verlichten. Iris en Sampson stonden voor het keukenraam naar hen te kijken, zich waarschijnlijk afvragend wat zij in vredesnaam zo lang in hun auto deden.

Toen Iris de deur opende en hun gebaarde binnen te komen, vielen ze allebei haast om van de geur van zelfgemaakte soep die hen tegemoet dreef. Gino glimlachte schaapachtig toen zijn maag zo hard rommelde dat iedereen het kon horen. 'Sorry.'

'Ga zitten.' Iris pakte twee schone kommen uit een kastje boven het fornuis.

Ook Magozzi leed onder de gevolgen van het overslaan van zijn ontbijt, al was hij minder luidruchtig dan Gino. 'Erg vriendelijk, sheriff, maar daar hebben we echt geen tijd voor.'

'Waar moeten jullie dan naartoe?'

'Naar Bitterroot. Júllie rechtsgebied, dus zouden we graag zien dat jullie allebei met ons meekwamen.'

'Prima.' Ze gaf hun een lepel. 'Schep dan maar wat uit de pan, terwijl wij onze schoenen en jas aantrekken. Jullie zien er allebei uit alsof je op instorten staat.'

Gino's standvastigheid verzwakte zodra hij de lepel in zijn hand voelde. Hij was al onderweg naar het fornuis toen Magozzi's stem hem tegenhield.

'Zelfs daar hebben we geen tijd voor. We moeten er zijn voordat Bill en Alice Warner weer vertrekken.'

Iris trok een rimpel in haar voorhoofd bij het horen van deze namen. 'Die familieleden die Laura kwamen bezoeken?'

Sampson had zijn jas al half aan, maar liet hem nu op zijn stoel zakken. 'O, dan hoeven we ons niet zo te haasten. Onze hulpsheriffs hebben het daar net gecheckt. De plaatselijke dokter heeft Laura een kalmerend middel toegediend, omdat ze een beetje door het lint ging. De Warners blijven bij haar tot ze bijkomt. We hebben dus wel tijd voor een kommetje soep; jullie zouden gek zijn als je dat afsloeg.'

Gino was dolgelukkig. Hij stond al bij het fornuis, de opscheplepel in zijn hand.

Iris stond bij de deur – één schoen al aan, de andere in haar hand. 'Hoe heten zij van achteren? Warner?'

'Ja: Bill en Alice. Zij zijn... wáren de schoonouders van een van die politieagenten die in Minneapolis in een sneeuwman zijn gevonden: Tommy Deaton. Wij hebben zojuist ontdekt dat hij zijn vrouw zwaar mishandelde.'

'O nee,' zei Sampson hoofdschuddend. 'Alles blijft maar uitkomen bij Bitterroot.'

'Vertel mij wat! Telkens wanneer wij hier proberen weg te komen, worden we weer teruggetrokken. Ik krijg bijna het gevoel dat er een elastiek om mijn enkel zit, met aan de andere kant Dundas County.' Gino gaf Magozzi een kom soep en begon gauw aan zijn eigen portie te slurpen. Het zag er inderdaad naar uit dat ze nog wel wat tijd hadden, maar met Magozzi wist je het nooit; die kon hem elk moment hier wegsleuren.

Iris stond haar tweede schoen in slowmotion aan te trekken. Magozzi wist precies wat er nu bij haar gebeurde: in de tijd dat hij nog dacht dat het verstandig was om af en toe te gaan joggen, zwoegde hij ook vaak in stevig tempo langs een van de stadsmeren, piekerend over een zaak. Maar voor hij het zelf in de gaten had, ging hij weer niet sneller dan een slak. Want zodra zijn hersenen goed aan het werk waren, trapte de rest van zijn lichaam op de rem.

'Alice Warner was de naam op de koopakte van dit huis,' zei Iris. Ze richtte zich op en keek Magozzi aan. 'De dochter van Emily, eigenares van dit huis en mogelijk moordenares van haar echtgenoot. En nu hoor ik van jullie dat zij de schoonmoeder is van een vermoorde vrouwenmishandelaar. Nu vraag ik me pas echt af wat deze vrouwen hun dochters hebben geleerd.'

Sampson keek naar Magozzi. 'Dus jullie achten de Warners verantwoordelijk voor die twee sneeuwmannen van jullie?'

'We neigen wel die kant op, ja.'

'Hoe zeker zijn jullie daarvan?'

'Helemaal niet. Maar dat willen we meteen gaan onderzoeken. Kom, de rest vertellen we in de auto wel.'

32

Ditmaal belden ze niet dat ze eraan kwamen, ze stopten gewoon bij de hoge poort en wachtten tot Liz, de bewaakster van gisteren, hen binnenliet.

Sampson draaide het raampje aan de bestuurderskant naar beneden en zei: 'Wij moeten nog een keer naar Laura's huis, Liz.'

Liz keek hem vermoeid aan. 'Dat wil zo'n beetje iedere politieman van de vrije wereld.' Ze boog zich om in de auto te kijken, knikte naar Iris en toen naar Gino en Magozzi op de achterbank. 'Zelfde ploegje als gisteren?'

'Inderdaad. Hoeveel van onze mensen lopen hier nog rond?'

Liz schonk hem een boze blik. 'We moesten de poort openlaten, zodat jullie zo snel mogelijk naar binnen konden. Dat was voor het eerst sinds dit hek er staat. Ik heb geen idee hoeveel er naar binnen zijn gegaan of hoeveel er weer uit zijn gekomen. Elk stukje beveiliging dat we hadden was in één keer nutteloos.'

'Sorry, Liz. We hadden geen andere keus.'

Ze wist er een klein glimlachje uit te persen. 'Weet ik. Maar het is wel erg raar, weet je: al die vreemden die hier rondstampen; niemand die weet wie wie is... Dat zijn we hier niet gewend.'

'We zullen het terrein zo spoedig mogelijk weer aan jullie overlaten.'

Ze parkeerden naast de andere politiewagens die nog op de parkeerplaats stonden en namen de kortste route om het hoofdgebouw heen, naar de smalle weg naar Laura's huis.

Magozzi bedacht opeens dat hij de achternaam van de oude vrouw niet eens wist. Niet dat dat op dit moment veel uitmaakte, maar hij vond het vreemd dat ze dat waren vergeten. Je vroeg immers altijd naar de volledige naam en correcte spelling, of het nu om een dader of om een getuige ging. Wie een rapport zonder die bijzonderheden indiende, kon meteen terug naar de avondschool.

'Bah, wat ben ik dit toch zat!' klaagde Gino terwijl ze door de sneeuw ploegden. 'Mijn broek is onderhand zo nat dat mijn benen beginnen te schimmelen. En die rommel blijft maar vallen!' Stampend met zijn voeten liep hij om het gebouw heen naar het platgetreden pad.

'Hoe willen jullie dit aanpakken?' vroeg Iris, terwijl ze via een groepje bomen het open veld in liepen, waar Laura's boerderij al te zien was.

'Gino zal het vraaggesprek leiden,' zei Magozzi. 'We moeten dit heel voorzichtig aanpakken. We willen ze niet meteen afschrikken met opnameapparatuur, dus moet iedereen goede aantekeningen maken. Woorden, maar ook reacties kunnen ons een hoop vertellen. En wacht tot Gino klaar is met zijn verhaal, als je zelf ook nog iets wilt vragen.'

Het was Bill Warner die de voordeur voor hen opende. Hij zag er precies zo uit als die dag in Mary Deatons huis: keurige grijze borstelkop, stevig lichaam, politiemannenblik in een vermoeid gezicht. Hij had natuurlijk allang gehoord dat ze hier al waren geweest, maar toch keek hij verbaasd toen hij hen zag.

Goed zo, dacht Magozzi, nu hebben we hem toch eindelijk een beetje van zijn stuk gebracht.

'Kom erin.' Hij trok de deur wijd open en gebaarde hen verder te komen. 'Wees welkom in dit nederig stulpje, let niet op de rommel enzovoorts... Rechercheurs Magozzi en Rolseth, toch? Kennen jullie mij nog?'

'Natuurlijk, meneer Warner.'

'Ik heet Bill, weet je nog?'

'O ja, dank u. Dit zijn sheriff Rikker en inspecteur Sampson, van Dundas County. Hoe gaat het met uw dochter, Mary?'

'Niet slecht, gezien de omstandigheden. Maar we hebben Tommy's begrafenis natuurlijk nog niet gehad. En die van Toby. Wat hier vanavond is gebeurd, zal dat alles niet bepaald gemakkelijker maken – zeker niet als dit voor Laura nog gevolgen heeft.'

Magozzi zei: 'Nou, dat zie ik zo gauw niet gebeuren. Het is natuurlijk een zaak voor Dundas County, maar wij zijn met zijn allen op de plaats delict geweest en zijn het er toch wel over eens dat het hier een vrij duidelijk geval van zelfverdediging betreft.'

'Een vrij indrukwekkend geval van zelfverdediging,' voegde Gino eraan toe. 'Zij heeft behoorlijk snel gereageerd voor iemand van haar leeftijd.'

Bill knikte. 'Laura is een echte cowboy; altijd al geweest.' Toen aarzelde hij, waarschijnlijk omdat hij zich realiseerde hoe ongepast zijn woordkeuze was. 'Helaas gaan haar hersenen de laatste jaren toch echt achteruit, al heeft ze nog steeds haar heldere momenten. Zal ik jullie jas aannemen?'

Magozzi schudde zijn hoofd. 'Nee, bedankt. Ik denk niet dat wij lang blijven.'

'Kom dan in ieder geval binnen. Bij het vuur is het een stuk aangenamer.'

Toen ze allemaal zaten, keek Magozzi om zich heen. Het lichaam was nu natuurlijk weg. Iris' mannen hadden ook het karpet meegenomen. Verder leek alles onaangeroerd. Hij zag hier en daar nog wat sporen van poeder waar naar vingerafdrukken was gezocht, maar er was aardig goed opgeruimd.

Bill Warner volgde zijn blik. 'De technische recherche is een kwartiertje geleden vertrokken.'

'Is Maggie Holland er nog?' wilde Magozzi weten.

'Nee, zij is meteen daarna gegaan. Die neemt thuis vast een valiumpje of zo – zou ík in ieder geval doen met zo'n nacht achter de rug.'

Magozzi glimlachte. 'Is je vrouw ook meegekomen, Bill?' vroeg hij, alsof hij het antwoord niet allang wist.

'Natuurlijk. Laura is háár oudtante – ik mag aannemen dat Maggie jullie dat heeft verteld. Alice is net even naar haar slaapkamer, om te kijken of ze nog slaapt.'

Alsof ze was geroepen, klonken daarop Alice Warners voetstappen in de gang. Toen ze de woonkamer binnenkwam, deinsde ze even terug bij het zien van al die mensen die er net nog niet hadden gezeten. 'O, hallo.'

Magozzi, Gino en Sampson stonden netjes op toen Bill hen aan haar voorstelde. Ze hadden haar die keer in Mary Deatons huis niet zo goed bekeken, laat staan dat ze met haar hadden gesproken: zij had zich volledig gestort op het troosten van hun dochter. Ze was bijna net zo lang als haar echtgenoot en had iets beheerst elegants, met een ferme handdruk en een nog fermere blik. 'Heren, wat fijn u eindelijk te ontmoeten. Heeft Bill u al bedankt omdat u op die vreselijke dag zo aardig voor onze dochter bent geweest?'

'Dat heeft hij zeker gedaan,' zei Gino, naar hij hoopte beminnelijk. 'Ik begrijp dat u een zware ochtend moet hebben gehad, maar heeft u misschien even tijd om met ons te praten?'

Alice Warner schonk Gino een minzame glimlach en Magozzi kreeg ineens het gevoel dat ze op eieren moesten lopen. Deze zaak ging hun ver boven de pet.

Toen ze allemaal weer zaten – Bill en Alice Warner naast elkaar op de bank – keek Bill Magozzi aan en schonk hem een droeve maar vriendelijke glimlach. Magozzi begreep dat hij al bij hem te boek stond als de aardige agent van hun tweeën. 'Het verbaasde me toen ik hoorde dat júllie hier zaten, zo ver van jullie gebruikelijke terrein.'

Magozzi glimlachte terug en voelde zich een oplichter. Bah, hij haatte dit. 'Wij gingen achter de derde sneeuwman aan, die Weinbeck om een door hem vermoorde reclasseringsbeambte heen had gebouwd. We dachten namelijk dat er een link zou kunnen zijn met de moord op jullie schoonzoon en zijn partner.'

Bill liet zijn wenkbrauwen omhoogschieten. 'En was dat ook zo?'

'Ik vrees van niet.'

'Wat ook de reden is dat we nu met jou en je vrouw willen praten,' vulde Gino aan. De sfeer in de kamer veranderde abrupt. Iris Rikker en inspecteur Sampson trokken hun notitieblok tevoorschijn, wat niet onopgemerkt bleef door de Warners.

Gino vervolgde: 'Eerst, Bill, wil ik je dit zeggen: ik heb ook een dochter; ze wordt dit jaar zestien. En iedereen die haar iets aandoet, zou ik het hart uit zijn lijf rukken.'

Bill en Alice Warner knipperden niet eens met hun ogen.

'Dus dat soort dingen begrijp ik. Die begrijp ik maar al te goed. Maar mijn vraag aan jullie is deze: wisten jullie dat jullie dochter mishandeld werd?'

Bill knipperde traag met zijn ogen. 'Natuurlijk wist ik dat, rechercheur. Denk je dat ik gek ben, of blind of zo? Ik heb vijfentwintig jaar bij de politie gezeten; ik heb het duizenden malen gezien – net als jij. Denk je werkelijk dat ik zoiets over het hoofd zou kunnen zien?'

Gino knikte. 'Dan denk ik dus als volgt: jij en ik, wij lijken op elkaar – we hebben allebei een dochter, zijn allebei politieman, weten wat er in de wereld te koop is... En daarom gok ik dat jij niet kon blijven toezien hoe Tommy Mary in elkaar sloeg, wanneer hij daar toevallig zin in had. En het werd nog erger ook: haar EHBO-bezoekjes werden steeds frequenter. Die vent kon elk moment exploderen.'

Bill schonk hem een effen blik. 'Je denkt echt de verkeerde kant op, rechercheur. Ik wéét dat je ook deze mogelijkheid moet onderzoeken, maar ik heb me jarenlang beziggehouden met het handhaven der wet, niet met het overtreden ervan.'

Magozzi vond dat een nogal lauwe reactie op de verdenking in een dubbele moordzaak. Aan de andere kant: een echte politieman wist wat zelfbeheersing was, en Bill Warner zou politieman zijn tot de dag dat ze hem onder de grond stopten.

'Wanneer ontdekte je voor het eerst wat er speelde, Bill?' vroeg Gino.

'Met zekerheid? Een paar maanden geleden. En toen we het eenmaal wisten, hebben we gedaan wat we konden: we hebben geprobeerd Mary zover te krijgen dat ze bij Tommy wegging, dat ze hem aangaf. We hebben haar gesmeekt naar Bitterroot te gaan... En toen ze dat allemaal weigerde, hebben wij het hele rechtssysteem doorlopen, te beginnen bij een paar vrienden van me die nog bij het Tweede werken. Maar zonder Mary's getuigenis kon niemand wat doen. En toen zat er nog maar één ding op.'

'En dat was?'

Bill Warner glimlachte vaag. 'Exact hetzelfde als wat jij in die situatie zou doen, rechercheur Rolseth: ik heb hem opgezocht en hem flink verbouwd. Ik heb erbij gezegd dat als hij mijn dochter ooit nog eens pijn deed, ik hem zou vermoorden.'

Gino deed zijn best om neutraal te blijven kijken. Tuurlijk, hij voelde met de beste man mee, snapte het helemaal, maar zelfs als iemand je kind iets aandeed, mocht je hem nog niet neerknallen, wel?

Wat zou jij doen als het jouw kind was, Gino; als het om Helen ging?

Hij schudde even met zijn hoofd om die vraag weg te jagen, want het antwoord deed er niet toe – dat mócht er niet toe doen, als je een politieman was die een moordenaar probeerde te pakken.

'En weet je wat Mary toen deed?' vervolgde Bill. 'Zij smeet ons het huis uit en zei dat ze ons niet meer wilde zien of spreken, tot wij die schoft onze excuses hadden aangeboden. En ze heeft woord gehouden – tot op de dag van Tommy's dood.' Hij zakte terug op de bank alsof het verhaal hem had uitgeput. Alice gaf een klopje op zijn hand, maar haar gezicht bleef uitdrukkingsloos.

Gino keek Bill meelevend aan. 'Ik geloof dat het wel duidelijk is dat jullie door een hel zijn gegaan. Dat vinden we allemaal heel erg voor jullie, maar wij zitten nog steeds met een onopgeloste dubbele moord. En, zoals jij net ook al zei, Bill... wij moeten alle mogelijkheden onderzoeken.'

'Dat begrijp ik.'

'Goed dan. Jij was net bij het Tweede toen dat gedoe met die sneeuwmannen begon, is het niet?'

Die opmerking leek hem te verrassen, maar hij herstelde zich vlug. 'Inderdaad.'

'Dus wist je er alles van.'

Magozzi, die Bill Warner intensief zat te bestuderen, zag de huid rond diens ogen verstrakken.

'Ja, net als een miljoen anderen. Het stond groot in alle kranten, kwam op tv...'

'Maar jij, kan ik me zo voorstellen, volgde die zaak grondiger dan de meesten. Je schoonzoon Tommy was een belangrijke getuige.'

'Misschien wel.'

'Ik zal je vertellen hoe het is gegaan, Bill. Na de moord op Tommy en Toby vonden wij op een gegeven moment iets over een zekere Sneeuwman, die wellicht een paar getuigen had laten uitschakelen in verband met zijn proces volgende week, die in sneeuwmannen waren verstopt om de andere getuigen af te schrikken.

Maar toen stuitten we op een aantal zaken die ons in een heel andere richting lieten denken en waardoor die Sneeuwman ineens helemaal niet meer zo logisch leek.' Hij zweeg even om deze mededeling te laten bezinken. 'En dat was dus het moment waarop wij begonnen te spelen met het idee dat er misschien iemand rondliep die Tommy en Toby om heel andere redenen dood wilde... en die die Sneeuwman gewoon als dekmantel gebruikte. Want ach, zo'n smeerlap als De Sneeuwman voor nog een moord laten opdraaien: wie zit daar nou mee? Die krijgt waarschijnlijk toch al levenslang. Best een fraai opzetje, als je er zo over nadenkt.'

Bill Warner snoof. 'Best een ingewíkkeld opzetje – zeker voor het soort uilskuikens dat gewoonlijk lui loopt af te maken.'

Gino glimlachte. 'Precies wat wij ook dachten! Eerst vonden we al die moorden zo keurig uitgevoerd – niet perfect, hoor, maar bijna wel...' (hij zag dat de Warners elkaar snel aankeken en meteen weer wegkeken) '...dus dan ga je toch bedenken wie er genoeg van weet om een plaats delict zo netjes mogelijk achter te laten.'

Bill trok zijn schouders op. 'Om te beginnen, iedereen die wel eens een boek leest of naar de tv kijkt. *CSI* is funest voor ons vak.'

'Daar zeg je zowat! Maar je speelruimte wordt toch aanmerkelijk beperkt als je je gaat afvragen wie Tommy en Toby dood zouden willen hebben.'

Nu had Warner er genoeg van. Hij zette zijn handen op zijn bovenbenen en boorde zijn blik in die van Gino. 'En nú moet je ophouden mij het vuur na aan de schenen te leggen, meneer de rechercheur. Ik heb lang genoeg aan jullie kant gestaan, dus laten we niet langer om de hete brij heen draaien: Alice en ik waren vrijdagavond thuis, de hele nacht.'

Alice knikte, ijselijk kalm.

'Da's fijn om te weten, Bill; ik zal het noteren. Want weet je, degene die Tommy en Toby heeft vermoord, kunnen we misschien ook pakken voor een soortgelijke moord in Pittsburgh.'

Hij deed er net iets te lang over om te reageren. 'O ja?'

'Ja. We hebben een paar dingen van internet gehaald, van zo'n supergeheime chatroom waar eigenlijk niemand in zou moeten kunnen. Maar dat kán natuurlijk wel; je moet er alleen de juiste mensen aan zetten en toevallig kennen wij een paar hele goeie. Nou, en die zijn de bron van die boodschappen dus op dit moment aan het napluizen.'

Warners ogen vernauwden zich en zijn voorhoofd rimpelde even terwijl hij hierover nadacht. Toen leunde hij achterover en glimlachte. 'Heel interessant, rechercheur, maar je weet hoe dat gaat. Mensen zeggen van alles in dat soort chatrooms, om allerlei redenen. Dikkerds beweren dat ze dun zijn, oplichters beweren dat ze arts zijn... Iedereen liegt of het gedrukt staat; vertelt volslagen vreemden dat ze allerlei dingen hebben gedaan, die ze in werkelijkheid alleen maar wíllen doen.'

Gino hield zijn blik vast. 'Is dat zo?'

Warner knikte. 'Ja.'

Heel slim, dacht Magozzi. Hij heeft zich zojuist volkomen geloofwaardig ingedekt voor wat hij in die chatroom heeft gezegd, voor het geval we hém aan het eind van die lijn vinden. Niet dat het erg veel uitmaakt, want dat soort online gesprekjes kunnen toch niet meer zijn dan een vingerwijzing: ze gelden nooit als bewijsmateriaal, en dat weet hij ook.

'Anders nog iets, heren?'

Iris wachtte even of Gino nog iets te zeggen had en sprong er toen tussen, met dat verlegen glimlachje dat Magozzi bijzonder ontwapenend vond. 'Ik heb één vraagje voor u, mevrouw Warner, als u het niet erg vindt. Het heeft helemaal niets met dit onderwerp te maken en is eigenlijk meer een kwestie van nieuwsgierigheid, omdat ik degene ben die uw moeders huis heeft gekocht. Het is bovendien nogal persoonlijk, dus ik begrijp het heel goed als u liever niet antwoordt.'

Alice Warner schonk haar zelfs een oprechte glimlach. 'Wat is er dan, sheriff?'

'Nou ja, wat ik me afvroeg... Ons is verteld dat u hier op Bitterroot bent opgegroeid, bij uw grootmoeder Ruth en haar zuster Laura. Maar uw moeder woonde zo dichtbij...'

Het was voor het eerst dat Magozzi iets van een emotie op het gezicht van Alice Warner zag. Er was niets vijandigs aan, maar het was ook niet echt fraai om te zien. Ze keek even naar haar schoot om het te verbergen, haalde toen diep adem en zocht Iris' blik. 'Mijn vader heeft me seksueel misbruikt, dus stuurde mijn moeder mij weg, hierheen, waar ze wist dat ik veilig was.'

'Dat spijt me heel erg voor u.'

'Dank u.'

'En het spijt me ook dat ik u moet vertellen dat we vanochtend in mijn schuur een stoffelijk overschot hebben gevonden, dat best wel eens uw vader kan zijn geweest.'

Magozzi had nog nooit iemands ogen zien fonkelen. Het was een uitdrukking die vooral in boeken constant werd gebruikt, maar hij had het nog nooit in het echt gezien.

'Och heden,' zei Alice Warner. 'Dat is een droevig bericht.'

Maar ze keek er niet droevig bij – niet in het minst.

33

Ze liepen via het dorpje terug naar de auto. De sneeuw begon nu overal te diep te worden om nog doorheen te lopen, behalve waar hij was platgetreden op het smalle pad. En hij kwam nog steeds met bakken naar beneden: grote, dikke vlokken, bestemd om op een kindertong te landen.

Maar er waren vandaag geen kinderen; het hele dorp was doodstil. En dat was Kurt Weinbecks schuld.

Het moest vreselijk zijn, dacht Magozzi, erachter te moeten komen dat de plek waar je je altijd het veiligst had gevoeld, helemaal niet zo veilig bleek te zijn. Elk inbraakslachtoffer kende het gevoel van bij thuiskomst te moeten ontdekken dat er een raam of deur is vernield, je hele huis overhoop is gehaald, er allerlei spullen ontbreken. Hier moest je dat gevoel nog eens vermenigvuldigen met vierhonderd, van al die zielen die een groot deel van hun leven in angst hadden geleefd en hadden gedacht eindelijk een veilige haven te hebben gevonden. Hij vroeg zich af hoe lang zij zich in hun huis zouden opsluiten.

Niemand van hen zei iets tot ze weer in de county-wagen waren gestapt en Sampson de verwarming had aangezet.

'Ik heb het hier wel moeilijk mee, zeg,' zei Gino. 'Mijn ene helft wil die twee meteen inrekenen en levenslang opsluiten; de andere helft wil zich omdraaien en doen alsof ik niet weet wat ze op hun geweten hebben.'

'Nou, de helft van jou zal zijn zin krijgen,' zei Magozzi.

'Ja, maar welke?'

'Doet er niet toe, de andere helft zal zich altijd kapot ergeren.'

Iris draaide zich om op de passagiersstoel. 'Ik begrijp niet hoe jullie zo zeker kunnen zijn van hun schuld. Ze hebben zojuist in dat vraaggesprek helemaal niets bezwarends gezegd. Zelfs het feit dat Bill Warner heeft toegeven zijn schoonzoon te hebben bedreigd, lijkt niet zoveel om het lijf te hebben. Dat zou elke vader hebben gedaan.'

'Of broer...' voegde Sampson er vanaf de chauffeursstoel aan toe. 'Ik heb het zélf ook een paar maal gedaan. Maar het was ook niet wat ze zéíden; het was hoe ze déden.'

'Hoe bedoel je?'

'Gezichten. Als je vaak genoeg mensen hebt verhoord, leer je als eerste hun gezicht te ontcijferen en dan pas hun woorden.'

Iris draaide zich weer om en staarde door de voorruit. 'Zo ver ben ik dus nog niet.'

'Ach, Iris Rikker, en je doet dit werk al bijna twee dagen!' merkte Gino ironisch op. 'Hoe lang moet het nog duren voor jij het éíndelijk door krijgt?'

Daar moest ze wel even om glimlachen, maar dat liet ze hem niet zien. 'Hebben jullie genoeg voor een huiszoekingsbevel voor de woning van de Warners?'

'Misschien, als we een rechter de duimschroeven aandraaien en het een beetje slim spelen met het motief. Maar Bill Warner is een politieman; hij heeft vast geen kruimeltje bewijs achtergelaten.'

'Waardoor we met lege handen zitten,' zei Magozzi. 'We kunnen ze niks maken, geen forensisch onderzoek, geen ballistisch onderzoek, geen getuigen... Zelfs als die chatlijn regelrecht bij Bills pc uitkomt, bewijst dat nóg niks. En die twee gaan elkaar ook heus niet dat alibi afpakken.'

Gino knikte. 'Twee handen op één buik.'

'Wat doen jullie nu dan?'

Magozzi trok zijn schouders op. 'Wat we altijd doen: terug naar de locatie, terug naar het begin. We doen het helemaal overnieuw.'

Iris gooide het portier open. 'Sampson, zou jij het erg vinden om de rechercheurs terug te rijden naar hun auto? Ik wil graag blijven tot onze laatste mensen zijn vertrokken. Het wordt tijd dat deze vrouwen hun dorp terugkrijgen.'

'Geen probleem. Ik kom je hier over een halfuur oppikken.'

Er was een twintigtal hulpsheriffs in Bitterroot achtergebleven, om voor de tweede maal de deuren langs te gaan en de angstige bewoners ervan te verzekeren dat de indringer was opgepakt. De meeste vrouwen wisten al lang dat Kurt Weinbeck niet echt was 'opgepakt', maar was omgelegd door een oude dame met een heel groot wapen – dat soort nieuwtjes verspreidden zich ook in dit dorp razendsnel – maar toch moesten de hulpsheriffs de zaak officieel afronden.

Ieder van hen nam één kant van een huizenblok. Zo werkten ze beide zijden van de smalle, kronkelige, besneeuwde straat af, behalve Kenny: die liep nog door de straat toen de andere hulpsheriffs allang verder waren getrokken.

Hij had de rand van zijn hoed omlaag getrokken tegen de sneeuwvlokken, zodat bijna zijn hele gezicht erachter schuilging, maar zijn insigne zat hoog op zijn parka, zodat niemand bang hoefde te zijn de deur voor hem te openen. Alle vrouwen bedankten hem beleefd en zeiden dat een andere hulpsheriff hun al had verteld dat het gevaar was geweken. Steevast glimlachte Kenny dan, tikte tegen de rand van zijn hoed en bood zijn excuses aan dat hij hen nogmaals had gestoord.

De plattegrond van het dorp kende hij wel zo'n beetje, maar de huizen had hij nog nooit vanbinnen gezien. Sommige waren wat groter dan de andere – waarschijnlijk waren die van vrouwen met kinderen, die natuurlijk meer slaapkamers nodig hadden – maar verder was de indeling zo'n beetje overal gelijk. Nadat hij over een stuk of wat vrouwenschouders naar binnen had gegluurd, had Kenny het plaatje wel compleet: woonkamer voor, keuken achter, slaapkamers links. Het dorp bestond uit zeker driehonderd huizen en tegen de vijftiende voordeur begon hij zich al af te vragen of hij haar wel op tijd zou vinden. Hij werkte een stuk sneller dan de andere hulpsheriffs, maar op een gegeven moment zou iemand zich toch afvragen waarom die ene steeds achterbleef, om aan te bellen bij huizen die allang waren gedaan. Daar zou hij zich waarschijnlijk nog wel uit kunnen kletsen, maar om vragen te voorkomen probeerde hij nog maar wat sneller te werken.

Het zesentwintigste huis zag er vanbuiten niet veel anders uit dan het vijfentwintigste, maar zodra de bewoonster de voordeur opende, kreeg Kenny het gevoel alsof hij thuiskwam. In één snelle, krachtige beweging duwde hij haar opzij, stapte het huis binnen en sloot de deur achter zich.

'Hallo, Roberta.'

Sommige dingen veranderden ook nooit. Daar stond ze dan – haar ogen naar de grond gericht en onbeweeglijk als dat bronzen beeld van die pioniersvrouw voor de bibliotheek. Dat had ze altijd gedaan wanneer hij haar onverhoeds benaderde. En dat had hij vaak gedaan – enkel om haar zo te kunnen zien.

Tjonge, het was midden in de nacht, de zon moest nog opkomen en tóch zag ze er al goed uit: echt zo'n vrouw waar mannen zich op straat voor omdraaiden. Haar leeftijd deed er helemaal niets toe. Hun leven samen was niet gewoon goed geweest, nee, het was perfect geweest – tot die avond waarop zij dat nare rotbriefje voor hem had achtergelaten en...

'Verdomme, Roberta!'

Ja hoor, nu bewoog ze wel. Ze vluchtte achter het scheidingswandje dat de hal scheidde van de woonkamer. Dat mocht helemaal niet! En nu richtte ze haar blik ook nog op hem, in plaats van op de grond, zoals het hoorde. Ook dat beviel hem maar niks.

'Blijf daar staan!'

Dat deed ze, maar ze bleef hem aankijken. Hij besloot daar maar even niets van te zeggen. Het ging zo ongeveer als bij het africhten van een niet al te slimme jachthond. De kunst was straf en beloning precies goed te doseren. 'Goed zo, Roberta, heel goed. En trek dan nu je jas en schoenen aan, dan neem ik je mee naar huis – waar je thuishoort.'

Een minuutlang verroerde ze zich niet, toen schudde ze krachtig haar hoofd. En ze bleef hem maar aanstaren!

'Doe dat nou niet, Roberta. Zorg dat ik niet in herhaling hoef te vallen!'

Roberta wist wat er komen ging: ze had het al zeker honderdmaal eerder meegemaakt. Maar ergens halverwege die honderd keren was haar paniek niet langer geëscaleerd tot doodsangst, maar afgezwakt tot een zwart gat van berusting en apathie. Daarna had ze – telkens wanneer Kenny die wilde blik in zijn ogen kreeg, als voorbode van al het afschuwelijke dat haar wachtte – enkel nog gehoopt dat hij zou opschieten; dat hij snel zou beginnen met slaan, dan had ze het maar weer achter de rug. Want de klap van een vuist of schoen was minder erg dan de beklemmende foltering die je moest doorstaan terwijl ze wachtte op het onvermijdelijke.

Ze wist precies hoe het zou gaan: er zou pijn zijn, bloed, waarschijnlijk zelfs gebroken botten, en dan uren later (of soms dagen) de verontschuldigingen, de liefdevolle woorden, de belofte dat hij dit nooit, nooit, nooit meer zou doen... en natuurlijk de vraag: *Waarom doe je dat nou, Roberta? Waarom zorg je steeds dat ik je moet slaan?*

Het allereerste dat ze je in Bitterroot leerden, was jezelf beschermen en terugvechten. En Roberta was een zeer goede leerling geweest. Na drie maanden kon zij iedereen in de zelfverdedigingsles aan, terwijl de meesten een stuk jonger waren dan zij. Dat was een machtig gevoel, dat haar met grote vastberadenheid vulde. Nooit kroop zij meer in een hoekje; nooit meer liet ze zich vallen, haar handen boven haar hoofd en haar lichaam opgerold als een baby in de baarmoeder, wachtend tot het voorbij was – nooit, nooit, nooit meer!

En tot op dit moment had ze dat werkelijk geloofd. Maar nu, met Kenny weer zo dichtbij, besefte ze hoe het werkte. Mocht ze ooit worden aangevallen door een vreemde, dan zou ze geen seconde aarzelen om haar hak in zijn wreef te boren en alle botten in zijn voet te verbrijzelen of haar duimen in zijn ogen te rammen... maar Kenny? Nee, met hem was alles ondenkbaar – ze wist zelf ook niet waarom.

Er zat niets anders op dan te doen wat ze altijd had gedaan: een hoek zoeken (twee muren boden nog enige bescherming tegen Kenny's molenwiekachtige uithalen), zich laten vallen, oprollen, het hoofd bedekken... en bidden. In haar woonkamer was precies zo'n hoek. Opzettelijk stonden er geen meubels in, net zoals ze in haar oude huis altijd een hoek had vrijgehouden. Als andere vrouwen uit Bitterroot bij haar langskwamen, zochten hun ogen ook altijd die hoek en keken ze elkaar even aan, vanwege het droeve geheim dat ze deelden. Want bijna elke woning in Bitterroot – de veiligste plek op aarde – had precies zo'n hoek als die van haar, die volkomen leeg was gelaten, voor het geval dat.

Haar plotselinge beweging verraste Kenny. Man, hij had zijn hand nog niet naar haar opgeheven – had daar zelfs nog niet eens aan gedácht – of zij vluchtte al: bliksemsnel de woonkamer in.

Dat was nou typisch Roberta. Iedereen zei altijd dat ze was gebouwd als een ballerina, maar als ze bang was hupte ze als een spastisch konijn – dat had Kenny altijd zo maf gevonden! Tegen de tijd dat hij zijn hand om haar onderarm vouwde en er een felle ruk aan gaf, was ze al een heel eind de woonkamer in.

Doordat Roberta niet genoeg adem had om te gillen, hoorde hij het droge gekraak van het bot binnen in haar arm.

Maar zij – zij had niet eens in de gaten hoe het deel van haar arm onder de breuk zinloos heen en weer zwaaide, alsof ze een marionet was. Kenny daarentegen zag het wel degelijk en hij vond het simpelweg walgelijk!

'Roberta, stomme koe dat je d'r bent. Kijk toch eens wat je hebt gedaan!'

Had ze zichzelf weer eens pijn gedaan! Dat maakte hem altijd zo razend!

Nu begint het, dacht Roberta. Maar toen ze zijn zware vuist in een grote boog op zich af zag komen, dacht ze: Of misschien eindigt het nu wel.

34

Iris liep door de verlaten straten van het dorp en voelde zich opeens heel raar: haar ledematen waren hol en slap, haar hoofd licht en er dansten vonkjes aan de rand van haar blikveld. Zelfs haar huid voelde helemaal niet goed aan: kriebelig en warm, alsof er duizendpoten over haar heen kropen. Waarschijnlijk was dat allemaal het gevolg van uitputting, met daarbovenop een flinke adrenalinekater. Zo liet haar lichaam haar weten dat het onderhand eens wat kalmer aan moest. Dat had ze zich ook al voorgenomen – zodra ze haar laatste ronde door Bitterroot had gemaakt.

Ze dwong haar trillende benen nog een paar blokken verder, stopte toen even bij een smal zijstraatje en keek naar de rijen rustige huisjes links en rechts. Bitterroot was vanochtend totaal op zijn kop gezet, maar gek genoeg was het enige bewijs van wat zich hier allemaal had afgespeeld wat rommelige voetsporen in de sneeuw – die zich alweer begonnen te vullen, als wonden die voor haar ogen heelden. Maar al zouden deze sporen binnen het uur zijn verdwenen, het feit dát ze er geweest waren zou vele malen langer blijven doorwerken.

Toen haar radio kraakte, klonk hulpsheriff Neville blikkerig door het plastic doosje op haar schouder: 'Hier twee-vier-vijf. Wij hebben zojuist het laatste huis gecontroleerd en zetten nu koers naar buiten. Over.'

Iris drukte op de antwoordknop. 'Hier sheriff Rikker. Zijn jullie het laatste team in het dorp?'

'Inderdaad, sheriff,' antwoordde Neville. 'Waar bent u nu?'

'In het noordwestelijke segment. Zie jullie op kantoor!'

Terwijl Iris terugwandelde naar de parkeerplaats om er op Sampson te wachten, viel haar op dat in elk huis dat ze passeerde alle lichten brandden, zonder dat ze ergens een teken van leven zag. Ze voelde zich opeens erg eenzaam in dit stille sneeuwdorp en begon wanhopig te wensen een glimp van een levend wezen op te vangen, al was het maar een hond in een tuin – zodat het er hier weer wat normaler uitzag: zoals gisteren, vóór Kurt Weinbeck.

Ze wist niet waarom juist dat ene huis er voor haar uitsprong, maar toen ze ernaar keek, zag ze binnen door de openstaande luxaflex iets bewegen. Ze stopte, kneep haar ogen tot spleetjes om door de sneeuw heen te turen en zag twee figuren: een vrouw en... shit, was dat een hulpsheriff? Terwijl ze dichterbij sloop, zag ze de onmiskenbare contouren van een county-hoed en het glinsteren van een insigne op zijn parka. Een achterblijver, die het allesveiligteken was ontgaan?

Op slag was ze helemaal niet moe meer. Hij had helemaal niets te zoeken in dat huis, ook niet als hij het allesveiligteken had gemist! Ze had al haar hulpsheriffs opgedragen onder geen enkel beding in Bitterroot een woning te betreden. Daar was ze glashelder in geweest. Niettemin stond daar een van haar mannen, die schaamteloos de orders van zijn meerdere aan zijn laars lapte! Ze zou er verdorie regelrecht opaf marcheren, op de deur bonzen en haar eerste kop laten rollen...

Terwijl ze het pad naar de voordeur op stormde, zag ze echter nog iets: een wapen in de hand van de hulpsheriff, dat omhoog werd gebracht en toen heel hard naar beneden suisde.

Ze had geen idee wat haar had bezield om die deurknop te grijpen en de deur wijd open te gooien – niet haar politie-ervaring, want die bezat ze nauwelijks; noch haar moed, want die had ze nooit gehad. Ze wist niet eens hoe haar wapen in haar hand was beland; hoe haar lichaam zonder de regie van haar hoofd de schiethouding had weten aan te nemen en of dat werkelijk háár stem was, die – ietwat onvast, maar luidruchtig genoeg – tegen deze beer van een vent schreeuwde: 'LAAT VALLEN DAT WAPEN! LAAT VALLEN!'

Een fractie van een seconde voelde ze een sprankje van dat gevoel dat iedere politieagent moest kennen; wat Sampson moest hebben gevoeld toen hij haar keuken binnenstormde, waar zij had gezeten – doodsbang ineengedoken, met haar rug tegen de muur en een slagersmes in de hand. Ze voelde zich sterk, rechtvaardig en vastberaden, niet alleen doodsbenauwd. Maar toen maakte ze een vergis-

239

sing. Ze vergat les één: *Denk eerst aan de dader, dan pas aan het slachtoffer; want als jij dood bent, heeft het slachtoffer niks aan je.*

Maar Iris' ogen vlogen naar de vrouw, die rechtop werd gehouden door de wurggreep van de man om haar keel. In dat ogenblik zag ze het bloed over haar gezicht stromen, en ze zag ook de slappe gebroken arm en de droeve, opgeluchte flits in haar ogen voordat deze dichtvielen en de hulpsheriff haar van zich af gooide.

O, nee: de hulpsheriff! Hij was net als zij politieagent, maar híj had les één niet vergeten. Hij sprong op haar af, met in zijn hand een wapen dat heel wat groter was dan het hare. En hij was snel, razendsnel, richtte zijn wapen recht op haar borstkas... en toen zag Iris Rikker het rode waas in sheriff Kenny Bulardo's ogen – een waas dat Roberta het grootste deel van haar leven had gekend.

Iris voelde hoe haar vinger zich spande rond de trekker en hoorde toen de oorverdovende dreun van een kogel die de geluidsbarrière doorbrak.

Hij had het slim aangepakt; niemand kon anders beweren. Hij had zijn hoed en parka gehouden, een extra hulpsheriffinsigne gepikt uit de voorraaddoos in de kelder en een nieuw, groter wapen gekocht, op de terugweg naar huis toen hij net zijn dienst-9mm had ingeleverd. Kortom, hij was er klaar voor. Vervolgens had hij rustig gewacht op een kans om zijn vrouw terug te pakken (en het liefst meteen ook zijn county). En gisteravond was die kans dan eindelijk gekomen, in de vorm van een telefoontje van een van de mannen die hem trouw waren gebleven. Voor het eerst sinds dat hekwerk was opgetrokken, had de poort van Bitterroot wijd open gestaan en niemand had erop gelet wie er allemaal binnenkwam.

Ex-sheriff Kenny Bulardo stond over Iris Rikker heen gebogen. Hij keek hoe het bloed uit haar lichaam op de tegelvloer sijpelde. Hij voelde een grijns over zijn gezicht kruipen.

Het was niet zijn bedoeling geweest iemand te doden, zeker niet de zittende sheriff, ook al was het dat kleine kreng dat hem zijn insigne had afgepakt. Hij had niet geweten dat zij Iris Rikker was, tot de kogel zijn loop had verlaten. Wie het grootste deel van zijn leven bij de politie zit, leert algauw niet te aarzelen wanneer iemand gillend op je af komt en een wapen op je richt. Nee, dan draai je je om en schiet – dán pas stel je vragen. Zo was het hem jaren geleden geleerd, en niemand kon het hem kwalijk nemen dat hij had gedaan wat een getraind politieagent móést doen om zijn eigen hachje te redden – zelfs de rechter niet, als het al zover zou komen. Roberta was al buiten westen geweest toen hij de trekker overhaalde. Het was zíjn woord tegen dat van die dode dame hier, die waarachtig op hem had geschoten – de kogel moest ergens in de vloer of de muur zitten. En zijn woord had in deze county heel lang heel veel betekend.

Oké, ze was nog niet echt dood, maar zoals ze daar lag te bloeden zou dat niet lang meer duren. Het enige dat hij hoefde te doen, was hier rustig staan wachten tot het zover was.

Maar het duurde toch nog best lang; hij begon zich een beetje wankel op zijn benen te voelen. Niet zo vreemd; hij had zich precies zo gevoeld toen hij Billy Hambrick had neergeschoten, vlak voordat dat stomme gedrogeerde joch een mes in de buik van een van zijn hulpsheriffs had gestoken. Je wilde niet schieten, maar soms móést je wel... en erna voelde je je altijd een beetje zwakjes en duizelig; dan kon je even niet helder meer denken.

Hij sloot zijn ogen – één seconde maar – en luisterde naar het gestage gedruppel van Iris Rikkers bloed op de tegels. Maar dat klopte toch niet? Zij lag tenslotte op de grond en het bloed was zonet nog zonder enig geluid uit haar gestroomd. Mijn hemel, het zou Roberta toch niet zijn? Nee, dat kon niet; hij had haar maar een paar maal geslagen, plus die ene keer met de loop van zijn .45. Maar verdorie, hij bleef dat gedruppel maar horen. Hij werd er gek van!

Hij probeerde zijn ogen weer te openen, maar helemaal lukte dat hem niet: daar voelde hij zich te zwak voor. Hij had maar één tel om naar beneden te kijken en de plas te zien die zich rond zijn laarzen aan het vormen was... voordat zijn knieën het begaven.

Zelfs vanuit een afgesloten huis was het geluid van de schoten snoeihard doorgedrongen in het doodstille dorp. Hulpsheriff Neville bevond zich op minder dan anderhalve kilometer afstand toen zijn radio melding maakte van een schietpartij. Voor de rest van zijn leven zou hij zich de wonderbaarlijke hele draai blijven herinneren die hij op die smalle, besneeuwde weg maakte, evenals de wilde rit terug naar de parkeerplaats van Bitterroot, met het gaspedaal tot op de bodem ingedrukt.

Hij sloot zijn auto niet eens af, maar sprong eruit en rende om het hoofdgebouw heen – zijn knieën hoog optrekkend voor de sneeuw, zijn hart bonkend, zijn wapen getrokken. Iemand riep een adres door de schouderradio. De moed zonk hem steeds verder in de schoenen toen hij richting het straatje racete waar sheriff Rikker had gelopen, de laatste keer dat hij haar sprak.

Nog twee blokken, nog één... en toen draaide hij de laatste hoek om en stond abrupt stil; in de smalle straat wemelde het van de mensen – een droef en chaotisch leger van vrouwen, sommigen met wapperende haren, anderen met zorg gekleed op het winterweer, de meesten in een haastig over hun pyjama en sloffen aangeschoten jas. Ze liepen allemaal naar het vierde huis, verzamelden zich even zwijgend bij de voordeur... waarna ze deze opengooiden en binnenstroomden in het huis waar nog maar zo kort geleden die schoten waren gevallen. Hij kreeg niet eens de kans om zijn mond open te doen en te roepen dat ze moesten wachten op de politie, die immers voor dit soort dingen had doorgeleerd. Wisten ze wel dat daarbinnen een schutter zat?

Met zijn kin op zijn borst rende hij eropaf, elk moment nieuwe schoten verwachtend.

Iris zakte telkens weer weg; soms was ze er wel, soms was ze er niet – alsof het leven een danspartner was, die zijn uitgestrekte hand net buiten haar bereik hield. Zo nu en dan zag ze een pijnlijk, verschroeiend licht, maar meestal was het een diep, diep duister dat op haar drukte en haar het ademen haast onmogelijk maakte. Flarden van bizarre gesprekken zoemden rond haar hoofd als muggen.

Leeft ze nog?

Nog maar net... te veel bloed... We hebben meer van die verbandgaasjes nodig... Hoe gaat het met Bulardo?

Een korte stilte.

Dood. Maar Roberta komt langzaam bij, dokter. Zij gaat het

halen. De ambulance is onderweg, maar de wegen zijn erg slecht.
We kunnen niet langer wachten. Haal de brancard.

En toen kwam er een bekendere stem, die Iris het gevoel gaf dat ze veilig was: veilig genoeg om in slaap te vallen: *Ik pak haar wel, laat mij maar. Iris? O nee, Iris... DOKTER!*

Kille handen aan haar gezicht, drukte, consternatie en toen het onmiskenbare gevoel te worden getild: omhoog, hoog, hoger...

We raken haar kwijt! Aan de kant, Sampson, alsjeblieft!

Hulpsheriff Neville pakte Sampson stevig bij zijn schouders en trok hem weg van de brancard. 'Laat ze haar naar de parkeerplaats brengen. Wij moeten de politiewagen klaarmaken om haar naar het ziekenhuis te brengen.'

Sampson knikte stijfjes en liet zich door Neville naar buiten leiden.

Andere agenten die de oproep eveneens hadden gehoord, renden nu naar het huis. Zij zagen nog net hoe een brancard de voordeur uit werd gedragen, hoog opgetild door vrouwen, heel veel vrouwen; misschien wel meer dan honderd. En zelfs zij die niet echt meetilden, strekten hun handen uit om het koude staal van de brancard aan te raken – alsof ook die aanraking helpen kon.

'Zoiets heb ik nog nooit gezien,' mompelde een van de agenten. En om de een of andere reden nam hij toen zijn hoed af en hield hem voor zijn borst.

35

De afdeling Moordzaken lag er verlaten bij toen Gino en Magozzi terugkeerden. En dat was vreemd, zo midden op de dag. Ze vonden de anderen een eind verderop in de gang, in de perskamer, met zijn allen rond een van die nieuwe, veel te grote computerschermen. Ze zagen McLaren, Tinker en nog een paar anderen – ja, zelfs commissaris Malcherson, die in zijn donkerblauwe krijtstreep volledig uit de toon viel naast al die goedkope colbertjes.

'Aha, u wilt dit misschien ook wel even zien, heren,' zei hij toen Gino en Magozzi binnenstapten.

'Wat dan?'

McLaren tikte tegen de monitor; Tinker sloeg zijn hand meteen weg. 'De thuisfilmpjes uit het Theodore Wirth-park blijven maar binnenstromen, zeker nu iedereen zich weer uit de sneeuw gegraven heeft. Dit hier is van die sleeheuvel, op de avond dat onze jongens zijn neergeschoten.'

'Vanaf die heuvel kun je geen van die twee sneeuwmannen zien,' zei Gino. 'Het is daar een en al bomen.'

McLaren knikte. 'Klopt, maar op dit filmpje hebben een paar miniatuur-Spielbergjes hun videocamera op de slee gezet. En al naar beneden stuiterend heeft die camera toen ook Toby Myerson gefilmd. Hij staat nogal ver weg en het beeld is niet zo scherp, maar een paar beelden zijn toch niet slecht – met dank aan de autofocusfunctie. Kijk maar!' Hij tikte weer tegen de monitor, waarop Gino en Magozzi naar voren leunden en met half dichtgeknepen ogen naar het scherm tuurden.

Ze zagen vier mensen die een sneeuwman stonden te bouwen. Het was echt zo'n vrolijk, idyllisch plaatje dat je in Minnesota zo'n beetje elke winterdag zag, alleen stonden deze mensen sneeuw om een lijk heen te kneden.

'O nee,' fluisterde Gino.

'Zo helder was het niet toen wij het voor het eerst zagen, hoor,' vertelde McLaren. 'Dus hebben we het naar het BCA-lab gestuurd om te kijken of ze er daar iets mee konden... en kregen het een paar minuten geleden terug. We kunnen natuurlijk nooit op basis hiervan iemand identificeren – ze dragen dikke winterkleren, skibrillen, de hele reut – maar het BCA heeft wel de lengte van deze vier vrolijke bouwers weten te bepalen, door ze te vergelijken met Toby Myerson: zij zitten allemaal onder de één meter zeventig. Het zijn dus allemaal kinderen, dwergen of vrouwen... en als ik die bos hout van die ene daar zo zie, dan zou ik voor de laatste mogelijkheid kiezen.'

Commissaris Malcherson keek naar Magozzi en Gino. 'Rechercheur McLaren vertelde me dat jullie Bill Warner en zijn vrouw hier verantwoordelijk voor achtten.'

Magozzi knikte. 'Tot we dat filmpje zagen. Bill Warner loopt tegen de één meter vijfentachtig en zijn vrouw is bijna even lang.'

Gino zat nog steeds naar de monitor te staren. Hij nam de vier vrouwelijke silhouetten in zich op. Toen perste hij zijn lippen zo hard op elkaar dat ze niet meer te zien waren. 'Bitterroot: dat kan verdomme niet anders.'

Iedereen was er even stil van. Toen zei McLaren: 'Er is nog iets.' Met een potlood wees hij naar het bevroren filmbeeld. 'Zie je die witte veeg op een van die figuren? Het BCA heeft wat met de pixels gerommeld en er een close-upje van gemaakt.' Hij drukte een paar toetsen in en er verscheen een windowtje aan de zijkant van het scherm. 'Die witte veeg bleek een tekst op een sjaal te zijn: W.T.C. – en dat laatste is een nul. Er staat nog wat tussen, maar daar viel een schaduw overheen die het BCA niet weg kreeg. Meer konden zij er niet van maken. Zegt het jullie iets?'

Gino had een verbeten trek om zijn mond. 'Ik zou zeggen dat het een deel van een nummerbord is, maar dat is natuurlijk stom; wie zet er nou zijn kenteken op een sjaal?'

McLaren knikte. 'Niemand. Dus dachten wij aan een soort monogram. Iemand breit een sjaal voor een ander en zet zijn initialen en de datum erop, waar wij maar een deel van kunnen zien.'

'Zou kunnen.'

'*World Trade Center*, nul-negen-elf-nul-één,' zei Tinker, wiens gedachten zoals gewoonlijk het donkerste pad kozen. 'Dat zie je wel vaker; op bumperstickers, T-shirts...'

'En dus onmogelijk te traceren.' Magozzi keek naar Gino. 'Zullen we die initialen eens door de namenlijst van Bitterroot halen; kijken of daar wat uitkomt?'

'Kan geen kwaad.'

Commissaris Malcherson draaide zijn hoofd. Zijn witte haar was als een lichtbaken in de verduisterde ruimte. 'Ik begreep dat de lijst met inwoners van Bitterroot vertrouwelijk is. Je hebt een bevelschrift nodig om die in te kijken.'

'Kunt u niet een van uw vrienden bij de rechterlijke macht bellen om wat te regelen?'

Malcherson zuchtte. 'We hebben in deze zaak één bewijsstuk, rechercheur, een vrij wazige video met daarop vier niet nader te identificeren figuren op de plaats delict – mogelijk vrouwen. Ruim de helft van de bevolking van dit land bestaat uit vrouwen! Ik heb al jullie rapporten zorgvuldig doorgelezen. Rechercheur McLaren heeft mij volledig op de hoogte gebracht van jullie onderzoek en vermoedens. Wat ik uit al die informatie heb afgeleid is dat jullie enkel vanwege het seniele geraaskal van een verzwakte oude vrouw de inwoners van Bitterroot als serieuze verdachten zijn gaan zien. Op basis van dat soort nattevingerwerk krijg je nog geen huiszoekingsbevel voor Hitlers bunker!'

Gino draaide zijn hoofd en staarde zijn chef aan. Tjonge, hij bedoelde het natuurlijk niet als grap, maar het kwam er behoorlijk dichtbij.

'En toch gaan wij die lijst bekijken,' zei Magozzi.

Zijn chef nam niet eens de moeite hem te vragen hoe hij dat wilde aanpakken: hij wist het liever niet. 'Dan kan ik je alleen maar adviseren uiterst voorzichtig te werk te gaan, rechercheur Magozzi.'

Toen de commissaris de ruimte had verlaten, keek Johnny McLaren Magozzi aan. 'Monkeewrench?'

'Brand jij maar eens een kopie van dat schijfje voor me, Johnny!'

36

De sneeuw kwam nog steeds met bakken naar beneden, toen Magozzi en Gino het politiebureau verlieten en op weg gingen naar Grace' woning. Het programma dat ze nodig hadden stond namelijk op haar privécomputer, dus hadden ze daar met elkaar afgesproken.

'Niet te geloven dat het nog steeds sneeuwt.' Gino trok zijn gordel wat strakker toen Magozzi Washington Avenue op slingerde. 'Hoeveel schat jij dat er tot nu toe is gevallen?'

'Ik denk, sinds het vrijdag begon... zo tegen een meter?'

Gino drukte zijn gezicht tegen de ruit en keek naar de lucht. 'Stel dat het nooit meer ophoudt; dat dit door het broeikaseffect komt en een nieuwe ijstijd is begonnen?'

'Ja, misschien moeten we maar eens gaan uitkijken naar een torenflatje.'

Gino zat zeker een minuut aan de verwarming te rommelen en liet zich toen terugzakken tegen de rugleuning. 'Weet je, ik zat me net wel een beetje op te vreten toen de chef over dat huiszoekingsbevel begon. Ik wilde al bijna opspringen en iets stoms zeggen, toen hij met die bak over Hitlers bunker kwam. Snapte jij dat nou? Hij klonk heel even als een echte politieman.'

'Hij ís toch ook een politieman!'

'Ach, je weet wel wat ik bedoel: een ménselijke politieman. Maar toch, ik weet niet of hij dit echt goed heeft doordacht. Wat wij hebben is heus wel wat meer dan een oude dame die een beetje zit te zwammen over het koud maken van haar echtgenoot. Gecombineerd met die verzameling botten in Rikkers woning krijg je toch sterk het gevoel dat het best eens in de familie kan zitten. Alle vrouwen uit één familie hebben zich door de generaties heen van hun echtgenoot ontdaan. Maar waar ik pas echt de koude rillingen van kreeg, was dat er lijken in dat meer zouden liggen. Want dan had

Laura het zelfs over het vermoorden van de mannen van ándere vrouwen. En dan is het toch echt geen zelfverdediging meer – hoe je het ook bekijkt. Als we nu ook nog die video aan Bitterroot weten te koppelen, heb je het zelfs niet meer over één familie, maar over een heel dorp dat moord rechtvaardigt – en dat idee jaagt me pas echt de stuipen op het lijf. Ik wíl niet dat het een ex-politieman is met een brandschone staat van dienst is; ik wíl niet dat het een groep vrouwen is die vinden dat ze zo hun eigen leven mogen redden. Maar, man o man, de rotzooi blíjft zich maar opstapelen – net als die sneeuw daarbuiten. Het is aan het culmineren, Leo, dáár moet hij toch begrip voor hebben?'

'Zonder fatsoenlijke reden kan de chef geen bevelschrift ondertekenen.'

Gino gromde. 'Misschien niet, maar hij had wel onze redenen om er eentje te ondertekenen. Ach, het maakt waarschijnlijk toch niks uit: als ik heel eerlijk ben, zie ik niet zo heel veel in dat monogramgedoe.'

'Ik ook niet, maar we laten Grace die lijst toch maar voor ons ophalen. Ik wil vooral dat zij wat met die cd-rom stoeit: het BCA mag dan een toplaboratorium zijn, ik zie toch nog meer in een beetje Monkeewrench-magie.'

Het aanbellen bij Grace' huis werd ditmaal niet gevolgd door Charlies gebruikelijke geblaf. Toen Grace de deur opende, droop de teleurstelling dan ook van Gino's gezicht. 'Ha die Grace, lang niet gezien. Waar is mijn hondje?'

'Bij Harley gebleven. Zodra we hier klaar zijn, ga ik weer terug. Hoi, Magozzi.'

Ze was gekleed in haar standaardoutfit – zwart T-shirt, donkere spijkerbroek – geen sexy pakje of martini in haar hand. Magozzi glimlachte toch naar haar. 'Bedankt voor de moeite.'

'Geen probleem. Kom mee naar de keuken, dan nemen we eerst een kop koffie.'

Magozzi en Gino zetten zich aan de keukentafel, terwijl Grace aan het aanrecht drie mokken volschonk. 'Je zei dat ik een paar dingen voor je moest doen. Dat fotocorrectieprogramma heb ik al opgestart. Wat wil je nog meer?'

Magozzi zei: 'De namenlijst van Bitterroot; alle huidige inwoners.'

Ze draaide zich om en keek hem aan. 'Denken jullie dat iemand uit Bitterroot die twee agenten uit het park heeft gedood – enkel omdat "Bitterroot" bij die chat in de onderwerpsregel stond vermeld?'

'Nee, we hebben nog wel wat meer. Een van die agenten bleek zijn vrouw te mishandelen en die vrouw heeft familie in Bitterroot. Sterker nog, haar overgrootmoeder en oudtante hebben Bitterroot opgericht. En waarschijnlijk is dit niet de eerste keer dat zij hebben gemoord om het leven van een vrouw te redden.'

Grace kwam tussen hen in zitten en keek eerst naar de een, toen naar de ander. 'Bitterroot is één groot blijf-van-mijn-lijf-huis, toch?'

'Klopt.'

'En alle vrouwen die er wonen zijn slachtoffers van mishandeling.'

'Daar lijkt het wel op.'

'Dan kan wat jullie opperen nooit! Jullie wéten toch hoe de geest van dat soort vrouwen werkt? Die slaan niet terug; dat kunnen ze helemaal niet!'

'Dat geldt voor bijna allemaal,' bracht Gino in. 'Maar eens in de zoveel tijd doen ze het toch – zeker wanneer ze een ander proberen te beschermen, een familielid bijvoorbeeld, of Tommy Deatons vrouw. Zij was een van hen. Haar moeder groeide zelfs in Bitterroot op, maar zij sloeg hun hulp af. En volgens ons hebben ze toen het heft in eigen handen genomen.'

Grace schudde haar hoofd. 'Nu maak je wel een heel grote sprong, Gino.'

'Er zit nog wel wat meer achter, Grace,' zei Magozzi. 'Zo hebben wij redenen om aan te nemen dat sommige Bitterroot-vrouwen in het verleden andermans mannen hebben gedood om zichzelf te beschermen. We kunnen het niet hard maken, maar het zóú kunnen. Op dit moment moeten we ons echter concentreren op de twee moorden waarvan we zeker weten dát ze zijn gepleegd... en daar hebben we dus die lijst bij nodig.'

'Die heb ik niet, hoor. Ik weet niet eens of er wel zo'n overzicht bestaat.'

'Natuurlijk wel, Grace. Bitterroot is ook gewoon een bedrijf, dus moeten ze er ook allerlei gegevens bijhouden. Toen jij daar was om jullie software te installeren, ben je constant hun computersysteem in gedoken. Je weet best waar je zo'n lijst zou kunnen vinden.'

'Dus jij wilt dat ik de vertrouwelijke gegevens van een van onze eigen klanten kraak?'

'Ja.'

Van dat antwoord schrok ze even. Het was niet voor het eerst dat Magozzi haar vroeg op een illegale manier informatie te vergaren, maar wel de eerste keer dat hij dat hardop verwoordde. 'Waarom?'

'Wij zijn op zoek naar moordenaars die wellicht op die lijst staan. Is dat genoeg?'

Na een korte aarzeling stond ze op en ging hen voor naar haar kantoortje. Magozzi zag aan haar hele houding dat deze zaak voor haar in één klap was veranderd, net zoals dat eerder bij henzelf was gebeurd. Ze zochten niet langer naar een dolgedraaide psychopaat, maar naar een stel wanhopige vrouwen, die hun eigen hachje en dat van degenen van wie ze hielden hadden proberen te redden. Daar moest je maar niet te veel bij nadenken; je niet wagen in dat grijze gebied waar je uit medeleven kon negeren dat moord moord bleef – wie het ook deed of met welke reden.

Al na een paar minuten toverde Grace de namenlijst tevoorschijn. Ze schoof haar stoel opzij om hen op het scherm te laten meekijken. 'Voilà! Wat zoeken jullie precies?'

Nu gaf Magozzi haar de cd-rom. 'Hierop staat een thuisfilmpje van het Theodore Wirth-park op de avond van de moord. Op enkele beelden zie je hoe vier vrouwen een sneeuwman staan te bouwen rond een van onze dode agenten. Het BCA heeft de stills ervan zo ver uitvergroot, dat er wat letters te lezen zijn. En die willen wij dus gaan vergelijken met die lijst. Verder zouden we het erg fijn vinden als jij nog wat meer details eruit zou kunnen halen, waarmee we die lui eventueel kunnen identificeren.'

Grace sloot heel even haar ogen. 'Vier vrouwen?'

'Inderdaad.'

Toen zei ze niets meer. Ze nam de cd-rom van hem aan, stopte hem in de diskdrive en rommelde toen net zolang met het beeld dat op de monitor ernaast verscheen, tot het naar haar zin was. 'Meer kan ik er niet van maken. Ik zie: W, T, C...' Ze stopte.

'Ja ja,' zei Gino, 'en dan nog een nul. Dat weten we al. Wij dachten dat het misschien een datum was, maar het BCA kreeg de rest niet duidelijker. Zeg, hoe spring je eigenlijk meteen naar het einde?' Hij wees op de monitor met de namenlijst.

Gedachteloos stak Grace haar hand uit en drukte op de scrolltoets. Gino en Magozzi kropen dicht op het scherm en tuurden ingespannen naar de voorbijrollende namen – totdat de lijst bij ene Muriel Zacher eindigde.

'Shit! Helemaal niks!' foeterde Gino. Met een pijnlijk gezicht strekte hij zijn rug. 'Terug naar de tekentafel maar weer...'

'Het was een gok,' zei Magozzi, 'maar we móésten het proberen. En wat zeg je van die foto's, Grace? Ga je het BCA naar de kroon steken? Misschien dat je met jouw gezichtsherkenningsprogramma onder die maskers de vorm van de schedel kunt inschatten?'

Grace knikte, zonder haar blik van de still op de tweede monitor te halen. 'Ik kan het proberen. Geef me een kwartiertje alleen.'

37

'Niet te geloven!' Gino stond voor het raam van Grace' woonkamer en tuurde als Kuikentje Klein naar de lucht. 'Het einde van de wereld is daar; het is opgehouden met sneeuwen! Zeg, is dat kwartier al om?'

Magozzi was op de bank gaan liggen, een arm over zijn gezicht tegen het daglicht. 'Hè Gino, rustig man. Gun haar wat tijd. Dat programma is best traag.'

'Rustig, zegt-ie; dat kun je toch niet menen? Ik word knettergek van deze rotzaak: we hebben hem al op vier verschillende manieren bekeken en nóg staan we met lege handen. Van Weinbeck naar De Sneeuwman naar de Warners naar Bitterroot – en nergens een splintertje bewijsmateriaal.'

'Daar komt het wel zo'n beetje op neer, ja.'

'Wat doen we dan hierna?'

'Geen idee.'

In haar kantoortje aan het eind van de gang werkte Grace intussen geroutineerd met haar eigen, geavanceerde fotocorrectieprogramma. Ze liet de computer alle mogelijkheden inschatten, voegde kleurenpixels in de meest waarschijnlijke combinaties toe, maar de beelden bleven te wazig voor hun gezichtsherkenningssoftware. Het enige dat ze bereikte, was dat de rest van de initialen op die sjaal nu wél leesbaar waren: "W.T.C.O.O.O." stond er. Grace wist genoeg.

Politieagenten dachten soms zo star, vond ze. Als ze eenmaal iets in hun hoofd hadden, konden ze dat idee niet meer loslaten. En dus was het nog niet eens bij hun opgekomen dat die nul misschien helemaal geen nul was, maar de letter O – ietwat slordig geborduurd door de trillerige handen van een oude vrouw. Ze duwde haar stoel weg van de computertafel, sloot haar ogen en dacht terug aan afgelopen najaar en haar laatste dag in de computerruimte van Bitterroot.

Wat mooi, Maggie, dank je wel.

Ach, het is maar een kleinigheid, opdat je ons niet vergeet. Toen ik Laura vertelde dat je die van mij bij je eerste bezoekje zo had geprezen, stond ze erop er ook een voor jou te maken.

Laura?

Ja, zij is een van de twee oprichtsters van Bitterroot. Ze is inmiddels oud en haar borduurwerk is niet meer wat het geweest is, maar ze is altijd erg gevleid als iemand het mooi vindt.

Waar staan die letters eigenlijk voor?

O, dat is de afkorting van ons motto; van Bitterroot en alle vergelijkbare instellingen. W.T.C.O.O.O. – We Take Care Of Our Own, oftewel: wij zorgen voor onze mensen. Laura maakt voor alle vrouwen hier zo'n sjaal.

Op dat moment had het een mooi menselijk motto geleken, in een wereld waarin bedrijven meestal akelig onpersoonlijk waren. En mensen gebruikten die zinsnede zo vaak, als ze het over hun familie hadden, hun dorp, hun land... Daarom waren er ook echt geen alarmbellen bij haar gaan rinkelen toen ze datzelfde zinnetje bij die chatroom was tegengekomen. Maar nu klonk het motto op die sjaal haar ineens een stuk onheilspellender in de oren.

Magozzi en Gino kwamen eraan toen ze haar van het kantoortje naar de keuken hoorden lopen.

'En? Iets gevonden?' vroeg Gino hoopvol.

Toen ze zich naar hen omdraaide, viel Magozzi op dat haar blik leeg was – alsof ze alles daarachter totaal had opgebruikt. 'Hebben jullie enig idee hoeveel vrouwen er in dit land door hun eigen partner zijn vermoord, vanaf het moment dat jullie hier binnenstapten?' vroeg ze kalm.

Magozzi hield haar blik met de zijne vast. 'Als jij me zegt hoelang we hier zijn, vertel ik je hoeveel. Wij kennen de statistieken ook, Grace. Dat hoort bij ons werk. Maar het is ook ons werk om er verandering in te brengen – wij en alle andere politieagenten met ons. En niemand anders.'

Grace dacht even na en knikte toen. 'Je had het erover dat een oude vrouw vanochtend in Bitterroot iemand heeft gedood.'

Gino zei: 'Klopt, maar dat was overduidelijk zelfverdediging. Nou ja, zélfverdediging: hij hield een andere vrouw onder schot.'

'Daar kan ik nog inkomen,' zei Grace. 'Iemand neerschieten die met moord in zijn hoofd je huis binnensluipt. Maar ze opzoeken en vermoorden, zoals bij Tommy Deaton? Dat lijkt wel...'

'Jagen,' vulde Magozzi aan. Hij voelde dat zijn hart sneller begon te slaan. Ja hoor, ze had iets gevonden; iets dat die sneeuwmannen uit het park met Bitterroot verbond. 'Maar, voor wat het waard is: als er mensen van Bitterroot bij betrokken waren, dan dachten die vast dat er niets anders op zat om Mary Deatons leven te redden. Zelfs Gino en ik hadden daar problemen mee. Aan de ene kant weet je dat het gewoon moord is, maar je andere helft begrijpt het nog ook.'

'Klopt. Maar dan moet je dus gaan vermenigvuldigen.'

'Pardon?'

'Hoeveel mishandelde vrouwen zitten er in Bitterroot?'

'Vierhonderd,' wist Gino nog.

'Oké, en voor elk van die vrouwen loopt ergens een vent rond die ze op een dag zou kunnen vermoorden. Als je voor de moord op Deaton uitvluchten gaat verzinnen, moet je dat dus ook voor die andere driehonderd negenennegentig doen.'

Gino staarde haar aan. Hij had zich zo ingeleefd in wat híj in Bill Warners plaats had gedaan dat hij bijna was vergeten dat hij deze zaak als politieman moest benaderen.

Grace liep naar een la, haalde er een opgevouwen sjaal uit en legde hem op tafel.

Gino trok het ding naar zich toe, voelde aan het borduurwerk en hield toen geschokt zijn adem in.

Opmerkelijk genoeg glimlachte Grace daarop naar hem. 'Ík ben het niet, hoor Gino, op die video. Dat is niet deze sjaal, maar wel dezelfde.'

Gino blies langzaam weer uit. 'Wist ik ook wel,' bromde hij.

'Ik heb hem op mijn laatste dag daar cadeau gekregen; het schijnt dat die oude dame ze voor alle inwoonsters maakt. Het zijn geen nullen, maar O's en die afkorting staat voor Bitterroots motto: *"We Take Care Of Our Own"*. Dat zinnetje werd ook ergens in die chat genoemd; dat heb ik jullie zelfs nog voorgelezen, weet je nog? Maar toen legde ik de link nog niet.'

Magozzi en Gino keken elkaar zeker een minuutlang aan. Normaal gesproken was de grote doorbraak in een lastige zaak altijd reden tot veel uitbundigheid. Ditmaal lag het anders.

Gino stak kwaad zijn handen in zijn zakken. 'Verdomme, hier was ik al bang voor. Ik bedoel, ik vond een dorp zonder mannen eerst maar eng. Maar het wérkt wel en je kunt mij niet wijsmaken dat iedereen hiervan wist. Dus dan heb je het over een paar rotte appels, die het verschrikkelijk verpesten voor een stel doodsbange vrouwen, die nergens anders naartoe kunnen. Ja hoor, nú krijgen we wel een huiszoekingsbevel voor Bitterroot, plus een gedegen onderzoek, maar vanwege het schandaal dat dat beslist veroorzaakt, wordt Bitterroot uiteindelijk gesloten – ongeacht of wij iets vinden waarmee we de echte moordenaars kunnen aanhouden.'

'O, ik haat dit...' fluisterde Grace.

Magozzi vroeg zich meteen af zij ook ooit was mishandeld – want van haar verleden wist hij na een jaar verliefdheid nog steeds zo goed als niets.

'Maar één van die vrouwen heeft in die chatroom dan toch gratis moordadvies uitgedeeld, dat heeft geleid tot die moord in Pittsburgh!'

Magozzi schudde zijn hoofd. 'Wij denken dat dat Bill Warner is geweest, de vader van Mary Deaton. Hij mag dan niet aanwezig zijn geweest op de plaats delict, hij was wél van alles op de hoogte... en ging die kennis in het rond strooien.'

'Ja,' zei Gino. 'Tegen een andere arme donder van een vader die 's nachts wakker ligt, wachtend op het telefoontje dat zijn dochter dood is... In deze zaak weet ik niet eens wie ik moet haten en met wie ik medelijden moet hebben. Ik moet me in zoveel bochten wringen, dat ik me een soort kurkentrekker voel. Weet je wat: ik ga de auto alvast opwarmen.' En hij stampte de gang in, greep zijn jas en trok de deur met een knal achter zich dicht.

'Zo, Gino heeft het hier wel erg moeilijk mee,' zei Grace, starend naar de grond.

'Jij anders ook – wij allemaal!'

Ze liep met hem mee naar de deur en keek hoe hij zijn jas aantrok. Ze zag er net zo uitgeput en gekweld uit als hij zich vóélde, maar hij wist dat dit een van die gelegenheden was waarbij Grace het liefst alleen was. Zij verwerkte problemen of verdriet niet door er – zoals anderen – over te praten, maar trok zich terug naar waar hij haar niet kon volgen.

'Zullen we dat etentje van vanavond maar overslaan?' vroeg hij.

Ze opende de deur voor hem. Hij zag hoe bleek haar ogen waren in het felle buitenlicht en kon er niets in lezen. Ze bracht haar hand naar zijn wang en kuste hem heel licht, heel kort op de mond – meer een kus voor een echtgenoot die 's ochtends naar zijn werk gaat.

'Breng je pyjama maar mee,' zei ze.

38

De volgende ochtend was de close-up van de vier vrouwen die een sneeuwman rond Tommy Deatons lichaam bouwden, het belangrijkste beeld in elk journaal van de plaatselijke tv-stations en op elke voorpagina van elke krant in het Midwesten. Achter de schermen werd bij de politie van Minneapolis van alles gedaan om het lek op te sporen (hopelijk moesten ze dat zoeken bij het BCA en niet bij een van hun eigen bureaus), maar het kwaad was intussen toch al geschied: Bitterroot was doorgedrongen tot de landelijke pers.

Magozzi en Gino negeerden het meeste, knarsten wat met hun tanden en hielden zich verder zo goed mogelijk bezig met hun werk. De Monkeewrenchers wisten de chatlijn eindelijk tot aan de bron te ontrafelen: het computernetwerk van de openbare bibliotheek van Minneapolis. Daar kon dus iedereen binnenlopen en achter een computer kruipen, zodat ze Bill Warner bij lange na nog niet van medeplichtigheid konden betichten.

Vijftien dagen lang doorzochten meer dan vijftig agenten van de politie van Minneapolis en Dundas County elk gebouw, elke woning en elk van de vierhonderd hectare van Bitterroot. Ze vonden een hele hoop wapens – allemaal keurig geregistreerd en niet één die ballistisch gezien overeenkwam met de kogels die uit Tommy Deaton en Toby Myerson waren gehaald. Ook vonden ze honderden sjaals, zoals die van Grace en op die ene foto. Het Misdaadlaboratorium van Minneapolis én het BCA bekeken ze stuk voor stuk en vergeleken ze met de door Grace verbeterde still. Zij vonden subtiele verschillen – niet zo verwonderlijk bij borduurwerk dat is uitgevoerd door de trillende handen van een oude dame – maar niets doorslaggevends. Natuurlijk bestonden er nog veel meer van deze sjaals (volgens Laura maakte zij ze al jaren, sinds de oprichting van Bitterroot), maar die ene van dat videobeeld vonden ze niet.

En elke dag van deze zoektocht stond er meer pers buiten de

poort, die zich steeds duidelijker liet horen en zowel toegang als antwoorden eiste. De media lieten het verhaal maar niet los. Toen het actuele nieuws er even afstand van nam, pikten de talkshows het op en liepen ermee weg. Het idee van mishandelde vrouwen die veranderden in moordenaars was gewoon té sappig. En de raadsvergaderingen van Dundas County werden overstroomd door zowel inwoners als politici, die het onvermijdelijke eind van dit verhaal eisten: sluiting van Bitterroot.

Gino en Magozzi ondervroegen alle inwoners van Bitterroot, maar kwamen steeds weer terug bij Maggie Holland. Zij was al zo lang directrice van het complex dat aannemelijk leek dat zij ook het meeste wist. Na het eerste officiële vraaggesprek werd hun echter al duidelijk dat ze bij haar niet veel verder zouden komen. Hoe ongedurig over de voortgang van het hele proces ze ook mocht zijn, ze gaf zich zonder morren aan hen over en liet niets van ergernis blijken, maar hield tevens alles wat ze wist – áls ze iets wist – voor zich. Meer dan eens betrapte Magozzi zich erop dat hij haar moed en uithoudingsvermogen bewonderde. Als zij werkelijk een moordenares was, behoorde zij beslist niet tot het soort dat Gino en hij gewoonlijk ondervroegen. Hij twijfelde er geen moment aan dat wanneer zij ooit op concreet bewijs stuitten dat Bitterroot met de misdaden verbond, deze vrouw alle schuld op zich zou nemen – of ze er nu bij betrokken was geweest of niet – enkel in de hoop dat ze haar instelling daardoor open kon houden.

Het was hun laatste dag in Dundas County. De huiszoekingsteams pakten hun spullen, hun honden en maakten zich klaar om te vertrekken. Gino en Magozzi zaten voor de allerlaatste keer aan Maggie Hollands bureau.

Zij stond voor het raam en keek uit over de velden in de richting van de toegangspoort. 'Zo, dus u vertrekt.'

'Ja, mevrouw,' zei Magozzi.

'En u heeft niets gevonden.'

'Nog niet. De zaak is nog niet gesloten en dat blijft zo tot hij is opgelost. Wij zitten nog steeds met twee vermoorde politieagenten, van wie er één – mag ik u daar nog even aan herinneren – nooit iemand heeft mishandeld.'

Ze knikte zonder zich om te draaien. 'Maar een van uw doelen heeft u dan toch bereikt, is het niet? Ze gaan ons sluiten.'

'Ons enige doel was het vinden van een moordenaar.'

Eindelijk draaide ze zich om, liep naar haar bureau en liet zich op haar stoel vallen. Voor het eerst viel Magozzi op dat ze er haast verslagen uitzag. 'Heeft u al eens bedacht, heren rechercheurs, dat zelfs wanneer enkele vrouwen van dit complex hebben besloten te doen wat zij nodig achtten om een leven te redden, de anderen misschien geheel onschuldig zijn, onwetend van het feit dat zoiets plaatsvond?'

Gino knikte. 'Daar hebben wij zelfs heel veel over nagedacht.'

'Als die poort voor de allerlaatste maal dichtgaat, zijn die vrouwen – de onschuldigen – hun veilige toevluchtsoord voorgoed kwijt. En de media zullen hen niet meer met rust laten, ervan overtuigd dat zij allemaal meedogenloze moordenaressen zijn.'

Gino leunde achterover en vouwde zijn handen voor zijn buik. 'Weet u, ik heb de berichtgeving rond deze zaak behoorlijk goed in de gaten gehouden: al die tv-beelden van aan de poort kloppende journalisten, geweerd van een plek waar Joost-mag-weten-wat aan de andere kant van het hek gebeurt. En ik bedacht dat u op veel manieren erg geraffineerd bent, mevrouw Maggie Holland, maar op veel andere manieren ook net zo sneeuwblind als wij gedurende deze hele onverkwikkelijke zaak zijn geweest.'

Haar blik werd scherper. 'Werkelijk?'

'Ja, werkelijk. Want weet u wat ík zou doen als ik hier de baas was? Ik zou die rotpoort wijd opengooien, alle pers binnenlaten en ze precies laten zien wat hier gebeurt. Laat ze de andere kant van het verhaal maar zien! Steek je nek maar uit, Maggie Holland, en laat zien waarom dat hek is opgetrokken!'

Maggie zweeg lange tijd. En hoewel haar blik koel en hard bleef, was er terwijl ze over Gino's woorden nadacht ook iets nieuws in haar ogen te zien: een bijna onwaarneembare flits van hoop.

'Sheriff Rikker mag vandaag naar huis,' zei ze tenslotte.

Magozzi glimlachte. 'Ja, dat weten we.'

'Natuurlijk. Ik hoorde van de verpleegsters dat jullie haar in het ziekenhuis elke dag hebben opgezocht.'

Gino trok zijn schouders op en keek de andere kant op. 'Ach, we waren toch in de buurt; dat doen agenten nu eenmaal voor elkaar.'

'Dat doen ménsen nu eenmaal voor elkaar, rechercheur.'

'Dat ook, ja.'

Eenmaal weer in de auto keek Magozzi Gino aan. 'Jij bent me d'r eentje, hoor! Niet te geloven dat jij tegen Maggie Holland zegt dat ze de pers beter kan binnenhalen. Geweldig idee, overigens.'

Gino haalde zijn schouders op. 'Ja, vind ik ook wel. Wij hebben de Warners niet kunnen pakken; we hebben Maggie Holland of wie dan ook van Bitterroot niet kunnen pakken; we hebben in wezen geen donder kunnen doen om het onderzoek naar de moord op twee politiemannen fatsoenlijk af te sluiten... Het enige dat we wél voor elkaar hebben gekregen, is dat een instituut dat werkelijk iets goeds deed, gesloten gaat worden. Eén groot fiasco, van begin tot eind. En dat begon ik dus een beetje zat te worden. Dus bedacht ik deze reddingsactie.'

'Volgens mij is het laatste woord hier nog niet over gezegd.'

'Goed zo! Laat ze er maar eens goed over nadenken. En misschien dat sommigen dan die niksnutten van de wetgevende macht eens gaan lastigvallen, zodat die eindelijk ophouden met het vrijlaten van andere niksnutten, die wij al sinds we in het blauw rondlopen achter slot en grendel proberen te houden.'

Magozzi startte grijnzend de motor. Die Gino: altijd al een dromer geweest. 'Dat zou wel een heel happy end zijn.'

Gino snoof. 'Ach Leo, er lopen in deze zaak nog steeds lui vrij rond met een moord op hun geweten. En in Pittsburgh is het al niet anders. Als Bill Warner echt achter die teksten in die chatroom zat, is hij een verdomd goede leermeester. Deze zaak heeft helemaal geen happy end, dat heb ik je in het begin al voorspeld.'

Magozzi zette zijn voet op het gaspedaal. De politiewagen reed knerpend de parkeerplaats af. 'Wij doen wat we kunnen, Gino. Het loopt misschien niet altijd perfect af, maar soms is het nog helemaal niet zo slecht.'

39

Sheriff Iris Rikker stond aan de rand van Lake Kittering te kijken hoe het water aan het zand onder haar schoenen likte. Maart had een stevige, zachte bries binnengelaten, waarna het ijs, inclusief de tweede loterijwagen, binnen enkele weken in de bronwaterdiepten was verdwenen. Vandaag blies er een lichte rimpeling over het meer, dat Iris er niet veel anders vond uitzien dan in januari, toen hetzelfde oppervlak in ijs was gedompeld.

Ze hoorde Sampsons zware tred op het zompige grasveld achter haar. 'Beetje te vroeg nog voor zwemmen, sheriff,' zei hij toen hij naast haar kwam staan.

'Ik zat eigenlijk meer te denken aan vissen.'

'Mm, het baarsseizoen begint pas over een maand. Jonkies en grondels zijn zo'n beetje het enige dat je er nu uit haalt. En die eet niemand, want ze smaken naar modder – al is het best leuk om te doen.' Hij bukte zich, pakte een stuk drijfhout en begon ermee in het zand te prikken. 'Maar ik had eigenlijk niet gedacht dat jij zo'n sportief type was.'

Zuchtend staarde ze naar de overkant, naar de oever die vlak bij Bitterroot lag. 'Ben ik ook niet.'

Sampson prikte als een kind in haar arm, zoals hij de laatste tijd wel vaker had gedaan. 'Hé, laat me je littekens eens zien?'

Ze glimlachte, maar keek hem nog steeds niet aan. 'Misschien ooit.'

Toen stampte Sampson in het zand en liet een grote voetstap achter. 'Denk jij dat ze daaronder liggen?'

'Ik weet het niet.'

'Spijt?'

'Dat ik niet heb laten dreggen? Nee.'

Sampson stond op, gooide het drijfhout in het water en knikte. 'Waarschijnlijk maar goed ook. Er zijn in de afgelopen twintig jaar wel vijftien lui in dat meer verdronken en ze hebben er nooit een opgedregd. We moesten wachten tot ze gingen drijven en dat deden ze lang niet allemaal. Voor hetzelfde geld vind je Mike Jurasiks kleinzoon.'

'Sampson, ik heb vandaag de laboratoriumuitslag van die botten in mijn schuur binnengekregen.'

'En?'

'Ze kunnen er op geen enkele manier een naam aan plakken. Zelfs DNA moet immers ergens mee worden vergeleken en er is op deze aardbol geen spoortje van Emily's echtgenoot meer te vinden.'

'Ik weet zeker dat het Lars is. Wie zou het anders moeten zijn?'

Iris begon nu ook met haar schoenen in het zand te wroeten. Ze keek naar de patronen die ze had gemaakt: waarom zag de mens toch zo graag zijn eigen voetafdrukken in elk materiaal dat ze maar wilde kopiëren? 'Hij is in die cel verhongerd, Sampson; dat is de officiële doodsoorzaak.'

Sampson zei even niets en vouwde zijn armen voor zijn borstkas, om maar niet te hoeven denken aan wat voor een dood dat moest zijn geweest. 'Weet je wat ik denk?' sprak hij ten slotte. 'Ik denk dat Emily hem daar beneden heeft opgesloten, om zichzelf en misschien ook haar dochter te beschermen. Eigenlijk maf als je er zo over nadenkt. Zij was de enige van die hele familie die niet kon doden om zichzelf te redden, dus deed ze waar zij wél toe in staat was: ze sloot hem op, op een plek waar hij niemand meer kon kwetsen – alsof dat minder erg was. Pas toen haar kanker haar dreigde te gaan vellen, besloot ze dat ze hem moest doden, omdat er anders niemand voor hem zorgde. En ergens ga je dan bijna geloven in een god, die geen lijden zonder gerechtigheid kan aanzien. Hij heeft haar op de oprijlaan laten vallen, met het wapen in haar hand, voordat ze Lars uit zijn lijden kon verlossen. Je kunt zeggen wat je wilt, maar daardoor kreeg die schoft waarschijnlijk precies zijn verdiende loon.'

Iris keek Sampson ontzet aan. Zij was ervan overtuigd dat niemand zo'n leven (of sterven) kon verdienen. Pas na enkele seconden kon ze het hem vergeven. Een man als Lars had Sampsons zuster allerlei vreselijks aangedaan en een pijnlijke kronkel in zijn hoofd achtergelaten.

Ze keek weer uit over het meer, dacht aan al die afschuwelijke geheimen die ze in dit piepkleine vlekje op de aardbol had ontdekt en vroeg zich af of iedere plaats er zoveel verborg.